POR ACASO

ALI SMITH

Por acaso

Tradução
Beth Vieira

COMPANHIA DAS LETRAS

Copyright © 2005 by Ali Smith

A editora agradece o subsídio do Scottish Arts Council para a publicação deste livro.

A editora agradece a Tânia Ganho, tradutora da versão portuguesa (Editora Bico de Pena, 2006), a inspiração para a tradução dos dois primeiros parágrafos da p. 254.

Título original
The accidental

Capa
Raul Loureiro

Foto de capa
© Bruce Gilden/ Magnum Photos

Preparação
Isabel Jorge Cury

Revisão
Cláudia Cantarin
Marise Simões Leal

Os personagens e as situações desta obra são reais apenas no universo da ficção; não se referem a pessoas e fatos concretos, e sobre eles não emitem opinião.

Dados Internacionais de Catalogação na Publicação (CIP)
(Câmara Brasileira do Livro, SP, Brasil)

    Smith, Ali
    Por acaso / Ali Smith ; tradução Beth Vieira. — São Paulo : Companhia das Letras, 2006.

    Título original: The accidental
    ISBN 85-359-0864-1

    1. Romance inglês I. Título.

06-4558   CDD-823

Índice para catálogo sistemático:
1. Romance : Literatura inglesa   823

[2006]
Todos os direitos desta edição reservados à
EDITORA SCHWARCZ LTDA.
Rua Bandeira Paulista, 702, cj. 32
04532-002 – São Paulo – SP
Telefone: (11) 3707-3500
Fax: (11) 3707-3501
www.companhiadasletras.com.br

para
Philippa Reed
grandes esperanças

Inuk Hoff Hansen
próximo tão distante

Sarah Wood
de nós, a maga

> Entre a experiência de viver uma vida normal na Terra, neste momento, e as narrativas públicas para dar sentido a essa vida, há um vazio, um fosso, enorme.
>
> *John Berger*

Uniformidade rasa não é um acidente, e sim uma conseqüência daquilo que os marxistas chamam otimisticamente de capitalismo tardio.
Nick Cohen

> Para todos, o caso logo se reduziu a questão de pouca monta, exceto para Emma e os sobrinhos: — na imaginação dela, manteve-se intato, enquanto Henry e John continuaram a lhe pedir, todos os dias, que contasse a história de Harriet e dos ciganos, e a corrigi-la obstinadamente, caso houvesse a menor divergência, num detalhe que fosse, do relato original.
>
> *Jane Austen*

Muitas são as coisas que o homem, vendo, precisa entender.
Não vendo, como há de saber
o que guarda nas mãos
o tempo por vir?
Sófocles

> Meu talento é um tanto austero.
>
> *Charles Chaplin*

Minha mãe me começou numa noite de 1968, no café do único cinema da cidade, em cima de uma das mesas. Um pequeno lance de escada mais adiante, atrás do gasto veludo da cortina do balcão, a lanterninha bocejava, afagando a lanterna desligada, e, apoiada num cotovelo, acima dos amassos e farfalhos da última fileira, arrancava lascas da divisória de madeira e arremessava fiapos sobre a cabeça do pessoal de cidade pequena. Na tela, acima delas, o filme era *A lágrima secreta*, com Terence Stamp, ator de um alumbramento tal que minha mãe, jovem, chique, delgada e imperiosa, assistindo ao filme pela terceira vez naquela semana, se levantou da poltrona, deixou que o assento atrás dela se fechasse com um baque surdo, espremeu-se diante das pernas das pessoas sentadas em sua fileira, subiu a rampa encardida, cruzou a cortina e deparou com a luz.

    Não havia ninguém no café, a não ser um rapaz pondo as cadeiras em cima das mesas. Acabamos de fechar, ele disse a ela. Minha mãe, ainda piscando por causa do escuro, avançou pelo vermelho surrado da escadaria. Pegou a cadeira que ele segurava

9

e, sem desvirá-la, colocou-a no chão, de cabeça para baixo. Tirou os sapatos. Desabotoou o casaco.

Atrás da registradora, as laranjas semi-submersas da máquina de suco rodopiavam sem parar nas varetas; o bagaço, no fundo do reservatório, subia e assentava, subia e assentava. As cadeiras sobre as mesas espichavam as pernas para o alto; embaixo delas, as migalhas de bolo esperavam passivas pela boca do aspirador de pó. Ao final da majestosa escadaria principal, que levava à rua, e para onde minha mãe iria, em mais alguns minutos, com as meias de náilon ainda mornas emboladas no bolso do casaco, sacudindo na mão os sapatos presos pelas tiras, Julie Andrews e Christopher Plummer sorriam de suas molduras, do mesmo jeito que ainda sorririam, desbotados e sedutores, uma década atrasados, para o assomo de luz que enegreceu tudo cinco anos mais tarde, quando o aprendiz de projecionista (sentindo-se passado para trás, em relação ao cargo que considerava seu: a gerência havia contratado um novo projecionista de cidade grande, depois da morte do antigo) decidiu pôr o prédio abaixo com uma lata de creolina e uma ponta de cigarro.

As dispendiosas poltronas do balcão, onde era proibido fumar? Viraram fumaça. Os camarotes, com aquele seu cheiro entranhado de couro? Foram-se para sempre. As cortinas de veludo, o candelabro de bolas de vidro? Cinzas espalhadas ao vento, um salpico de minúsculos estilhaços de luz na superfície da história local. Os jornais do dia seguinte foram enfáticos, um acidente. O sujeito que era o dono do cinema acionou o seguro e vendeu o prédio demolido para um armazém que funcionava no sistema pegue e pague chamado, sem muita imaginação, de Pegue e Pague Mackay.

Mas naquela noite, nos idos de 1968, no café quase fechado, as vozes ainda alardeavam amor moderno por trás das paredes. A música ainda irrompia de lugar nenhum. Pouco antes do momento em que Terence Stamp se estrepa e é colocado no devido lugar, ela havia enganchado um calcanhar no outro, por trás das costas dele, e meu pai, surpreso, se enfiara e grunhira dentro dela, oferecendo-lhe literalmente milhões de possibilidades, das quais ela escolheu apenas uma.

Olá.

Eu sou Alhambra, assim chamada por causa do lugar onde fui concebida. Acredite. Tudo aqui é a sério.

De minha mãe: boas maneiras sob pressão; os usos do mistério; como obter o que quero. De meu pai: como desaparecer, como não existir.

O começo

das coisas — quando foi, exatamente? Astrid Smart quer saber. (Astrid Smart. Astrid Berenski. Astrid Smart. Astrid Berenski.) 5h04 da manhã no rádio-relógio padrão popular. Por que as pessoas insistem em dizer que o dia começa nessa hora? Na verdade, começa no meio da noite, a uma fração de segundo depois da meia-noite. Mas ninguém considera o dia começado até que clareie, e o fato é que o escuro continua sendo ontem à noite e só é manhã quando clareia, embora, na verdade, já seja manhã assim que passa uma fração de segundo da meia-noite, i. e., aquele experimento em que você divide algo várias vezes, como por exemplo a distância entre o chão e uma bola quicando sobre ele, até conseguir provar, segundo Magnus, que a bola na verdade nunca chega a bater no chão. O que é besteira, porque claro que ela bate no chão, caso contrário, como é que iria saltar, não teria nada de *onde* saltar, embora seja fato que a ciência consegue provar que a bola não toca no chão.

Astrid está gravando alvoradas. Não há mais nada a fazer por aqui. A cidadezinha é um lixo. Agência do correio, restaurante indiano pichado por vândalos, um lugar que vende batata frita, uma lojinha que não abre nunca, local para os marrecos atravessarem a rua. Os marrecos têm as próprias placas de trânsito! Há uma revendedora de sofás chamada Sofá Buloso. Um horror. E uma igreja. A igreja também tem uma placa só para ela. Nada acontece por aqui, a não ser uma igreja e alguns marrecos, e esta casa é o cúmulo do lixo. É padrão popular. Nada vai acontecer por aqui durante todo este verão padrão popular.

Ela agora tem nove alvoradas, uma atrás da outra, na mini-DV da sua Sony digital. Quinta-feira, 10 de julho de 2003, sexta-feira, 11 de julho de 2003, sábado, 12, domingo, 13, segunda, 14, terça, 15, quarta, 16, quinta, 17 e hoje, sexta-feira, 18. Mas é difícil saber em que momento, exatamente, acontece a alvorada. Tudo que se tem, olhando na tela da filmadora, é uma visão um pouco mais nítida de lá de fora. Será que isso significa que o começo tem relação com a capacidade de ver? Que o dia começa tão logo você acorda e abre os olhos? Quer dizer então que quando Magnus acorda, finalmente, no meio da tarde, e começa a se mexer no quarto que lhe coube neste lixo de casa padrão popular, isso significa que o dia ainda está começando? O começo é diferente para cada pessoa? Ou será que o começo se estica o tempo todo para a frente, o dia inteiro? Ou vai ver é para trás que ele se espicha. Porque toda vez que você abre os olhos, houve um tempo anterior, quando eles foram fechados, e outro tempo antes disso, quando foram abertos, e assim sucessivamente, retrocedendo, através do sono, da vigília e de coisas comuns como piscar, até a primeira vez em que você abriu os olhos, que é provavelmente por volta do momento em que nasceu.

Astrid chuta os tênis para o chão. Estica-se de novo de atravessado na cama horrenda. Ou talvez o começo esteja ainda mais para trás, quando se está no útero, ou seja lá que nome tenha. Possivelmente o começo verdadeiro é quando você começa a se formar como pessoa e, pela primeira vez, se cria a substância macia que faz os olhos dentro daquela coisa dura que vira a cabeça da gente, i. e., o crânio.

Ela apalpa a curva de osso acima do olho esquerdo. Os olhos se encaixam no espaço onde estão, exatamente, como se tivessem sido feitos um para o outro, o espaço e o olho. Igual àquela peça que ela viu, do homem que ficou cego, o pessoal no palco virou o sujeito de costas, para a platéia não ver, depois arrancou os olhos dele e levou o coitado embora, as mãos cobertas por um treco vermelho, e em volta dos olhos também. Muito louco. Era geléia, ou algo do gênero. Foram as filhas que fizeram aquilo, ou os filhos. Uma das tragédias de Michael. Que foi até boa, por sinal. É, isso mesmo, porque no teatro, quando a cortina sobe, sabemos que é o começo porque, claro, a cortina subiu. Mas tem o jeito como as luzes se apagam e os espectadores se calam, logo depois que ela sobe, e tem também o ar, quando sentamos mais perto do palco, dá até para sentir o cheiro de outro tipo de ar, com um pouquinho de poeira e coisa e tal no meio. Feito o dia em que Michael e a mãe a fizeram ir ver outra tragédia muito louca, sobre uma mulher que pira e mata os filhos, mas antes disso ela manda os dois meninos, garotinhos pequenos, para fora do palco, na verdade eles desceram e caminharam pela platéia, a mãe tinha dado roupas envenenadas para eles. Para oferecerem à princesa com quem o pai deles vai se casar, em vez de se casar com ela, e os meninos vão até uma casa, ou palácio, em algum lugar lá atrás da platéia, isso não acontece no palco, não acontece em parte alguma, a não ser na história, i. e., na nossa cabeça, mas mesmo sabendo que não aconteceu, que é só uma peça, mesmo assim, em algum lugar, atrás de nós, a princesa está vestindo as roupas envenenadas e tendo uma morte horrenda. Os olhos dela derretem nas órbitas e a pele fica coberta de erupções, como se terroristas tivessem jogado esporos no metrô. Os pulmões dela derretem e

Astrid boceja. Está com fome.

Está azul de fome, na verdade.

Faltam horas, literalmente, até algo parecido com café-da-manhã, apesar da vontade que sente de comer seja o que for neste lixo nojento de casa.

Poderia voltar a dormir. Mas, claro, como não poderia deixar de ser, está totalmente desperta. Lá fora, o dia clareou de vez, já; dá para ver a muitos quilômetros de distância. Só que não há nada para ver; só árvores e prados, esse tipo de coisa.

5h16 da manhã no rádio-relógio padrão popular.

Ela está de fato acordada.

Podia levantar e ir gravar o vandalismo. E ela vai, decididamente de hoje não passa. Irá até o restaurante, mais tarde, e perguntará ao indiano se tudo bem. Ou talvez apenas grave sem ele saber, assim não haverá ninguém para dizer não. Se fosse agora, não haveria ninguém lá e poderia gravar sossegada. Se acontecesse de ter alguém acordado, por ali, a essa hora da manhã (não vai ter ninguém, não tem ninguém acordado nas imediações, a não ser ela, mas se houvesse, digamos que haja), eles iriam apenas pensar, nossa, olha só, lá está uma menina de doze anos de idade brincando com uma câmera digital. Provavelmente iriam reparar na marca da filmadora, uma marca boa, caso entendessem do assunto. Ela diria a eles, se perguntassem, que está de passagem, que veio para passar o verão (verdade), que está filmando a paisagem (verdade) ou que trabalha num projeto da escola (poderia ser verdade) sobre diferentes tipos de construção e seus usos (muito bom). E aí então quem sabe houvesse alguma prova vital na sua minifita-DV, quando chegasse em casa, e em algum momento das investigações sobre o vandalismo alguma autoridade se lembraria e diria, nossa, aquela menina de doze anos esteve lá com uma filmadora, talvez tenha gravado algo, como é mesmo a palavra?, crucial para nossas investigações, e eles então viriam bater na porta, mas e se o verão já tiver acabado, e se eles já tiverem ido embora, algumas investigações levam um tempão, bom, aí então as autoridades vão localizar o paradeiro dela pela internet, vão procurar pelo nome do Michael, ou então perguntar aos donos dessa casa padrão popular, e, graças a ela, as coisas finalmente entrarão de novo nos eixos e o mistério de quem foi o responsável pelo vandalismo no Curry Palace será solucionado.

Este lugar é o supra-sumo. A mãe não pára de repetir, diz isso toda noite. Não parece haver muito mais gente em férias, ali, não obstante quão supra-sumo ele seja, talvez porque ainda não tenha chegado a temporada de férias, não oficialmente. Os moradores da cidadezinha têm mania de encarar, mesmo quando Astrid não está fazendo nada, só andando à toa. Mesmo quando não está usando a filmadora. Mas o tempo está ótimo. Ela tem sorte de não estar na escola. O sol saiu em quase todas as alvoradas filmadas. Um bom verão é assim desse jeito.

Antigamente, antes de ela nascer, os verões eram melhores, eram lindos verões ininterruptos, de maio a outubro, lindos verões, pelo visto, no passado. O passado é um século diferente. Ela própria provavelmente será a que mais tempo vai viver no novo século, de todas as pessoas presentes na casa, naquele momento, que são a mãe, Magnus, ela e Michael. Todos eles fazem mais parte do velho século do que ela. Se bem que a vida toda dela, a maior parte, foi vivida no século velho. Por outro lado, também eles viveram a maior parte da vida no século velho, mas, proporcionalmente falando, ela já viveu vinte e cinco por cento da sua vida no novo (se você começar em 2001 e considerar os próximos seis meses do ano como já tendo passado). Ela é vinte e cinco por cento nova, setenta e cinco por cento velha. Magnus viveu três dos seus dezessete anos no novo século e, portanto, isso dá. Astrid faz as contas. Magnus é dezessete por cento novo, oitenta e três por cento velho. Ela está oito por cento mais para o novo que Magnus. A mãe e Michael perdem de longe, com uma porcentagem muito mais significativamente pequena no novo, e uma porcentagem muito mais significativamente grande no velho. Mais tarde ela faz as contas. Agora não está a fim.

Mexe-se na cama padrão popular. A cama padrão popular range alto. Depois do rangido, dá para escutar o silêncio no resto da casa. Estão todos dormindo. Ninguém sabe que ela está acordada. Não há ninguém a par. Apar parece nome de personagem da história antiga. Astrid, no ano 1003 a.C. (antes da Celebridade), vai até o bosque onde Apar, que na verdade é um nobre rei que inesperadamente optou por ser um Ninguém e viver de forma modesta, mora num casebre, não, numa caverna, e responde a perguntas feitas por pessoas da comunidade do bem comum, que viajam muitos quilômetros para perguntar a ele (o mais provável é que seja um ele, já que se fosse uma ela teria de ir para um convento ou morrer na fogueira). Aqueles que querem obter respostas a suas perguntas têm de bater na porta da caverna, bom, na pedra do lado de fora, ela apanha uma pedra e bate em outra pedra, e com isso Apar sabe que há alguém esperando. Eu lhe trouxe uma oferenda, Astrid grita para a escuridão da caverna. Ela lhe trouxe uma oferenda de croissants. Deve ser muito difícil conseguir bons croissants no bosque, do mesmo jeito que aqui. Tanto Michael como a mãe vêm se queixando da falta de croissants desde que chegaram a essa cidadezinha padrão popular, mas, claro, como não poderia deixar de ser, foram eles que quiseram vir, foram eles que a obrigaram a vir, e o Magnus também, e que a

tornaram ainda mais esquisita e diferente do que já era e do que as pessoas devem ser, se bem que, com um pouco de sorte, até recomeçarem as aulas, em setembro, Lorna Rose, Zelda Howe e Rebecca Callow já terão esquecido que ela fora tirada da escola mais cedo, dois meses antes.
   Astrid se concentra para não pensar nas colegas. Está na porta da caverna. Leva croissants. Apar está encantado. Faz um gesto de cabeça para que ela se aproxime.
   Dá-lhe uma olhada rápida, de dentro da escuridão da caverna; ele é velho e sábio; tem uma expressão bondosa no olhar. Responda a minha pergunta, ó venerado sábio e oráculo, começa Astrid.
   Mas é tudo que diz porque não tem uma pergunta a fazer. Não sabe o que, nem sobre o que, perguntar. Não consegue pensar numa pergunta, não numa que possa formular, ainda que só dentro da própria cabeça, com palavras de verdade, muito menos em voz alta para um completo estranho, mesmo que seja um estranho inventado.
   (Astrid Smart. Astrid Berenski.)
   Senta-se. Pega a filmadora, revira o aparelho na mão. Desliga, tira a fita dos começos, enfia no estojinho e o deixa sobre a mesa. Substitui a fita dos começos pela dos não-começos. Deita-se de costas, depois muda e se deita de frente. Até o final da temporada, terá sessenta e um começos, dependendo do dia em que forem embora, se na sexta, no sábado ou no domingo. Sessenta e um menos nove, i. e., pelo menos mais cinqüenta e dois à vista. Astrid suspira. O suspiro sai alto demais. Não há ruído de trânsito, aqui. Muito provavelmente é o fato de não haver barulho que a mantém tão acordada. Está acordada mesmo. Daqui a um minuto irá filmar o vandalismo. Fecha os olhos. Está dentro de uma avelã; cabe perfeitamente dentro da casca, como se tivesse nascido dentro

dela. É como se a cabeça estivesse usando capacete. A curva dos joelhos se encaixa direitinho. É completamente fechada. É um quarto completo. É completamente segura. Ninguém mais consegue entrar dentro dela. Depois fica preocupada em como irá respirar, já que a casca é inteiramente lacrada. A bem da verdade, já está preocupada com a respiração. Claro que dentro de uma avelã é finita a quantidade de ar, se é que existe ar. A preocupação aumenta quando lembra que, se Lorna Rose, Zelda Howe e Rebecca algum dia descobrirem que ela chegou a ter um pensamento como o de estar dentro de uma avelã, irão achar que ela é mais ridícula e maluca ainda. Lorna Rose e Zelda Howe estão jogando tênis na quadra pública de um parque. Astrid passa por lá junto com Rebecca. Elas ainda são amigas. Lorna Rose corre até a cerca e diz para Astrid e Rebecca jogarem uma partida na quadra ao lado, que depois as vencedoras vão jogar entre si, assim vão saber quem é a melhor das quatro. Astrid olha para a quadra onde ela e Rebecca devem jogar. A superfície está coberta de cacos de vidro. Abre a boca para dizer não, mas Rebecca já aceitou. E aquele vidro todo lá, diz Astrid, é muito louco. Covarde, diz Zelda Howe. Nós sabíamos que você não iria querer. Elas tinham posto os cacos de vidro ali de propósito, como um teste. Qualquer pessoa disposta a jogar em cima de cacos de vidro é idiota, Astrid diz a Rebecca. Rebecca vai até a quadra e pisoteia em volta, esmagando os cacos. Chega um homem. É o pai de uma delas. Astrid vai lhe contar sobre o vidro, mas, antes que consiga, ele chama todo mundo, menos ela, até a cerca e divide uma barra de chocolate Cadbury com frutas secas e nozes em quatro pedaços iguais. Dá um pedaço para cada uma. Astrid tenta ver se ele está comendo o quarto pedaço, mas não dá para enxergar direito o rosto, está muito longe. Tem algo na mão dela. É a câmera. Se conseguir botar isso em fita, poderá mostrar a alguém o que está ocorrendo. Mas não consegue erguer a filmadora. É pesada demais. O braço não obedece. Toca uma campainha, a muitos quilômetros. É em casa. Não há ninguém em casa, a não ser ela. O hall é tão grande e vazio quanto um deserto. Astrid atravessa o hall correndo para atender. Parece que o hall não acaba nunca. Quando chega enfim à porta, está dobrada ao meio, ofegante, e com medo de que a pessoa do outro lado, seja quem for, tenha ido embora, de tanto que ela demorou. Abre a porta. Há um homem parado ali. Sem rosto. Sem nariz, sem olhos, sem nada, é só pele. Astrid está apavorada. A mãe vai ficar furiosa com ela. A culpa é dela de ele estar aqui. Você não pode entrar, tenta dizer, mas está sem fôlego. Nós não estamos em casa, murmura. Estamos de férias. Vá embora. Tenta fechar a porta. Aparece uma boca na pele dele e de lá de dentro ruge um estrondo, como se Astrid estivesse perto demais de um avião. O jorro de ar faz com que a porta se abra de novo. Ela abre os olhos, rola direto para fora da cama e se levanta.

 Está de férias em Norfolk. O rádio-relógio padrão popular marca 10h27. O barulho é de Katrina da Faxina, batendo o aspirador nos rodapés e nas portas dos quartos.

 A mão dormiu. Ainda enfiada dentro da alça da câmera. Liberta a mão e sacode, para fazer o sangue circular.

 Põe os pés em cima dos tênis e escorrega sobre eles pelo carpete padrão popular. Que já sentiu em cima a pressão dos pés nus de sabe-se lá quantas centenas de mortos e velhos.

 Quando olha no espelho, sobre a pia, vê a impressão do próprio polegar abaixo do osso malar por ter dormido em cima da mão ! ! Ela é como aquele tipo de cerâmica que a mãe compra, feita por gente de verdade (não por fábricas), por artesãos reais que trabalham em países quentes e deixam marcas das próprias mãos como assinatura, i. e., ela assinou a si própria dormindo!

Aproxima o polegar da marca que ele fez. Encaixa direitinho. Joga água no rosto e seca na manga da camiseta, e não na toalha horrenda. Calça os tênis. Apanha de novo a câmera e suspende o trinco da porta.

Existem duas formas de ver aquilo que se está filmando: 1) na pequena tela do aparelho e 2) pelo visor. Os cineastas de verdade sempre usam o visor, se bem que é mais difícil ver por ele. Ela põe o olho no visor e grava a mão fazendo o trinco subir e baixar. Mais cem anos e esses trincos podem ter desaparecido, este filme será prova de que existiram um dia, servirá para mostrar àqueles que precisarem saber, no futuro, como trincos como esse funcionavam.

A luz da bateria está piscando. A bateria está fraca. Há força suficiente para registrar Katrina da Faxina escarafunchando com o tubo do aspirador as entranhas de cada degrau. Katrina tem algo a ver com a casa. Ela vem no pacote. A mãe e Michael têm uma piadinha que eles cochicham quando ela está em algum canto de onde não pode escutar, e até mesmo quando não está na casa e não escutaria ainda que os dois berrassem, Katrina da Faxina no seu Ford Cortina. O Ford Cortina é um carro dos anos 70 do século passado; provavelmente é um carro porcaria, embora Astrid não veja a menor graça na piada; Katrina na verdade não parece ter carro nenhum; ela carrega o material de limpeza pela rua, traz da casa dela e leva de volta, depois que termina o serviço. Eles sempre agem de um jeito tão pueril, como se estivessem de fato se comportando da pior maneira possível, dizendo algo de fato ousado. Pessoalmente, Astrid está acima de coisas como essa. As pessoas são apenas diferentes umas das outras, é assim que ela pensa. É muito óbvio. Algumas pessoas não são naturalmente aptas a viver da mesma maneira que outras pessoas, de modo que ganham menos dinheiro e levam um tipo de vida diferente, menos boa.

Não há muita luz na escada. Vai dar um efeito bem interessante. Ela observa o topo da cabeça de Katrina pelo visor. Filma Katrina limpando um degrau. Depois, quando passa para o degrau seguinte. Katrina da Faxina se põe num dos cantos da escada, sem levantar a cabeça, para deixar Astrid passar.
Com licença, Katrina, Astrid grita educadamente. Posso lhe perguntar uma coisa?
Katrina da Faxina se afasta de Astrid, curvando um pouco o corpo, e desliga o aspirador. Não levanta a cabeça.
Posso lhe perguntar só quantos anos você tem?, diz Astrid. É para minhas pesquisas locais e arquivo. (Essa foi boa. Astrid tenta guardar na memória, para poder usar com o indiano do Curry Palace.)
Katrina da Faxina diz alguma coisa para o chão. Soa mais ou menos como trinta e um. Ela decididamente parece ser assim velha. Já ligou o aspirador de volta. Trinta e um é complicado. Astrid arredonda. Dez por cento nova, noventa por cento velha. Filma em volta de Katrina, depois filma os próprios pés descendo o resto da escada.
Essa filmagem vem logo depois da coisa morta que filmou quando voltava do centro do vilarejo, na tarde anterior. Parecia um pouco com um coelho, mas não era um coelho. Era maior que um coelho. Tinha orelhas pequenas e pernas curtas, pretas; fora atropelado pelos carros; o pêlo estava empelotado de sangue e barro. Quatro ou cinco corvos levantaram vôo quando ela se aproximou; estavam por lá arrancando pedaços. Ela descobrira uma vara por perto e dera uns cutucões. Depois fizera a gravação. Em algum momento, vai deixar a filmadora sobre a mesa na sala padrão popular, no ponto exato da fita, claro, e Michael sem a menor sombra de dúvida vai pegar e dar uma olhada no que ela gravou, ele não vai resistir, ele é tamanho

idiota, todo cheio de nove-horas com coisas assim, quando acontecem na vida real e não num palco ou sei lá onde. Ela pára no hall. O bicho morto. E se estivesse vivo, mas inconsciente, e ela tivesse cutucado forte demais, e ele não estivesse morto coisa nenhuma, se ainda pudesse sentir os cutucões, e se só parecia estar morto porque estava em coma? Bom, aí então tudo bem, quem sabe, porque, estando em coma, talvez não pudesse sentir da mesma forma que quando acordado. Na viagem até aqui, no quatro por quatro, a mãe e Michael fizeram aquela brincadeira deles de hábito, do bi-bi para o bé-bé, e Michael buzinava toda vez que passava por um carneiro, e eles erguiam os punhos cerrados para o alto a cada vez que cruzavam com algum animal morto na estrada. Supostamente, é para honrar o espírito da coisa morta. É pueril. Astrid gostava quando ficava perturbada com coisas mortas. Mas agora está com doze anos e eles são apenas bichos mortos, tenha a santa paciência.

É muito improvável que tenha sentido alguma coisa com os cutucões.

Ela cutucou para pesquisas e arquivamento.

Astrid gruda o olho de novo atrás do visor. Também é importante olhar as coisas bem de pertinho, sobretudo coisas difíceis. A mãe de Astrid vive dizendo isso. Astrid atravessa o hall escuro e vai para a sala da frente. Mas o visor da câmera se inunda com tanta luz que não dá para enxergar nada. Ela é obrigada a desviar a vista rápido.

Pisca. É tanta luz que quase dói.

Lá está a silhueta de alguém no sofá, perto da janela. Por causa da luz que vem da janela atrás da pessoa, e porque o lampejo de luz continua a ofuscar seus próprios olhos com vermelhos e negros, o rosto é uma mancha de luz e de sombra. Astrid baixa a vista para o carpete até que a visão volte. Vê pés descalços.

Deve ser alguém que tem a ver com a casa, um bocó qualquer do vilarejo. Vai ver estuda com o Michael. Astrid pisca de novo e vira as costas. Ignora aquela parte da sala. Desliga a câmera, prestando toda a atenção, e pega o carregador e a outra bateria, que estão atrás daqueles livros de capa horrenda na prateleira. Leva tudo para a cozinha.

Michael descasca uma pêra num prato. O prato foi usado centenas de vezes por sabe-se lá quantas pessoas que já estiveram na casa. Descasca a pêra com uma faca de cabo de madeira. A madeira daquele cabo guarda, entranhada, toda a água suja de todas as vezes que a faca já foi lavada pelas centenas de mortos que moraram ou passaram as férias ali.

A torradeira também tem dentro velhas migalhas de outras pessoas. Astrid larga a câmera e os equipamentos sobre uma cadeira, desenrola e corta um pedaço de papel-alumínio e parte um pedaço de pão. Forra a grelha padrão popular com o papel-alumínio e coloca o pão debaixo dela, depois acende. Em seguida, senta na cadeira perto da porta, balançando as pernas.

Quem é que está na sala da frente? pergunta a Michael, que corta a pêra em brancas fatias bem-feitas.

Alguma coisa a ver com a sua mãe, responde Michael. O carro dela quebrou.

Leva o prato com a pêra cortada para a frente da casa, cantarolando algo. É aquela música da Beyoncé. Ele pensa que é tão descolado, i. e., ele é um constrangimento só.

Astrid bate com a mão na lateral da cadeira para ver se dói. Dói, mas não muito. Bate outra vez, com mais força. Dói mais. A ciência, claro, como não poderia deixar de ser, pode provar que sua mão não está de fato batendo na cadeira ao dividir e subdividir a distância. Ela bate de novo. Ui.

Aguarda até que o pão torre um pouco.

Escuta Michael falando na sala da frente em voz alta. Abre

a lata de lixo. A casca da pêra está enrodilhada por cima dos restos do jantar da noite anterior. Suas entranhas são de um branco brilhante. Apanha a casca. Ele a tirou numa única tira. Segura a casca na mão, até ela se enroscar de volta à forma que tinha antes de ser removida. O lado que tem o cabinho assenta no topo, como um chapéu. É uma pêra vazia!

Solta a casca de volta na lixeira e deixa a tampa baixar. Lava as mãos na pia. Michael volta para a cozinha. O sorriso que dera à pessoa na sala da frente já ia sumindo quando entrou, Astrid viu.

O pão queimou, Astrid, diz ele.

Eu sei, diz ela.

Michael puxa a grade da grelha, abre a lata de lixo e joga fora a torrada, lado queimado para cima, sobre a casca da pêra.

Se você tivesse cortado direito as fatias, diz ele, não teria queimado desse jeito.

Eu gosto queimado, diz ela, bem baixinho.

Ele corta mais duas fatias de pão e enfia na torradeira.

Não, obrigada, diz Astrid.

Michael não escuta. Ele é tão babaca. Está aprontando alguma com a cafeteira. O sobrenome dele está grudado no fim do nome dela, e ela não tem voz ativa no assunto. Pega as coisas da filmadora e vai para o hall. Mas não faz a menor idéia de onde ficam as tomadas no hall desta casa padrão popular. Não vê nenhuma. Sabe onde ficam as tomadas da sala da frente, da parte que funciona como sala de estar na sala da frente. Também poderia voltar lá para cima, mas, claro, como não poderia deixar de ser, Katrina e o aspirador de pó pelo visto estão no quarto dela, no momento. Na verdade, em termos higiênicos não faz a menor diferença só passar aspirador sobre uma superfície, e pronto. Gente velha lambeu a mobília com línguas mortas e entranhou o corrimão de cima a baixo com escamas de pele de mãos encarquilhadas.

Astrid volta para a sala de estar. As tomadas ao redor da televisão estão todas em uso. Se ela desligar alguma coisa, é muito provável que se meta em confusão. O ruído do aspirador pára de repente. As janelas à francesa estão abertas. A sala se enche com os barulhos do jardim, i. e., pássaros e coisa e tal. Torna a cruzar o espaço até a parte dianteira da sala e tira uma luminária da tomada. Liga o carregador nela e se levanta.

No retângulo amarelo de luz, vindo da janela alta da frente, há uma pessoa deitada no sofá. Seus pés nus estão para cima, como se vivesse ali. Os olhos estão fechados. Na verdade, ela dorme.

Astrid se aproxima do sofá.

Ela é meio que uma mulher, mas parece mais uma garota. O cabelo é supostamente loiro, mas Astrid enxerga um tom bem mais escuro perto da risca. Os pés estão sobre as almofadas. Com as solas bem sujas.

Assim de perto, é mais jovem que a mãe de Astrid, mais jovem quem sabe que Katrina, mas decidamente velha demais para ser uma garota. Não usa maquiagem nenhuma. Gozado. As axilas não estão depiladas. Tem pêlo nelas, um bocado de pêlo. As canelas, e as coxas, e atrás, também não foram depiladas. Não dá para acreditar. Na verdade estão cobertas de pêlos. Os pêlos são como centenas de pequenos fiapos que saem direto da pele.

A menos de trinta centímetros do rosto de Astrid, a mulher, a garota, seja lá o que for, abre um olho e olha direto para ela com ele.

Astrid recua. Há um prato no chão, perto do sofá. Ela o apanha, como se Michael a tivesse mandado fazer justamente isso. Levando o prato adiante do corpo, atravessa a sala, sai pelas janelas à francesa e contorna o jardim.

Só pára quando sabe que não pode mais ser vista. A respiração é alta e engraçada. É gozado, olhar para alguém. É gozado, quando eles olham de volta para você. O mais gozado é ser pega olhando. O prato está grudento de algo. Astrid chupa o dedo. Gosto adocicado. Ela põe o prato na grama, perto do jardim de pedras. Mergulha a mão num regador, para se livrar do melado. Depois se pergunta se era mesmo água, dentro do regador. Podia ser inseticida, ou herbicida. Leva a mão até o nariz, mas não tem cheiro de nada químico. Põe a língua para fora e experimenta. Não tem gosto de nada.

Desce o jardim até o gazebo. Que nada mais é que um barracão grande, embora tenha sido anunciado como gazebo; a mãe e Michael têm se queixado disso desde que chegaram, já que um dos principais motivos para terem vindo a este chatíssimo fim de mundo é que a mãe dela poderia trabalhar num gazebo durante todo o verão, como faziam os escritores do passado, talvez. Já de onde está, escuta a mãe lá dentro. Ela é muito barulhenta, mesmo no teclado de um laptop. Está escrevendo e pesquisando de novo sobre pessoas que morreram no século passado. Bate com dois dedos, apenas, mas com uma força incrível, como se estivesse brava, embora em geral não esteja, só parece.

Astrid pára do lado de fora, junto à porta, na qual é proibido bater, a não ser numa emergência. Pára nesse jardim, com suas velhas árvores e arbustos e todos seus prados e bosques que continuam até o infinito. Ela não está perturbando nada, de forma alguma. Comparada às árvores em volta do gazebo, ela é aquele tipo de árvore sem sentido que acaba sendo plantada nas áreas gramadas dos estacionamentos de supermercados.

O barulho do teclado parou.

O que é?, a mãe grita de dentro.

Astrid recua dois passos.
Estou ouvindo você, a mãe grita. O que foi?
Nada, diz Astrid. Eu estava só aqui parada.
A mãe suspira. Astrid escuta o rangido da cadeira no chão.
A porta se abre. A mãe sai no sol. Franze os olhos, recua até a soleira e acende um cigarro.
Pronto, diz ela, e solta a fumaça. Então. O que foi?
Eu não queria nada, diz Astrid. Eu só estava aqui.
A mãe suspira de novo. Um pássaro canta acima delas, em algum lugar.
Você já foi ver aquilo que aconteceu no restaurante indiano?, pergunta Astrid.
A mãe abana a cabeça. Astrid, não estou conseguindo pensar em mais nada no momento, diz.
Está sempre tendo de pensar em gente morta há sessenta anos. Eles ocupam a mente dela inteirinha, quando escreve a respeito. Na opinião de Astrid, seria muito mais útil descobrir o que está acontecendo agora do que o que aconteceu com gente que já morreu, i. e., há mais de meio século.
Quando eu acordei, estava com a marca do dedo bem aqui, onde dormi em cima dele, diz Astrid. Foi incrível.
Hum, diz a mãe, sem olhar para Astrid, que está com o polegar no local do rosto onde havia ficado a marca.
Igualzinho à cerâmica azul de casa, diz Astrid. Sabe qual? Aquela que tem a impressão do dedão do artista que fez a peça.
A mãe não diz nada. O pássaro continua cantando, as mesmas três notas, sem parar.
O dia está muito bonito, hoje, não é mesmo?, Astrid comenta.
Hum, diz a mãe.
Era assim que os verões costumavam ser, não é mesmo, antes de eu nascer?, Astrid pergunta.

31

Hum, diz a mãe.

Assim, com dias iguais a hoje durante meses e meses, assim desde maio até outubro, em alguns verões, i. e., como se os verões fossem perpétuos antigamente?, Astrid insiste.

A mãe não dá bola. Não reage. Nem mesmo dá bronca porque ela fala i. e. o tempo todo, como costúma fazer. Encosta no batente da porta e continua fumando. Astrid sente o próprio rosto avermelhar. Cigarro é muito louco, totalmente louco. Faz mal. Tem um cheiro horrendo. E ainda causa tudo quanto é tipo de doença, e não só para a pessoa que fuma.

Ela chuta a relva alta em volta da parede do gazebo. Sabe que não deve se manifestar em voz alta sobre coisas como não fumar. Isso é algo que só pode ser dito em voz alta em determinados momentos.

Quem é aquela pessoa?, diz em vez disso.

Que pessoa?, diz a mãe.

Dentro da casa, diz Astrid.

Não faço idéia. O Michael está lá dentro?

Hã-hã, diz Astrid.

O Magnus já acordou?, a mãe pergunta.

Acho que ainda não.

Não esqueça de levar o celular, se resolver ir a algum lugar esta tarde, diz a mãe.

Hã-hã, diz Astrid. O celular, desligado, está no fundo de uma lixeira da escola, pelo menos foi onde ela o deixou, três semanas atrás. Se a mãe e Michael ficarem sabendo, vão dar à luz, literalmente; eles continuam pagando as contas. A mãe pensa que ela está sempre segura levando o aparelho; primeiro, é óbvio, porque pode ligar, se precisar, mas também porque a polícia consegue localizar geograficamente as pessoas, através dos telefones celulares, quando elas somem do mapa. VC SE ACHA ESPERTA. VC É IDIOTA. SEU NOME AGORA = ARS-TRASTE. CARA DE

CAVALO ARS TRACA RÁ RÁ VC É LÉSBICA VC É ESQUISITA. É perigoso, ameaçar gente. Uma menina morreu faz pouco tempo na escola do Magnus, por causa de ameaças via internet. A escola dele mandou uma carta a respeito. Você deve avisar, se estiver sofrendo ameaças. Mas isso foi na escola do Magnus. Em algum momento, em breve, Astrid dirá à mãe que seu celular foi roubado.
Já comeu alguma coisa?, a mãe pergunta.
Comi umas torradas, diz Astrid.
Não faça isso, Astrid, diz a mãe.
Astrid não sabe o que ela não deve fazer.
O quê?, pergunta.
Chutar desse jeito, diz a mãe.
Ela pára de chutar. Pára com os braços estendidos dos lados. Olha para a mãe. Se depender dela, Astrid jamais vestirá tamanho quarenta e quatro. É um horror. A mãe está batendo delicadamente o cigarro fumado pela metade no batente da porta. Quando ele apaga, ela raspa com o pé as cinzas que caíram, enfia o meio cigarro de volta no maço, entra de novo e fecha a porta.

Astrid aguarda o reinício do batuque no teclado. Leva uns instantes. Depois recomeça.

Ela olha para o jeito como o sol se infiltra por entre as folhas lá no alto, i. e., a história de Ícaro, que saiu voando com aquelas asas que o pai fez e as asas derreteram quando ele passou perto demais do sol. Ela se pergunta que diferença teria feito se o pai de Ícaro houvesse dado as asas para uma filha mulher, que talvez soubesse como usá-las direito. Mas isso provavelmente iria depender de quantos anos tivesse a menina, porque, se ela fosse da mesma idade de Astrid, tudo bem. Mas, se fosse um pouco menor, seria perigoso, ela seria muito nova, e se fosse mais velha iria ficar preocupada, com medo de que alguém visse debaixo da saia dela, ou que o sol derretesse sua maquiagem dos olhos.

Astrid também sabe, de alguma fonte, é muito provável que tenha sido Magnus, que bastam vinte e oito segundos olhando fixo para o sol para deixar uma pessoa cega. Como seria, ser cega? Não daria mais para ir ao teatro, ou ao cinema; não haveria por que ir. Uma televisão poderia muito bem ser um rádio. Ela fecha os olhos. Como é que uma pessoa cega decide onde fica o começo do dia, se não consegue enxergar se já clareou ou não? se não consegue ver a diferença entre o claro e o escuro que ocorre todos os dias?

Ela se pergunta o que aconteceria se por acaso resolvesse ficar ali olhando para o sol durante vinte e oito segundos.

Seus olhos derreteriam.

Haveria médicos, ambulância, e coisa e tal.

Sai da sombra e entra na luminosidade do sol, entre duas árvores velhas. Abre bem os olhos e olha direto para cima. Um, ela conta. Um segundo é coisa demais. Os olhos fecham bem fechados. Lá dentro deles, tudo faísca. Quando torna a abri-los, não consegue ver nada, a não ser o círculo do sol para onde tinha olhado, cor de laranja bem vivo. Fecha os olhos de novo. O mundo exterior se mexe em seus olhos, como uma fotografia interna. Quando ela abre os olhos, a fotografia interna se sobrepõe ao mundo exterior. Se conseguisse tirar fotos com os olhos, seria fantástico. Se pudesse fazer isso, e tivesse asas, i. e., como no mito das asas, poderia tirar fotografias aéreas. Sobrevoaria tudo como se num helicóptero. O nada padrão popular daquela cidadezinha ficaria logo evidente. A pequenez dessas árvores monumentais sob as quais se encontra seria meio que óbvia. Poderia voar de volta para casa. Poderia segurar a casa toda na palma da mão. Voaria sobre a escola numa fração de segundo. Todo mundo tendo aula de francês bem agora, e a quadra de esportes, o recreio, as ruas em volta da escola, tudo seria um quase-nada, menor que a palma de sua mão, diminuindo cada vez mais, dependendo de quão alto no céu ela resolvesse subir.

Faz calor demais no jardim. Resolve voltar para a casa. Lá está seu quarto, bem ali. Ela voaria e entraria pela janela. Nunca mais precisaria pôr os pés no carpete. Ficaria a alguns centímetros do chão o tempo todo. Voaria até a janela de Magnus agora e daria uma espiada por baixo da persiana. (Magnus Smart. Magnus Berenski. Magnus nem se incomoda. Por que eu haveria de me preocupar com ele quando ele obviamente não me dá a menor bola, disse uma vez. Magnus, porém, se lembra. Ele me pôs nos ombros e andou comigo pela praia, contou a Astrid uma noite, na casinha da árvore. Ele me deixou pôr açúcar no chá dele.) A persiana do quarto de Magnus está sempre baixada. Ele nem banho toma, nem de chuveiro nem de banheira. Não se levanta antes das duas da tarde, e na maior parte do tempo só desce para trazer os pratos sujos, pegar o jantar à noite e levar lá para cima, depois se tranca de novo no quarto. A mãe deles e Michael estão perdendo a paciência. Mas, mesmo irritando os dois, Magnus continua fazendo isso. Porque, claro, como não poderia deixar de ser, quando Astrid tentou levar o jantar lá para cima também, foi aquele rebuliço.

O quatro por quatro sumiu da frente da casa. Tem um carro branco velho, na entrada. A cozinha está vazia. A televisão está ligada na sala, mas não tem ninguém vendo. No noticiário, um homem desapareceu e a polícia encontrou um corpo. Astrid forra a poltrona com o jornal do dia antes de sentar e conserva braços e mãos bem juntos ao corpo, longe dos braços da poltrona. Os jornalistas e as pessoas que eles estão entrevistando não param de falar que um homem desapareceu e que eles encontraram um corpo, mas ninguém fala que o corpo tem alguma coisa a ver com o homem que desapareceu ou vice-versa, embora seja óbvio o que estão querendo dizer.

Tem algo a ver com a guerra. O primeiro-ministro aparece, saudado por americanos que o cercam, enquanto homens de terno apertam sua mão. Depois do jornal, uma mulher num estúdio de televisão fala horas sobre o que aconteceu com suas funções intestinais depois que começou a fazer determinadas combinações de comida. Não só fezes mais bonitas, diz a apresentadora. Todo mundo no estúdio ri. É pueril. Um homem liga para o programa e diz que tem tomado a própria urina. As pessoas no estúdio discutem se isso não faria que nos sentíssemos melhor, tomando a própria urina. Astrid fica feliz por Michael não estar vendo aquilo, porque ele com certeza acharia que essa coisa de urina é uma boa idéia e faria todo mundo experimentar.

Essa televisão só pega uns trinta e poucos canais, e a maioria deles não presta. Claro, como não poderia deixar de ser, é padrão popular. Tem um show de videoclipes dos anos 80 passando em outro canal. Tudo bem, assistir, porque nenhum dos dois está por perto para bancar o idiota e começar a falar do tempo em que a música pop tinha conteúdo político ou então dançar aquela dança ridícula, de soquinho. Começa o clipe da garota que está num bar, tomando um café e lendo um gibi, e de repente os quadrinhos adquirem vida e ela vira parte da história. O garoto dos quadrinhos dá uma piscada para ela, depois estende a mão, para fora do desenho, para o mundo dela, e a garota pega a mão dele na mão verdadeira dela e entra no mundo dos quadrinhos e se torna um desenho, como ele, mas aqui fora, no mundo real, a dona do bar não consegue entender para onde foi a garota e fica brava por ela ter saído sem pagar a conta, por isso amassa a revista e atira no lixo, o que no mundo dos quadrinhos é um desastre, i. e, total, e de repente aparecem uns homens com pé-de-cabra na mão que começam a agir com violência. Então o garoto rasga o mundo dele e abre uma passagem para a garota (o mundo dele é feito de papel), para que ela possa escapar pelo rasgo na página da revista e voltar para o mundo dela. A dona do bar no mundo real encontra a garota, que é de verdade outra vez, desmaiada em cima da lata de lixo do bar, atrás do balcão. Aí a garota tira a revistinha do lixo, corre até chegar em casa, vai para o quarto e tenta alisar as páginas amassadas. No fim do clipe, o garoto dos quadrinhos (que também é o vocalista do grupo) tenta abrir uma passagem à força até o mundo real da garota para se tornar real e deixar de ser um desenho.

 Astrid vai até a cozinha e parte em dois o filão de pão, sem tocar em parte alguma onde tenha estado alguma faca. Arranca o miolo lá de dentro. Come. No caminho de volta, suspende a camiseta até a boca, bafeja no algodão, depois cheira o tecido onde bafejou. Tem um cheiro bom. Ela se pergunta se esse seria o gosto dela, esse gosto adocicado de bafo de pão, se pudesse experimentar, ou se outra pessoa pudesse, talvez. Mas e se o gosto for nojento? Preocupa-se com a possibilidade de ter um gosto nojento durante outros dois videoclipes. Depois desliga a televisão.

 Instala a bateria na filmadora e confere para ver se está funcionando. Enfia o carregador, ainda carregando a bateria sobressalente, atrás dos velhos e horrendos livros de crime e mistério na prateleira de baixo da estante. Pára um pouco no hall, para ver se escuta algum barulho, mas nem sinal de Magnus. Sai de casa pela porta da frente. A mãe dela e Michael vivem comentando como é fantástico morar no interior, num lugar onde se pode confiar nas pessoas, deixar o carro destrancado, a porta de casa destrancada, até mesmo escancarada. Depois de sair, Astrid confere se a porta está mesmo trancada. Se alguém quiser assaltar a casa, pode entrar pelas janelas à francesa do jardim e a culpada por isso será sua mãe. Não vão encontrar o carregador, a menos que entrem com o propósito específico de roubar velhos romances de Agatha Christie, o que seria um excelente e irônico delito.

    Ela caminha pela alameda que leva à estrada que vai dar na cidadezinha. Faz muito calor. Pensa na casa atrás de si, ali parada cheia de coisas horrendas dentro, e todas as coisas que eles levaram para as férias também, arrumadas e diferentes, feito coisas boiando numa superfície quente demais. Este é o instante que vem logo antes do momento em que ladrões entram pelo jardim e levam tudo o que encontram. Mas, já que este é o momento antes que o roubo aconteça, os cômodos de baixo estão todos vazios, sem nada neles, a não ser coisas, como que prendendo a respiração nesse ar quente de verão. Foi Magnus quem falou para ela que as coisas no cinema são diferentes das coisas na vida real. Num filme, há sempre um motivo. Se há uma sala vazia, num filme, é por algum motivo que eles estão lhe mostrando essa sala vazia. Magnus ergueu uma caneta, depois deixou cair no chão. Disse que quando você deixa uma caneta cair no chão, na vida real, é só isso, uma caneta que você deixou cair. Mas, se alguém num filme derruba uma caneta, e a câmera mostra essa caneta, isso significa que ela é mais importante do que apenas uma caneta derrubada na vida real. Astrid sabe que isso é verdade, mas não exatamente por quê. Quando Magnus voltar a falar com as pessoas, ela vai perguntar. Também vai perguntar, isso se conseguir se lembrar, por que cutucou o bicho morto com uma vara sem nem pensar a respeito. Magnus vai saber explicar o motivo. Agora, fantástico mesmo seria ter uma gravação daquele bicho um pouco antes de ele ter sido atropelado, ainda vivo, um minuto antes de ser pego por um carro. Lá estaria ele, sentado na beira da estrada, fosse o que fosse, um coelho, ou um gato, apenas sentado ali, com olhos, patas, e coisa e tal.

Mas só seria fantástico mesmo se você assistisse sabendo o que tinha acontecido depois. Você saberia, mas não o bicho. Se você soubesse *disso* e tivesse filmado *aquilo*, seria o mesmo que olhar para uma sala pouco antes de ela ser assaltada. Você saberia, mas a sala não. Não que uma sala tenha como saber coisas, como se uma sala pudesse estar viva, feito uma pessoa. Imagine uma sala viva, os móveis se mexendo por si sós, as paredes se chamando entre si. Uma sala de estar, rá rá. Imagine se você entrasse na sala, na sala de estar, rá rá rá, não soubesse que ela estava viva, fosse sentar numa poltrona e a poltrona dissesse sai daqui! não sente em mim! ou então se mexesse, para você não sentar nela. Ou então se as paredes tivessem olhos e pudessem falar, i. e., você poderia entrar numa sala e perguntar o que tinha acontecido ali enquanto você estava em outro canto da casa, e ela poderia lhe contar tudinho o que
 Olá, diz alguém.

 Olá, responde Astrid de volta.
 É a mesma pessoa que estava deitada no sofá da sala da frente, de manhã.
 Ela caminha ao lado de Astrid. Leva duas maçãs na mão. Pesa uma e outra, examina as duas, escolhe a que deseja guardar para si.
 Toma, diz.
 A maçã chega até Astrid pelo ar e a atinge em cheio no peito. Ela apanha a fruta no vão do braço, entre o próprio corpo e a câmera.
 Astrid, está dizendo a pessoa. Astrum, astralis. Qual é a sensação de ter um nome assim tão estelar?
 E se põe então a falar de estrelas. Diz que devido à poluição da luz, provocada por cidades e iluminação pública, não se pode

mais ver direito o céu noturno, e que por todo o mundo ocidental o céu não escurece mais como devia. Em mais da metade da Europa, nos Estados Unidos, no mundo todo, as pessoas não vêem mais as estrelas como viam no passado.

Ela tem um jeito de falar, i. e., parece meio irlandesa, ou vai ver algum tipo de americana. Embora Astrid não tenha dito nada sobre estar indo até o Curry Palace, ela se põe a falar sobre o restaurante. Pergunta se Astrid já tinha ido até lá ver e diz que é óbvio que se trata de um crime local. Por que motivo alguém iria atirar tinta preta na porta e nas janelas do único restaurante étnico da cidadezinha? O único restaurante étnico das redondezas?

Astrid ergue um pouco mais a filmadora, depois a leva até o olho, embora esteja desligada e com a lente tampada. Espera que a pessoa a veja e faça alguma pergunta a respeito. Mas a pessoa parou de falar e caminha mais rápido, um pouquinho à frente de Astrid. Astrid baixa a filmadora. Começa a comer a maçã. Não tinha percebido que estava com tanta forme.

Como é que você soube?, ela grita. Do restaurante.

Depois aperta o passo para alcançá-la.

Como é que eu soube?, diz a pessoa. Como é que alguém poderia não saber? Como é que você poderia não saber?

Você tem alguma coisa a ver com a casa?, Astrid pergunta.

A pessoa parou no meio da estrada. E olha firme para o chão. De repente, se agacha. Astrid vê uma abelha, ali, se arrastando pelo asfalto áspero, do tipo grandão de abelha, do tipo peludo. A pessoa tira algo do bolso traseiro do short. É um envelopinho. Rasga um lado e despeja qualquer coisa na palma da mão. Dobra o canto do envelope e o coloca de volta no bolso traseiro. Cospe na mão. Uma nojeira. Está esfregando cuspe na palma da mão com o polegar. Raspa o próprio cuspe sobre o asfalto, bem do lado da abelha, que está paralisada porque tem algo perto que é bem maior que ela.

A pessoa se levanta e continua a andar. Lambendo a palma da mão e esfregando-a no brim do short.
Astrid pensa em lhe perguntar quantos anos tem. Olha para a perna da pessoa, com os pêlos todos. É um pavor. Nunca viu nada igual. Olha para os pés descalços dela, caminhando sobre a superfície da estrada.
Não dói, andar assim descalça?, pergunta.
Nadinha, diz a pessoa.
Estão numa estrada que Astrid não reconhece.
Carros são uma péssima idéia num mundo poluído como este, diz a pessoa.
Você é que alugou a casa para a gente?, pergunta Astrid.
Que casa?, diz a pessoa.
A casa que nós alugamos, diz Astrid.
A pessoa termina de comer a maçã e joga o miolo longe, por cima de uma sebe.
Biodegradável, diz.
O que foi que você fez lá atrás, perto da abelha?, Astrid pergunta.
Ressuscitação, diz a pessoa.
Tira o envelope com o cantinho dobrado do bolso, certifica-se de que está bem fechado, depois joga para Astrid. É do tipo quadrado, daqueles que eles põem em potinhos, nos cafés, do tipo que traz informações aleatórias, feito a data de nascimento de compositores clássicos, ou de escritores famosos, ou então o nome de carros e cavalos que ganharam corridas. Num dos lados, está escrito AÇÚCAR REFINADO. Do outro lado, há a imagem rasgada de um avião de combate e as palavras "GUNDA GUERRA MUNDIAL 1939-1945 CERCA DE 55 MILHÕES DE VIDAS SE PERDERAM".
Pode ficar, diz ela.
Astrid equilibra a maçã e a filmadora e enfia o açúcar no próprio bolso traseiro. Durante todo o trajeto pela nova estrada

desconhecida, a pessoa fala sobre operárias que, terminado o verão, atiram os zangões para fora da colméia porque não há comida suficiente para todas as abelhas durante o inverno inteiro, e também porque a utilidade dos zangões ali no ninho já terminou, agora que a rainha foi fertilizada, e a administração da colméia está mudando com a mudança de estação, de modo que o que as operárias fazem é mastigar as asas dos zangões e deixar que caiam no chão.

E o que acontece com eles depois?, pergunta Astrid.

Os pássaros comem, muito provavelmente, diz a pessoa.

Os zangões fazem o melhor que podem, diz ela, para se grudarem nas abelhas que os estão expulsando de casa; eles se agarram com as patas, enquanto as asas estão sendo arrancadas fora. Mas, por enquanto, continua ela, os zangões estão a salvo. O verão mal começou.

Ela é algum tipo de expert em abelhas. Agora assobia. Coloca as mãos nos bolsos e caminha pela estrada na frente de Astrid, assobiando uma canção como faria um menino. Astrid está andando por uma estrada que não conhece junto com alguém que ela não conhece, seu celular jaz enterrado no lixo e ela, oficialmente, não se acha rastreável.

Como é que você sabe que eu me chamo Astrid?, ela grita para as costas da pessoa.

Essa é muito fácil. O homem me contou, diz ela.

Que homem?, Astrid pergunta.

O homem. O homem que está na sua casa, diz a pessoa. O homem que não é seu pai. Eu também não tenho pai. Eu nem conheci o meu.

Astrid deixa cair a maçã semicomida. Ela rola pelo leito da estrada até a margem. Quase derruba a filmadora, mas prende a máquina no corpo antes que comece a escorregar. Pára no meio da estrada.

Carro, diz a pessoa, quando um carro dobra a curva, na frente delas. Astrid salta para o lado. Tenta se lembrar daquilo que disse até agora em voz alta. Nada a respeito de nada. Ela não disse coisa alguma. Nunca fez menção a pai isso ou pai aquilo. O carro desvia ao passar e ela sente o ar que ele desloca. É como se um motor de carro estivesse rugindo nos ouvidos e nos olhos de Astrid, embora não haja vento nenhum e o barulho do carro tenha sumido e esteja tudo completamente calmo, completamente ensolarado, num dia comum de julho.

A pessoa continuou andando. Vamos lá, se você vem mesmo, ela diz, sem se virar.

Ela agora caminha realmente rápido. Astrid começa a correr. Mas é quando ela alcança a pessoa que se dá conta. O grande lance de acordar primeiro que todo mundo de manhã é que não há mais ninguém em volta, apenas Astrid, bocejando, semi-adormecida, debruçada na janela aberta, apoiada no parapeito para filmar a luz chegando. Tudo que há são os pássaros acordando, tudo que há são as árvores se mexendo ao vento, as plantações balançando, nenhum carro nas estradas próximas ou distantes, nenhum cachorro latindo, nada de nada. Mas, numa das manhãs, Astrid, através das lentes de sua filmadora, que tem um ótimo alcance, havia visto essa pessoa.

Era ela.

Era decididamente ela.

A uma grande distância, havia alguém sentado no teto de um carro, de um carro branco, Astrid tem certeza de que era um carro branco, estacionado na beira da mata. Parecia que ela estava com um par de binóculos, ou talvez algum tipo de câmera, como se fosse uma observadora de pássaros ou uma especialista em algum tipo de natureza. Gozado estar observando a única outra pessoa acordada que, claro, como não poderia deixar de ser, também parecia estar de olho nela, e agora,

quando Astrid emparelha com ela na estrada, ela fala como se estivesse continuando uma longa conversa, como se tivesse certeza de que Astrid entende direitinho do que ela está falando.
    Porque, escute bem. Se você contar para alguém, quem quer que seja, diz a pessoa, eu mato você. É sério. Mato mesmo.
    A pessoa se vira e olha para ela. Começa a rir, como se estivesse encantada com algo, algo tão engraçado que era impossível não rir. Ela faz cara de espanto para Astrid e Astrid se dá conta de que a pessoa só está fazendo aquela cara para ela porque sua própria cara é de espanto. Os olhos estão tão arregalados que sente, de fato, fisicamente, que estão esbugalhados.
    A pessoa, ainda rindo, estende o braço, põe a mão firmemente sobre a cabeça de Astrid, depois bate duas vezes, com força.
    Tem alguém aí dentro?, diz.
    Durante um bom tempo, depois disso, o lugar onde Astrid levou os cascudos fica sensível. O topo da cabeça de Astrid parece totalmente diferente do resto do corpo, como se a mão continuasse ali.
    Alguma coisa decididamente, i. e., começou

o começo disto = ao fim de tudo. E ele fazia parte da equação. Eles pegaram a cabeça dela. Puseram em outro corpo. Depois mandaram por e-mail para um monte de gente. Aí ela se matou.
O barulho de fora é dos passarinhos. Chamam-se guinchos. Estão fazendo o barulho que fazem ao entardecer. Passarinhos não têm o menor sentido, agora. O entardecer não tem o menor sentido. Eles pegaram a cabeça dela. Puseram em outro corpo. Mandaram para todo mundo da lista de e-mails. Aí ela se matou.
Era uma terça-feira. Apenas uma terça-feira. Magnus sabe que nunca mais haverá apenas uma terça-feira. Houve um tempo em que havia apenas dias da semana, em que tudo parecia normal. É espantoso, agora, lembrar dessa sensação. Eles percorreram o corredor, foi só descer a escadaria principal e depois percorrer o corredor, como se fosse uma terça qualquer. Ele usava o que tinha vestido naquela manhã. Eram apenas roupas. As roupas não significavam nada além de roupas, na época. Será que estava com aquelas meias? Ele sabe que vestia

aquela calça. E sem a menor sombra de dúvida aqueles sapatos. Aquela ali é a calça do uniforme dele. Aqueles são os sapatos do uniforme. Era só uma brincadeira. Estavam todos rindo, pensando em como seria engraçado. Ele estava rindo. Foi ele que empurrou e abriu a porta. Até hoje ainda sente a porta voltando para ele, arrastada pelas dobradiças corta-fogo. Usaram um dos novos scanners. Mas até uma criança conseguiria fazer aquilo, mesmo com equipamento velho. Foi um procedimento ultra-simples. Mas eram ambos tapados em assunto de computador. Não conseguiriam ter feito nada, se ele não tivesse mostrado. Primeiro, escanearam uma foto dela. Depois, a outra foto. Aí então arrastaram a cabeça da primeira para a segunda foto. E enviaram a foto em formato JPG para todo mundo da lista de e-mails. Depois continuaram fazendo coisas, roupas, sapatos, corredores da escola, casa, dias da semana, dia após dia, durante dias. Num desses dias, ela se matou.

    Já clareou? Magnus pisca para a persiana baixada sobre os vidros da janela. Você pode baixar uma persiana, mas continua tudo lá, por trás dela. A luz faz com que todos os seus músculos pareçam drogados. Faz que as pernas não queiram fazer nada. Faz que os braços pareçam imobilizados na pedra. Se clareou, vai escurecer. Eles pegaram a cabeça dela. Puseram num corpo diferente. Mandaram para uma porção de gente. Aí ela se matou.

    Ele se senta, segura a barriga. Franze os olhos com a claridade, o escuro. Lá bem longe, como se estivesse olhando pelo lado contrário de um telescópio, enxerga um garoto. O garoto é do tamanho de um pedregulho. Ele brilha, como se tivesse sido polido. Está com o uniforme da escola. Acena braços que são do tamanho das pernas de uma aranha. Fala com voz esganiçada. Diz coisas como *superlegal, qualidade, meio sacal, a bem da verdade*. Ele fala sobre tudo quanto é coisa. Fala como se elas importassem. Fala sobre cálculo, sobre como crescem as plantas, como os insetos se reproduzem ou como é o interior dos olhos de um sapo. Fala sobre filmes, computadores, números binários. Fala como são feitos os hologramas. Ele próprio é um holograma. Foi criado com laser, lentes, lâmina separadora e uma mesa óptica especial, isolada de vibrações. Ele é o resultado da luz coerente. Está esganiçando a respeito do fato neste momento. Diz que a luz coerente é superlegal. Ele tem qualidade. Contém todas as informações necessárias a respeito do próprio formato, tamanho, brilho. Sente um entusiasmo nauseabundo consigo mesmo. A bem da verdade, ele é meio sacal. E só parece dimensional. Ele é a reprodução tridimensional de algo que não está de fato ali. Ele nunca esteve ali. Olha só para ele. Sujeito de sorte. Para começar, não existe. Isso é que é ter sorte. Em segundo lugar, é bem pequeno mesmo. Poderia escapulir passando por baixo de uma porta. Poderia fugir por uma fresta entre as tábuas do assoalho. Em terceiro lugar, ele é lá daquele tempo, de antes. O verdadeiro Magnus é este aqui, agora, enorme, inevitável. O verdadeiro Magnus é coisa demais. É só volume, tão grande quanto uma baleia encalhada na praia, tão volumoso quanto um desajeitado gigante se espojando. Ele baixa os olhos para seu eu anterior, esganiçado, brilhante, escalando seu próprio pé gigante, como se esse pé fosse uma montanha, uma experiência, uma aventura emocionante. O Garoto Holograma ignora a relação entre o pé e o resto. O Garoto Holograma não conseguiria sequer imaginar proporções tão monstruosas. Primeiro eles. Depois eles. Então eles. Aí ela.

    Magnus está no chão, de barriga para baixo. Se fosse de fato uma baleia, mesmo uma baleia encalhada, ainda assim daria. Se fosse um peixe, qualquer tipo de peixe, dentro ou fora da água. Seria possível continuar respirando. Ou seria um alívio, espadanar, entrar em pânico, não conseguir mais respirar. Se fosse apenas a água ou o ar que passa pelas guelras de um peixe. Ou se fosse um cão, qualquer cão, com ou sem guia. Se tivesse patas com almofadas deixando pegadas galopantes de impressões pateadas na areia de alguma praia. Se fosse um cão com um cérebro de cão. Poderia virar cão, de agora em diante. Seria fiel. Esperaria o dia inteiro dentro de uma casa a chegada de alguém. Gostaria de esperar. Comeria de uma tigela. Tomaria água com a língua. Faria o que o mandassem fazer. Faria gracinhas idiotas. Seria fantástico. Poderia ser qualquer bicho. Poderia ser uma marmota. Poderia morar num buraco. Poderia comer minhocas. Poderia cavar com as unhas. Haveria terra em suas unhas. Acharia ótimo ser marmota. Ma rmota. Até a palavra tem sorte. É só um terço má. Já Magnus não, ele é todinho mau. Ele sempre foi mau, a vida toda, embora não soubesse disso. Acreditava na sua própria luz coerente. Estava errado. Sempre foi mau. Mau o tempo todo. É como um fruto podre pendurado num galho. Se alguém o apanhar e partir ao meio, verá. O mundo, com suas terças-feiras, seus hologramas, baleias e peixes, seus cães, sapos e marmotas farejantes de olhos úmidos, vai sumindo da frente dele. Sumindo como num filme visto através de um telescópio, um filme antigo de alguma caça à raposa, na antiga Inglaterra, diminui o barulho sonoro das cornetas, a raposa some de vista, depois a anca dos cavalos e por fim as costas dos caçadores. O Garoto Holograma sorri um sorriso pueril, acena o lenço como se num adeus, e então todos os Natais, Páscoas e férias bruxuleiam e morrem. Magnus tira o acolchoado da cama. Enrola-o, pesado, na cabeça, mas ainda assim consegue respirar, mesmo com todo aquele peso. Ela está sendo comida pelos vermes. Há terra debaixo das unhas dela. Os ossos, os músculos que mantinham a cabeça presa ao corpo foram arrebentados. Fim. Tudo por causa dele. Ele mostrou como fazer. Eles fizeram. Puseram a cabeça dela num outro corpo. Mandaram para todo mundo da lista de e-mails. Ela se matou. Magnus fica chocado toda vez que pensa nisso. O que mais choca é não acontecer nada. Não acontece nada em nenhuma das vezes em que pensa nisso. Quer dizer então que não teve importância? Que não tem? Eles pegaram a cabeça dela. Puseram em outro corpo. Mesmo que fosse uma mentira, virou verdade. Acabou sendo mais ela que ela própria. Ao chegar em casa, naquela terça-feira, olhou os e-mails. A mensagem tinha chegado. Ele também constava da lista. Clicou. Lá estava. Era engraçado. Ele riu. Lembra disso agora. Tem uma ereção. Lá vem ela, lá vai ele. Toda vez, lembra de si mesmo parado sozinho no quarto, olhando a imagem que tinham feito. Ele estava metido na história. Toda vez, fica de pau duro de novo. Ah. Ele é um puta monstro. Não consegue parar. Já tentou. Tente de novo, rá rá. Foi hilário. O ângulo da cabeça em cima do pescoço. O ângulo dos seios. O ângulo que quase ninguém conhecia. Mas ele sim. Agora ri novamente, com uma baita ereção. Ele é um porco. Mudou a si mesmo quando mudou a menina. Sem saber, arrancou a própria cabeça. A cabeça se transplantou sozinha para um corpo que ele não conhece. Quando olha no espelho, parece o mesmo de antes. Mas não é o mesmo. É um choque ver quanto se parece com ele. Ela também se viu mudada. Nunca soube quem fez. Foi ele. Ele é que fez. Magnus é Deus. Na verdade não existe Deus. Só existe Magnus. O Garoto Holograma provavelmente acredita que Deus existe. O Garoto Holograma vê Deus como mais humano que os humanos, se mexendo entre seres subumanos como os famosos da semana entre os Muppets do *Muppet Show*. O Garoto Holograma era o capitão da turma. Fazia os discursos nas assembléias da escola no Dia do Armistício para lembrar os soldados mortos durante as duas guerras mundiais. Era tarefa do Garoto Holograma depositar a coroa de flores e liderar as orações esganiçadas, para que não nos esqueçamos jamais. Mas o Garoto Holograma é um esquecimento só. Tinha sorte, ele. O cérebro do Garoto Holograma era luz pura. Agora não há mais como esquecer. Nunca mais haverá como esquecer. Lembrar é como o escurecer. O escurecer agora anda acontecendo mais. Igual ao jeito que a gripe faz a luz escurecer. Quase exatamente igual a quando pegou gripe, em dezembro de 1999, janeiro de 2000. A série antiga sobre os alemães dentro do submarino, lá no fundo do mar, estava passando na televisão toda noite, a pressão, será que iriam sobreviver naquela profundidade? A primeira vez que aconteceu foi dois dias depois de saber o que ela havia feito. Estava parado, apenas parado, num ponto de ônibus, perto de uma árvore. A árvore tinha um galho mais saliente. Acima da árvore, em volta do galho, o céu ficou mais escuro. Depois tudo ficou mais escuro. Mas nada havia mudado. O céu estava azul. Não havia nuvens. Não houve mudança no ar. E aquilo continuou, cada vez mais escuro. Sumiu depois que ele dormiu. Na semana seguinte, na cantina, voltou de novo. E tornou a sumir. Aí voltou, mais escuro ainda. Não há aviso nenhum. É como estar dentro de uma sala de cinema, esperando a luz apagar. Algo lá dentro do cérebro da gente sabe que a qualquer momento as luzes vão se apagar. De forma que, às vezes, você acha que elas apagaram quando na verdade ainda não houve nada, elas ainda não mudaram. Isso vive acontecendo com ele. É provocado por efeitos causais. Ele causou isso. Ele mudou o ângulo em que fica o mundo. Eles brincaram com a cabeça dela até ficarem satisfeitos. Mudaram para lá e para cá sobre aquele pescoço. Depois enviaram. E ela se matou.

    Quarenta alunos terminando o colegial provavelmente viram a imagem. Vinte e seis de outros anos provavelmente também sabem da história. Magnus não consegue calcular quantas pessoas mais podem ter visto a foto, ou ainda poderão vê-la. Depois houve até uma palestra a respeito, durante a assembléia. Milton disse que as pessoas que enviaram deveriam se apresentar. Acabaria vindo à tona. Quando viesse, seria pior para eles, se não se apresentassem naquele momento. Mas não dá para rastrear a fonte. Não há nenhuma maneira de aquele e-mail ser atribuído a eles. Anton descobriu um código postal de alguém nos Estados Unidos. Tirou da contracapa de uma revista. A mensagem foi enviada por "Michael Jackson". Quando Magnus foi conferir os e-mails, naquela terça-feira à noite, foi esse o nome que apareceu. Ele tinha dado risada. Tinha achado superlegal fazer parte daquilo. Estava na sala de estudos quando Jake Strothers apareceu com a foto. Jake Strothers tinha roubado da secretaria. Jake Strothers tinha ido dar um recado, mas, quando entrou no gabinete, não havia ninguém lá. O arquivo estava escancarado. Jake Strothers deu uma espiada. Achou a foto na pasta dela. Ela estava começando o colegial. Era um dos primeiros emes. Jake Strothers entrou na sala de estudos e mostrou a foto a Anton. Anton estava com a revista no armário dele. Foi buscar, dobrou a foto dentro dela. Jake Strothers ficou possesso. Não faz isso, porra, você está dobrando o papel. Jake Strothers tinha tentado sair com ela. Por isso roubara a foto. Não queria uma de celular. Queria uma tirada direito, uma que não tivesse sido tirada na moita. Depois Jake Strothers acabou olhando para a montagem que Anton fizera ao dobrar a foto. Ambos riram. Magnus perguntou do que estavam rindo. Não quiseram lhe dizer, nem mostrar a foto. Sabiam que ainda não tinha feito. Pressentiam o fato como se estivesse escrito em sua testa. Anton disse: Eu não me responsabilizo pelo que acontece com homossexuais. Magnus respondeu que não era. Anton disse: Eu acredito em você, sério. Mas também não me responsabilizo pelo que acontece com os inocentes que vêm coisas para as quais ainda não estão preparados. Anton tinha razão nesse ponto. O Garoto Holograma era um puta de um ingênuo. O Garoto Holograma observava as próprias ereções como experimentos científicos interessantes. Àquela altura, ele ainda era o Garoto Holograma. Àquela altura, o Garoto Holograma ainda vivia sob a ilusão de ser Magnus Smart. Ainda era uma terça-feira qualquer. Magnus Smart sabia algo que os outros ignoravam. Até uma criança consegue isso, porra. Anton e Jake Strothers não tinham a menor idéia. Eram analfabetos em informática. Magnus Smart lhes disse que tinha uma coisa que podia mostrar. As aulas já haviam terminado. Quase mais ninguém na escola. Atravessaram o corredor, passando pelos faxineiros. Depois desceram a escadaria principal. A escola estava vazia, oca, grande feito uma baleia. Caminharam por ela como se estivessem no interior de suas costelas. Mas Magnus é maior ainda que ela, mais inchado que a escola. Ele sabe mais que a escola toda. Eles empurraram a porta. O que é que vocês vêm quando olham para a foto de alguém? Saiu um artigo no jornal. Dizia: a tragédia da perda de Catherine Masson, que cursava a Deans. Uma pessoa feliz, generosa e benquista, uma moça inteligente e educada, uma boa amiga de quem os amigos sentirão muita falta, sócia ativa da Sociedade Lapidária. A foto publicada no jornal era a foto da escola. A mesma foto. Magnus sabe mais do que ela sabia. Magnus sabe mais do que a família dela sabe, mesmo agora. Todas as pessoas que receberam o e-mail, todas as pessoas que leram o jornal, Magnus sabe mais que todas elas. Anton sabe. Jake Strothers sabe. Ninguém saberá que Magnus teve algo a ver com eles. Eles são sabidamente maus. Ele é sabidamente bom. Encontraram-se ao lado do portão como se por acaso, como se estivessem caminhando no mesmo ritmo, na saída da escola. Anton olhava para o chão, enquanto

andava. Disse que não era para contar para ninguém, ninguém podia ficar sabendo. Todos concordaram, todos menearam a cabeça sem dizer nada, ninguém ficaria sabendo de nada. Mas Magnus sabe. Ele está inflado de tanto saber.
Ele fez.
Eles fizeram.
Aí ela fez.
Ela se matou.
Magnus sacode a cabeça com força, dentro do acolchoado. Repete para si as mesmas palavras, de novo. Ela. Se. Matou. Nada. As palavras não servem para nada. Não significam nada. Não fazem nada. Tira o acolchoado da cabeça. Continua em seu quarto. Eles estão de férias em Norfolk. Já terá escurecido? Não importa. Catherine Masson. Repete o nome dela. Catherine Masson Catherine Masson Catherine Masson. Não importa não importa não importa. Ela era feliz, generosa, benquista. Os amigos gostavam dela. Era educada. Freqüentava a Sociedade Lapidária. Na Sociedade Lapidária, eles dão polimento nas pedras para fazer objetos, como jóias e abotoaduras. Ela com certeza guardava as coisas que fazia sobre a cômoda do quarto. Lá está ela, no computador, em seu quarto. É um quarto bem-arrumado de menina. Tem pôsteres de cantores nas paredes, recortes de personalidades da televisão, fotos de cavalos e de filhotes de tigres e ursos-polares. Este é o momento em que abre o e-mail que chega como tendo sido enviado por Michael Jackson. Ela clica nele. Olha fixo para a tela. Ah. Não importa. Não importa. Passou por ela uma vez, no corredor. Não tem nem certeza se era ela, de fato. Era só uma garota. Estava junto com um bando de meninas, todas falando alto, rindo. Eram aterradoras. Estavam indo para a aula de francês. Comendo batatinha frita; fizeram o maior empurra-empurra na porta. Gritando que era ridículo o jeito como os

franceses diziam pneu. *Les pneus.* Seria ela? Se aquela garota era mesmo ela, então passaram um pelo outro a menos de meio metro de distância, mas não se conheciam. Ela não sabia quem ele era. Ele também não, não sabia quem ele era. Ela tem sorte. Está morta. Não sente mais nada. Ele também não sente nada. Mas não está morto. Depois, o boato correu a escola toda. Uma garota da Deans se matara no banheiro de casa. A mãe ou o irmão tinham encontrado o corpo. Ele escutou o boato na aula de matemática. Charlie quer construir uma extensão nos fundos de casa com uma área de dezoito metros quadrados. Quer utilizar o menor número possível de tijolos, de modo que precisa saber qual é o menor perímetro que pode usar. Faça uma equação para a área em termos de x e y. Cálculo é a matemática dos limites, sobretudo em relação a níveis de mudança. Houve quase uma guerra para saber quem havia descoberto primeiro, se Leibniz ou Newton. Leibniz inventou o sinal =. Matemática = encontrar o simples no complexo, o finito no infinito. Sentado no carpete, ele segura os pés. Era uma terça-feira. Os cochichos diziam que ela estava suspendida por uma corda. Sarah vai para a escola todos os dias com seu irmão Steven. Um dia, eles cronometram a caminhada. Quando Steven chega à escola, ele diz: eu levo seis minutos e oito segundos. Quando Sarah chega, ela diz: eu levo entre seis e sete minutos. Qual das duas respostas tem mais chance de ser a certa? O Garoto Holograma, que iria para a faculdade, esganiça mentalmente que o correto é suspensa, não suspendida. Correção. Não há faculdade. A faculdade não tem mais chance de ser verdade. A faculdade é hilária. Cálculo é hilário. É tudo uma piada. Até mesmo os dias da semana são hilários. Era uma terça-feira, quando ele ficou sabendo. Se naquela outra terça-feira, a primeira, não tivesse ido para a sala de estudos, depois das aulas. Se não soubesse tanto. Se apenas não. Se eles não. Então eles não. Aí ela não. Então ela ainda poderia.

Esse barulho é de alguém batendo na porta do quarto. Tira a cabeça para fora do acolchoado. Acima da porta, aparece uma ponta da viga do teto. Com certeza não é original. A calça jeans está jogada no chão. A camisa de manga comprida está largada junto com a calça. Todas as roupas que levou para as férias estão amontoadas perto da pia. Ela abre a porta de um banheiro. Senta na beirada da banheira. Está rodeada por cortinas de boxe. Que cheiro teria, lá dentro? Pasta de dentes, sabonete, coisas limpas. Haveria um tapete sob os pés dela. Talvez o tapete ainda estivesse úmido, por causa da última pessoa a tomar banho ali, de chuveiro ou de banheira. Ela devia ser uma pessoa bem hábil. Não há muitos lugares óbvios, num banheiro. Olhando assim pela primeira vez, é uma escolha estranha, o banheiro. Mas, depois que você pensa um pouco mais a respeito, faz todo o sentido. Você entra, e depois você sai de um banheiro. Ninguém fica muito tempo num banheiro. É o lugar onde você esvazia toda a merda que tem dentro. É onde você se limpa. Ela olha para ele da beirada da banheira. Ela é educada, inteligente. Está usando o uniforme da escola, como na foto. Olha direto para ele. Balança a cabeça. É o mínimo que pode fazer. Ela espera. Não, não espera. Está morta. Não está olhando para ele, não pode olhar para mais ninguém. No entanto lá está ela, sentada na beirada da banheira, olhando para ele. Segura o chuveiro como se fosse ela que estivesse de pau duro, não ele. Balança o chuveiro para ele. Está com tesão por ele.

    Aquele barulho é alguém batendo de novo. Alguém está gritando algo. A voz parece irritada.

    Certo, responde Magnus. Já vai.

    Sua voz soa esquisita. Parece vir do estômago. Surpreende-o ver que ainda existe uma ligação unindo o meio do corpo à cabeça.

Magnus, a voz por trás da porta havia dito. Faz quanto tempo isso? Era a voz da mãe. As palavras em si não eram bravas, mas o som delas, sim. Venha para baixo já. Certo. Certo. É tudo que ele tem dito faz dias. Ele é monstruoso, um mentiroso. Certo. Magnus se levanta. Sente-se zonzo ao ficar em pé. Atravessa o quarto. Depois repara no braço nu acima da mão. Repara no peito. Olha para baixo. Está pelado. Volta para o meio do quarto. Veste a camisa. Pega um botão, alinha com a casa do outro lado. Mas não consegue fazer o botão passar pela casa. Não consegue fazer com que as mãos façam isso. Veste o jeans. Enfia a camisa por dentro da calça. Pega o zíper, mexe, remexe. Faz um esforço. O zíper sobe.

Destranca a porta. Acima do buraco da fechadura, há um trinco. Fingindo-se de autêntico trinco antigo. A porta se finge de autêntica porta antiga. Talvez não exista mais nada que seja autêntico. Talvez tudo seja uma espécie de fingimento. Magnus abre a porta. O hall está claro demais. Esse é o tipo de claro que escurece. Lá está a porta do banheiro. Tem uma plaquinha retangular pregada na madeira, com a palavra BANHEIRO escrita com letras trabalhadas e a imagem de um regador do lado. Há flores crescendo da palavra, atravessando as letras, o B maiúsculo. Magnus fecha os olhos. Está transpirando. Tateia as paredes e, com os dedos do pé, apalpa para saber onde o chão vira escada. Abre uma fresta mínima dos olhos quando sabe já ter passado a porta do banheiro. Desce a escada.

Lá embaixo, no hall, vira-se para ficar de frente para a porta da sala onde eles jantam todos os dias. Dá uns passos na direção da porta, pára diante dela. Ergue o queixo do peito. Certo. Abre a porta.

Lá está sua mãe. Ela não sabe de nada. Está dizendo qualquer coisa. Magnus inclina a cabeça, concordando. Pega o prato de um lugar à mesa onde não há ninguém sentado. A irmã tira o prato da mão dele. Ela também não sabe de nada. Põe no prato alguma coisa que pega de uma travessa que está sobre a mesa. A sala cheira a peixe. Michael está falando. Ele não sabe de nada. Aponta algo. Magnus inclina a cabeça, concordando. Espera que seja isso o que eles estão querendo. Inclina várias vezes a cabeça, como se tivesse certeza do assunto com o qual está concordando. Sim. Sim, decididamente sim. Numa boa. Pega a faca, depois o garfo, da mesa. Leva-os, encostados ao corpo, até onde o bolso traseiro deve estar. Acha que entraram. Não houve ruído nenhum de talheres caindo no chão. Sente o frio deles de encontro às costas. O frio é espantoso. É espantoso sentir qualquer coisa. A sensação não vai durar.

Se vocês não se importam, vou levar o jantar lá para cima, para o quarto, diz Magnus. Por favor, com licença. Muito obrigado.

Ele é educado. Ele é como ela. Ela era educada, inteligente. *Les pneus*. A mãe diz alguma coisa. Soa como um ponto de exclamação. A irmã lhe entrega o prato. Ele pega com as duas mãos, para não deixar cair. O peixe dentro do prato está morto. Sem cabeça.

A porta se fecha atrás dele. A sua frente, a escada. Mergulhada em sombras. A porta com a palavra BANHEIRO pregada fica no topo da escada.

Magnus vai até a porta da frente. Põe o prato no carpete. Abre a porta e pega o prato de novo. Está tão claro, ali fora. Inacreditavelmente claro. Ele curva os ombros. A qualquer momento, agora, vai escurecer tudo. Aquele barulho nada mais é que o vento nas folhas, barulho de pássaros. Pássaros são como pesadelos. Fazem os mesmos barulhos, de novo, e de novo, e ainda de novo. As folhas ciciam. Pássaros não têm sentido. Fazem barulho para se reproduzirem em nome dos próprios fins genéticos. As folhas não têm sentido. As árvores não têm sentido.

Sustentam a vida de insetos que morrem logo depois que nascem. As folhas ajudam a produzir o oxigênio que mantém as pessoas respirando, e aí as pessoas param de respirar. Os insetos polinizam um terço da comida que pessoas que agem de forma tenebrosa com outras pessoas, pessoas que vão morrer por causa disso, comem. Garoto Holograma: *um bicho-da-seda, criado para produzir seda, quando em forma de lagarta pode transformar as folhas de amoreira que come em quase um quilômetro de fio de seda, um fio ininterrupto e mais forte que um fio de aço da mesma grossura.* A informação é uma piada. É hilária. É tão significativa que perde o significado. O outro barulho é o que fazem seus pés, esmagando os pedregulhos. Não dói o suficiente. Olha para baixo, para o chão se movendo lá embaixo. Não está doendo agora porque ele caminha em cima da grama.

Está sobre uma pequena ponte. Abaixo dela há um rio viscoso. Ele se debruça e raspa o peixe do prato com a mão. A maior parte cai na água. Um pedaço do lado da cauda se quebra e vai parar em cima de uma moita, na margem. Ele joga o prato, depois do peixe. Depois tira a faca do bolso de trás, em seguida o garfo. Joga os talheres também.

O arbusto é do tipo que arranha. Ele se debruça bem por cima para alcançar o pedaço de peixe que escapuliu. Quando consegue pegá-lo, vai até a beira do rio. Entra na água e depois larga os pedaços de peixe que traz na palma da mão. Deixa que bóiem para fora da mão. Eles oscilam, depois afundam, se partindo em flocos e assentando em volta de seus pés.

Magnus senta na margem do rio, sobre o lixo e o mato. O jeans está molhado até as coxas. Uma vez, no ano anterior, apareceram duas meninas da escola, procurando por ele. Era uma quarta-feira. Ele estava no Clube de Xadrez. Astrid lhe contou depois. Ela estava no jardim. Duas meninas haviam posto a cabeça no portão. Era ali que Magnus Smart morava?

Era ela a irmã dele? Que meninas? Magnus perguntou a ela. Não dava para acreditar. Era inacreditável. Como elas eram? Não me pergunte, disse Astrid. Não reconheci nem uma nem outra. Eram bem mais velhas que eu. Mais ou menos da sua idade, dezesseis anos, no mínimo. Uma delas tinha argola no umbigo. Mas o que elas queriam?, ele disse. Garoto Holograma. Estava todo reluzente de espanto. Queriam você, disse Astrid, mas você não estava. Por que elas iriam me querer? (Garoto Holograma. Estava tão brilhantemente reluzente.) Se liga, Astrid respondeu. Ela atirava a bolinha *powerball* dela na parede, entre as gravuras egípcias, uma atividade ilegal, se por acaso Eve descobrisse, apanhava, atirava de novo, apanhava, atirava de novo. As gravuras tremiam toda vez que a bola batia na parede. Não, fala sério, o quê?, disse ele. Eu falei que você não morava aqui, disse ela. Falei que você está com problema de cecê e que teve de ir ao médico. Falei que está numa clínica especial, se tratando. Falei que seu apelido é Babaca. Falei que você é gay. Elas eram muito feias, as duas. A do piercing no umbigo estava com infecção. Uma delas tem uma cicatriz na cara assim, ó, de cima a baixo. As duas estavam com um cheiro nojento de peixe morto.

 Magnus pegou a *powerball* no ar. Subiu correndo as escadas até o segundo andar, com a irmã gritando atrás dele o tempo todo que era para ele devolver, e agarrando seu braço quando subiu a escadinha do sótão. A bolinha foi jogada pelo basculante e caiu no meio de uma touceira, onde nunca mais seria achada. Astrid disse que não estava nem aí com a *powerball*, de modo que ele foi até o quarto dela e pegou seu antigo Gameboy. Atirou pela janela, sobre a mesma touceira. Durante noites e noites, tentou descobrir quem podiam ser as meninas. Fez listas na cabeça daquelas que tinham piercing no umbigo, ao menos das que ele sabia. Era espantoso que uma menina de piercing tivesse passado por sua casa. Ficara na cama, batendo uma numa meia e imaginando que uma daquelas meninas era Anna Leto. Uma garota como Anna Leto jamais teria ido até lá à procura dele, correto? E ela decididamente usava piercing. Era sabido de todos. Ela havia corrido os cem metros. Atletas não tinham permissão de usar piercing. Eles tentaram pegar no pé dela por causa disso, mas ela não parava de ganhar competições para a escola, de modo que desistiram. Depois que os soldados partiram para o Iraque, Anna Leto continuou sendo antiguerra. Isso fez com que uma porção de gente também assumisse essa postura. O Garoto Holograma acreditava em ordem *versus* caos. Obviamente, alguns países sabiam mais a respeito de ordem que outros. Mas, mesmo Anna Leto sendo contra a guerra, nem todos os vagabundos loucos para fugir da aula e ir fazer protesto eram. Até o Garoto Holograma quase se deixou convencer. Magnus lembra-se do momento em que Anna Leto se levantou na classe para dizer aos colegas que ficassem contra a guerra.

Mas ele não ousa se lembrar direito. Não ousa deixar que entre em sua mente, porque senão. Porque lá estão todas elas, no portão do jardim. Esperando por ele, as meninas. Todas as meninas que vai conhecer na vida. Todas as meninas para quem vai olhar na vida. Todas as meninas que vão olhar para ele na vida. Todas têm o mesmo rosto, o rosto dela, o rosto que está na foto da escola.

Espia o céu no alto, depois torna a baixar a cabeça. O claro significa o escuro. Na primeira assembléia do primeiro dia do ano letivo, o Garoto Holograma leu em voz alta a passagem que fala sobre a Terra ser um vazio amorfo. Só havia escuridão profunda. Deus disse faça-se a luz. Fez-se a luz. Deus usou a luz para dividir o dia da noite. Anton tinha um telefone novo. Que acendia. E tocava um som ritmado. Andou usando o aparelho para fotografar as meninas, durante a matrícula. Ele mirava nelas e apertava o botão. Todas as garotas aquele ano estavam com cara idêntica, Anton cochichou para ele. Tinha ficado contente que alguém como Anton o escolhesse para lhe dizer tal coisa ao ouvido. Olha lá, disse Anton. Estão todas com cara de quem acabou de emergir de um site pornô. Era verdade. Depois que você dá uma olhada nos sites, todas as garotas começam a ficar iguais. Os comerciais na televisão começam a ficar iguais. Nos canais de música, todo mundo tem essa cara, quer dizer, as cantoras mulheres, claro.

Poderia pedir emprestado o laptop de Eve, na volta. Ou o computador do Michael, se ela estiver usando o dela, ou não quiser que ele mexa. Ele sabe usar o e-mail, é só pôr o nome das pessoas mais ae, para aluno da escola, ponto deans ponto uk. Cara Catherine Masson. Eu sou. Espero que você não se incomode. Por favor, desculpe eu estar mandando um e-mail, mas. Você não me conhece, mas. Você não tem idéia como. Queria dizer que eu de fato. Estou tão. Magnus vomita na grama, ou melhor, na mão. Não sai muita coisa. Por alguns momentos, se sente bem melhor. Depois a sensação boa se vai. Ela entra numa sala de aula, mas todos os rostos lhe são estranhos. Ela não reconhece nenhum. Costumavam ser de amigos. Agora não sabe mais. Não há como saber. Pode ter sido qualquer um deles. Ela desce uma rua conhecida, ou entra numa loja onde já esteve milhares de vezes. Tudo parece estranho, mudado. Em casa, na mesma sala com a família, estão todos num mundo diverso do seu, num mundo em que nada mudou. Senta-se na cama. Catherine Masson. Não importa. E lá vem, o escurecimento, baixando sobre ele, deixando acinzentada a grama onde está agora. Magnus sacode a cabeça, fecha e torna a abrir os olhos. As folhas lá no alto estão negras. O rio é água negra. Termina num imenso oceano negro estraçalhado. Não importa mais o resultado. Todos os bilhões de impulsos elétricos, os bilhões de mensagens enviados, ao simples toque de um botão, de uma tecla ou de um interruptor, em milagrosos nanossegundos, através de quilômetros cinzentos, de países, de continentes, por todo o vasto mundo: no fim, o resultado é esse. Ele fez. Eles fizeram. Ela recebeu a mensagem. Ela se matou.

Levanta-se do chão. Torna a cruzar a ponte, sente ânsia de vômito de novo. Usa a parede de uma velha construção toda branca como escora. Passa pela mesma leve sensação de bem-estar de antes. Acha que poderia ficar assim durante alguns instantes, a cabeça baixa, os ombros na parede, olhando o entulho, o mato saindo de trechos onde os tijolos encontram o chão. Mas sai um homem de lá de dentro. Grita com Magnus até que ele se levante. Certo, diz Magnus. Meneia a cabeça pedindo desculpas para as pessoas do outro lado da janelona da frente. Elas olham para ele espantadas. Há um vaso de flores sobre a mesa, entre elas. Magnus atravessa a rua. Passa diante de um lugar que vende batata frita. Há alguns garotos parados na porta. Gritam algo em sua direção. Pergunta-se qual seria a sensação de ser chutado por eles até morrer. Tenta se lembrar de alguma oração, mas tudo que lhe vem à mente são as palavras agora me deito para descansar, peço ao Senhor para minha alma guardar, se eu morrer antes de acordar, peço ao Senhor que eles venham me buscar, que me atirem no chão e me matem de tanto chutar. Mas eles não vão, porque não há Deus. Eles gritam mais alguma coisa, mas não vão atrás dele. Não importa. Magnus se sente melhor. Sabe o que fazer. No fundo, sempre soube.

Volta para casa. É a casa certa, a casa da qual saiu, porque a porta da frente continua aberta. Dá para ver Eve, sua mãe, sentada diante da janela da frente. Está segurando uma taça de vinho. Dá para ver a coloração do vinho nela. É escuro. Cor de vinho!, esganiça o Garoto Holograma. Isso faz Magnus rir. Seu estômago dói. A família ri de alguma coisa também, alguma outra coisa, na sala da frente dessa casa estranha. Escuta Astrid, sua irmã, rindo. Ela não faz idéia. Afinal de contas, vai dizendo o Garoto Holograma, por que esperar de três capiaus em frente a uma loja de batata frita aquilo para o que não há ninguém melhor que você mesmo? Sem sombra de dúvida, concorda Magnus. Sem sombra de dúvida. Repete isso toda vez que o pé bate num novo degrau, até o fim da escada. BANHEIRO. A placa existe para ajudar todas as pessoas que passam férias nesta casa alugada. Magnus pára com a cabeça na altura da imagem do regador de plantas. Encosta a testa no regador. Empurra a porta com a cabeça, para abrir.

É um banheiro simples. Muito brando, muito manso. Tem uma banheira branca, com o tapetinho de borracha no formato de um pé grande, com dedo e tudo, grudado no fundo dela, para que ninguém escorregue ao entrar ou sair. Tem também uma ducha. Tem o tapete de chão cor-de-rosa, dobrado na beirada. Há a prateleira de toalhas, os sabonetinhos cor-de-rosa. Tem a pia. Até o momento, só entrou ali quando não foi possível evitar. Em geral, urina na pia do quarto. Fica de olhos bem fechados quando não tem outra saída que não seja entrar ali, quando precisa

Excretar, diz o Garoto Holograma, com voz animada.

Ele se vê no espelho. Parece extraordinariamente consigo mesmo. É uma piada. As toalhas na prateleira estão tão bem dobradas. As paredes têm mais quadrinhos iguais aos da porta, mostrando coisas de jardim, flores, imagens sem palavras. Um aprimoramento barato num aposento que finge não ter nada de cloacal. O Garoto Holograma diz as palavras aprimoramento e cloacal com voz firme. E espera, cabeça inclinada de lado, que Magnus responda sem sombra de dúvida.

Se manda daqui, seu porrinha de merda, Magnus diz para o Garoto Holograma.

O Garoto Holograma chia um pouco, como se estivesse se sobrecarregando. Depois estala e num instante se desfaz, como se alguém o tivesse tirado da tomada.

Magnus respira fundo. Olha para o teto, acima da banheira, para a viga falsa. Pergunta-se se todos os cômodos da casa terão aquelas vigas. Sobe na beirada da banheira. Testa a resistência da viga pendurando-se pelos braços. Ela agüenta seu peso, é firme o suficiente. Tira a camisa, amarra uma das mangas à viga com um nó de correr. Puxa a outra manga, para apertar bem o nó.

No ângulo em que estavam, os seios da garota da revista pareciam sair e avançar direto para você. Não havia como escapar deles. Eram como dois olhos estupefatos olhando para você. Eram grandes, com marcas mais claras de bronzeado em volta do bico. Ela tinha cabelo castanho. Não consegue se lembrar dos olhos. Os bicos eram grandes, duros. A boca, vermelha, aberta. A língua molhada estava lá, os dentes. O corpo todo arqueado, para você ver bem dentro dos buracos todos dela.

Catherine Masson estava com o pulôver azul-marinho do uniforme. A malha tinha o escudo da escola bordado do lado esquerdo do peito, com os dizeres Empenho com Harmonia, o lema da Deans. Estava de gravata, com um nó bem dado, macio. E com a camisa branca do uniforme, bem-arrumada por baixo do pulôver. Sorria um sorriso simpático. De boca fechada. A pele tinha um aspecto limpo. O cabelo castanho batia nos ombros. A franja, comprida, caída sobre os olhos. Mas ainda dava para ver os olhos. Castanhos muito escuros.

Ele usou um dos escaneadores novos e o Mac. Primeiro escaneou as duas fotos usando o Photoshop. Depois deu um clique na ferramenta marca de seleção. Mostrou a eles como selecionar a cabeça, copiar e fazer uma nova camada com o corpo. Mostrou como recortar em volta dela com o laço. Mostrou a borracha que elimina o plano de fundo. Explicou como fazer para colar a cabeça, dissolver as bordas, fundir e fazer parecer normal. Mostrou como salvar, depois como enviar em JPG, e, no fim, como deletar o arquivo.

Magnus passa os braços em volta de si mesmo. Está tremendo. Está gelado. Entra na banheira e fica em pé sobre o tapetinho de borracha. Estendendo o braço, dá um nó de correr na outra manga da camisa. Sobe na beirada da banheira de novo. Afrouxa o laço até ficar grande o suficiente. Enfia a cabeça dentro. O laço assenta frouxo à volta toda do pescoço. Os punhos chegam até a orelha. Ele está no vértice da depressão. Faça uma experiência para descobrir a progressão do arqueamento de uma viga em relação ao peso, em que m = carga em toneladas e n = arqueamento em mm. Magnus tira um pé da beirada da banheira. Mantém o pé solto no ar. Deveria dizer uma prece. Agora me deito para descansar. Está tremendo. Coloca cuidadosamente o pé de volta na beirada da banheira. Dá para ver o pó no topo da viga, os pedaços onde quem pintou de preto não alcançou com o pincel. Ele está na altura da luminária. Dá para ver as teias de aranha na borda de cima, a poeira em cima da lâmpada. Não consegue entender por que a luminária não está trêmula também, por que o banheiro todo não treme.

Nesse meio-tempo, entrou alguém lá. É culpa sua. Devia ter trancado a porta. Não se lembrou disso. Ele não acerta uma, mesmo. Não conseguiu fazer nem isso direito.

É um anjo. Ela o olha fixo.
Foi só uma piada, diz ele.
Entendo, diz ela. Isto aqui também é piada?

Ela se debruça no porta-toalhas, sem tirar o olho dele. Ela tem cabelos loiros e angelicais.

A culpa foi minha, diz ele. Porque primeiro eu mostrei a eles como. Depois eles mandaram para todo mundo da lista. Aí ela. Eu tenho de.

Começa a chorar. Segura na viga.

Eu entendo, diz o anjo.

Foi um acidente, diz ele.

Certo, diz o anjo.

Aconteceu a coisa errada, diz ele.

Já saquei o que houve, diz ela.

Está meneando a cabeça. É muito bonita, e um pouco descuidada, como uma linda garota de um site da internet. Está todinha iluminada, de encontro ao papel de parede lavável.

Precisa de ajuda?, está perguntando. Quando estiver pronto, posso me jogar contra você, para que perca o equilíbrio.

Ela o segura pela perna; segura firme com os dois braços em volta. Os braços estão nus. A perna que ela segura treme em seu peito, em seu rosto.

Diga quando, diz ela a um par de jeans.

Ele engole em seco. Está chorando. O rosto todo é só ranho ou suor. Suor ou ranho está por todo o punho da camisa que lhe raspa no nariz.

Vamos lá, então, diz ela. Eu estou pronta. E você, está?

Ele mexe a cabeça, dizendo que sim. Tenta dizer a palavra sim. Não consegue. Suor ou choro, não sabe qual, cai de algum lugar e bate em seu peito.

Tem certeza mesmo?, diz o anjo que o segura

de novo o começo! Extraordinário. A vida não cessa de ser esplêndida, uma esplêndida surpresa, mais uma vez, um esplêndido recomeço. Feito novo. Não, não apenas feito novo, mas novo de fato, novo mesmo. Metáfora, não símile. Nada de *feito* entre ele e a palavra novo. Quem teria acreditado numa coisa dessas? Aquela mulher, Amber, afastara simplesmente o prato, afastara a cadeira, as pernas compridíssimas, despreocupada e insolente como uma menina, levantara e saíra da mesa, saíra da sala, e Michael, agora que tudo a sua frente se reduzia a um lugar vazio, pôde parar, soltar o ar e se perguntar se Eve, que estava raspando migalhas de pão com o guardanapo, se ela erguesse a vista, digamos que ela erguesse a vista e o fitasse bem nos olhos, se por acaso ela veria a surpresa estampada nele todo. O rosto guardaria aquele olhar estupefato que se encontra mais comumente na expressão da soprano que atingiu um ó agudo perfeito.

    Eve erguera os olhos para ele. Michael endireitara a boca, por via das dúvidas. Aquele timbre perfeito, nos ouvidos, na cabeça, retumbando no sangue, tanto que se inclinou para a frente, na mesa, depois se reclinou de volta na cadeira, em seguida não conseguiu mais saber como sentar. Era o que Apollinaire chamava de "a mais moderna das fontes de energia — a surpresa!", palavras que ele escrevia no quadro, em todo início de ano acadêmico, visto que a literatura moderna estava repleta da energia da surpresa, conforme o prof. Michael Smart repetia aos novos terceiranistas no início do período. Mas o prof. Michael, que Deus o abençoe, e a todos que com ele navegam, nunca havia atingido uma nota que tal, de qualidade assim espantosa, de frescor assim penetrante, não esse tranco de ó.

Inclinou-se mais à frente, pousou as mãos sobre a mesa. Recostou-se outra vez. Braços e pernas agiam como se fossem novos nas juntas, as mãos nunca haviam se visto tão sem saber o que fazer ou onde se pôr. Mas estava se sentindo excepcionalmente bem. Fantástico mesmo. Bateu nas pernas; pareciam ótimas. Esticou-se na cadeira. Cada músculo parecia estranho, novo, bom. Eve continuava falando, desatenta, boa. Tirava os pratos, dizia qualquer coisa para Astrid. Estavam falando algo a respeito de colheres. Colheres! Havia um mundo onde existiam colheres, pratos, xícaras, copos. Estendeu a taça, rodopiou os últimos goles de vinho dentro dela e observou a bebida assentar de novo. Era bom. Era o Gavi do Waitrose.

Se ele fosse essa taça de vinho, haveria fissuras minúsculas a mantê-lo intacto, fazendo passar pequenas conexões elétricas vivas por ele todo. Ó. Ver-se pleno de bondade e, depois, estilhaçado por bondade, mosaica e belamente fragmentado por tão chocante bondade. Michael sorriu. Eve pensou que estivesse sorrindo para ela. Sorriu de volta. Michael também sorriu para Astrid. Ela lhe lançou um olhar furibundo e raspou um prato. Ótimo. Guria mais insuportável. Riu alto. Astrid o fuzilou com os olhos e saiu da sala. Os dois filhos de Eve precisavam de terapia. Magnus era um bom exemplo. Recusar-se a comer com eles era uma coisa. Porém se recusar a cumprimentar uma convidada, agir como se ela não estivesse na sala, recusar-se a dizer um simples olá, como ele havia feito, era outro tipo muito diferente de grosseria, profundamente censurável, não obstante o quão intenso seja o inferno angustiado de sua adolescência, coisa e tal, e Michael, que no geral se mantinha bem afastado desse lado da coisa de ser pai, faria questão de falar com Eve mais tarde, na cama. Mas agora uma enorme mariposa entrara pela janela aberta e esvoaçava em volta da vela acesa. As mariposas não conseguem evitar, *tal qual mariposas*, elas são geneticamente programadas para se deixarem atrair pela chama, enxergam todas as luzes como a luz do amor. Quando singram o ar, bêbadas, na direção da chama, é porque acreditam, geneticamente, ter encontrado a Übermariposa, a única mariposa, em todo o planeta, especial para si. Chegam inclusive, em noites de céu claro, a tentar voar até a lua, se for lua cheia.

Sem preâmbulos — essa entrou direto na chama e caiu sobre a mesa, Michael até escutou o baque. Era uma mariposa amarronzada. Girou sobre si mesma uma vez e outra e mais outra. Dava para ele ver o borrão peludo da fisionomia dela, enquanto a mariposa se debatia em torno da asa danificada (sempre tivera uma vista excelente, olhos muito bons; quarenta e tantos anos, já, e necessidade nenhuma, em momento algum, de óculos, lentes de contato ou coisa parecida). Mariposas e luz de velas! Tal qual mariposa atraída pela chama! O professor Michael Smart fora reduzido a um clichê!

Profundamente emocionantes, porém, os clichês, enquanto conceito. Eram uma verdade envolta nas brumas do excesso de expressão, como uma estrutura vista sob neblina, como algo à espera de ser sentido e visto de novo. Algo apalpado delicadamente com luvas grossas. O clichê era uma verdade, óbvio, tanto assim que se tornara clichê; era tão verdade que acabava nos protegendo de nossa própria verdade ao ser o que era, nada mais que um clichê. A publicidade, por exemplo, adora um clichê por ele ser uma das mais puras verdades das massas. Houve até uma palestra a respeito, talvez no curso "Formas de ler". Fonte? claramente francesa, mas iria dar uma procurada. Larkin, por exemplo, o Sid James da poesia lírica inglesa (ora, essa foi uma ótima observação, prof. Michael Smart em plena forma), conhecia o poder de um clichê. *De nós, o que há de sobreviver é o amor.* Os velhos cavalos de corrida aposentados, naquela sua poesia de cavalos, não "galopam por prazer", e sim por aquilo *que deve ser* prazer. Larkin, um exemplo magnífico. O velho e cômico sexista vivendo aqueles anos todos nos círculos ínfero-literários de Hull, não foi à toa que tivesse se tornado tão rabugento, mas como sabia escancarar um clichê com duas ou três palavras bem arremessadas. Ou então quando Hemingway, por exemplo, escreveu, antes que tivesse ocorrido a qualquer um pensar numa forma de expressá-lo, *então não sentiste a terra se mover* (ou seja lá como foi que ele pseudocampesinamente falou em seu não muito brilhante *Por quem os sinos dobram*, 1941, se Michael não estivesse enganado), por acaso ele fazia idéia de como a expressão penetraria na língua? Penetrar! Língua! O clichê *faz* a terra se mover, depois de entendido, depois de sentido, pela primeira vez. Terra e movimento, um terremoto, uma devastadora e aguda mudança nas plaquetas acaloradas lá de baixo, abaixo da cintura, por baixo dos pés. Mariposa mais chama. Bem ali, bem nesse momento, Michael tinha visto, sentido e ouvido o drama do exato instante em que a asa da mariposa fora chamuscada e se desfizera na chama. Ele experimentara o impacto considerável de uma só mariposa batendo numa só mesa. E sentira isso tudo com uma pungência, uma verdade e uma *surpresa* que não sentia, ah, difícil dizer, desde que era um garoto ingênuo (clichê) de doze anos, e não uma criança de doze anos como essa aí, pensou com seus botões, lançando uma olhada para o topo da cabeça de cabelos macios e penteados da filha rabugenta de Eve, não os doze anos de agora, quando nada é novo e já se sabe tudo, já se foi tudo, já se fez e se regurgitou tudo em camisetas pós-modernas, não, ele está falando dos doze anos de então, da regata mal cobrindo o peito, à beira de águas profundas, afundado no meio do capim alto, barulhos de verão, um talo de capim doce na boca, quando, pela primeira vez, viu dois insetos, duas moscas de um tipo ou de outro, duas moscas d'água de pernas longas, uma metonímia, podemos dizer assim, do verão todo, e uma delas estava nas costas da outra, entregues as duas ao frenesi absoluto daquilo que Michael soube, sem a menor sombra de dúvida, pela primeira, a mais inocente das vezes, ser uma penetração.

Penetração! Era uma palavra maravilhosa. A mosca na mosca. O garoto na relva. A relva no garoto. O garoto entranhado no dia e o dia entranhado no garoto. Ele também gostava muito da palavra absoluto; como palavra, era calma, branda, e ao mesmo tempo tão puerilmente entusiástica, ela ia tão longe quanto podia. Imagine a superfície absoluta da água, depois alguém mergulhando dentro dela, impassível.

Ela havia penetrado nele como se ele fosse água. Como se ele fosse um dicionário e ela uma palavra que ele não sabia ter em si. Ou então penetrara de forma mais simples, como se ele fosse uma porta e ela o tivesse aberto, deixando-o entreaberto, enquanto passava. (Entreaberto! Quando uma porta não é uma porta? Piada infame de seus tempos de garoto, na televisão, num programa que ele não tinha permissão de ver, nunca fora engraçada, essa piada. Não até agora. Ele nunca estivera suficientemente aberto para ela, até o momento, rá rá!)

Quem é ela? como é mesmo o nome dela? Eve na cozinha, lhe perguntando em voz baixa, antes do jantar. Não era típico de Eve esquecer de coisas assim, ou ser descuidada com os detalhes de compromissos firmados; de repente, sentiu-se satisfeito, contente com a própria clareza organizacional. Estava recheando o interior de uma truta com cubinhos de manteiga. Se puser demais, estraga o gosto. De menos, estraga o prato. Bem julgado. Amber alguma coisa, não é?, disse ele, enfiando manteiga pela barriga.

Tinha tocado a campainha de manhã. Ele abrira a porta e ela fora entrando. Desculpe o atraso, disse. Eu sou a Amber. Meu carro quebrou.

Sobremesa, tem?, Eve perguntou, de passagem. Sorria seu sorriso convincente. Estava de bom humor. O peixe, por falar nisso, ficou perfeito, disse ela, debruçando-se para ele.

É, ficou. *Ficou* muito bom, não é mesmo? (Ela tinha gostado; tinha gostado de tudo quanto ele pôs na mesa, devorara tudo de um jeito, digamos voraz, pele e tudo, tanto que Astrid tinha olhado espantada para ela e Michael sentira vontade de ficar olhando também; havia esquecido qual era a sensação de ver tudo quanto se preparou ser apreciado de maneira tão física. Ninguém mais comia daquela maneira, como se estivesse com fome, como se o que estavam comendo estivesse gostoso.) Pensei numas peras à belle Hélène, ele disse a Eve. Só preciso esquentar. Daqui a pouco eu vou.

Eve tirou o último prato, tirou-o das mãos dele. Deu-lhe um beijo ao fazer isso; ele a beijou de volta, um beijinho leve, mas impetuoso; ela passou a mão pela nuca dele, depois se afastou. O sol tinha se posto, mas continuava calor. Ela voltaria para a sala a qualquer momento, agora. A qualquer momento, agora, ela desceria a escada, se viraria para a porta, entraria e se sentaria na frente dele de novo, e ele reluziria por baixo das

roupas como um elemento elétrico se avermelhando. Será que começaria a soltar fumaça e a esquentar? Será que as roupas derreteriam sobre sua pele? Será que a calça começaria a chamuscar onde o tecido se retesava de encontro à coxa?
 Esmurrou de novo a coxa com o punho fechado. Rá-rá!, disse. Astrid lhe deu um olhar mortífero. Ele a ignorou. Cantou. *Este mundo nosso é um circo, Mais falso impossível*. A voz saiu boa. Seu reflexo no vidro da janela o deixava bem mais jovem. *Mas não seria de faz-de-conta*. A mariposa havia parado de se mexer. Quando foi tirá-la de cima da toalha, ela se mexeu de novo; só estava descansando. Pegou-a; levou-a até bem perto do nariz; sentiu-se tentado a colocá-la na boca.
 Cheirou uma mariposa pela primeira vez.
 Mariposas não tinham cheiro de nada.
 Ela se debateu dentro da mão dele. Agradecido, mariposa, pelo símile excelente, disse ele, de mão cerrada, se debruçando na janela para soltar a mariposa, de olhos fechados para não ver onde caía.
 Boa sorte, mariposa. *Se você acreditasse em mim*.
 Michael gostava das músicas antigas. Eram verdadeiros poemas líricos. Respirou fundo. O ar lhe parecia novo e limpo. Havia finalmente dominado um forno que não conhecia, numa casa que não era a sua, e um forno elétrico, ainda por cima, sempre o pior de todos. Sobrara um pó de mariposa na mão; limpou no jeans. A campainha tinha tocado. Ele fora abrir a porta e ela foi entrando. Passara reto por ele. Ao atender a porta, ele ainda estava ao telefone. Espere um segundo, tinha dito a Philippa Knott. Houve um imprevisto, se importa se eu ligar de volta mais tarde, Philippa? Sua própria voz dizendo o nome de Philippa, ele a escutou, grave, macia-roufenha, a pele pedindo que fosse barbeada, pele de hotel à tarde, as promessas indo direto para o ouvido de Philippa Knott. Enquanto atendia a

porta, se perguntava como deveria chamá-la, se Pippa, talvez Pip. Pena que ela já fazia uso do nome completo, um nome completo é sempre mais significativo, mais cheio; os outros nomes eram nomes de criança; pena; elas em geral gostavam de ser convidadas a atingir a idade adulta. Perguntaria mais tarde qual ela preferia, que nome gostaria que ele usasse. Devia estar esperando que alguém lhe perguntasse; em geral estão; em geral adoram que alguém pergunte.

Philippa Knott soubera sustentar e devolver o olhar dele por cima da cabeça de todos os outros, nos seminários de literatura vitoriana do segundo ano; era magra, cabelos escuros com uma ondulação muito sutil. Sabia se vestir, quase só notas máximas nos trabalhos cumulativos de avaliação contínua e dois outros ensaios muito bem redigidos, sobretudo o que tratava dos indícios pré-freudianos nos monólogos de Robert Browning; ela descrevera muito bem as superfícies de pedra dos poemas de Browning, a maneira como Browning consegue imprimir sensualidade à pedra, e Michael tinha dito isso a ela, em sua sala, no fim do período, quando ela foi lhe pedir que orientasse sua dissertação de literatura norte-americana. Ela também o olhara bem nos olhos, nesse dia; estava a fim, o que era bom. Excelente, disse ele, você vai ficar na cidade durante o verão? porque eu vou ficar indo e vindo, provas, papelada, casa de veraneio em Norfolk, você tem celular ou? Na saída, ele pusera a mão em suas costas, bem na curva da cintura, e ela deixara que o corpo se encaixasse, muito de leve, de volta. Havia ligado para Justine só para conferir os resultados dos exames dela, quase só As e Bs; ótimo, isso resolvia o assunto.

E aí acontecera o imprevisto.

Desculpe o atraso. Eu sou a Amber. Meu carro quebrou.

Ele pediu licença a Philippa Knott, *houve um imprevisto, se importa se eu ligar de volta mais tarde?* Ela entrou direto e sentou no sofá. Um tanto judiada, uns trinta anos, quem sabe, talvez mais, queimada como alguém que vive na estrada, vestida como uma manifestante de protestos de rua, uma daquelas mulheres mais velhas que continuam insistindo em ser garotas; toda a mulherada feminista dos anos 80, metida em política, tinha um tremendo interesse por Eve. Nome hippie. Amber. Nome ridículo.

Eu sou Michael Smart, companheiro da Eve, disse ele, estendendo a mão. Ela olhou para a mão dele, depois para ele, sem a menor expressão no rosto. Michael manteve a mão estendida, no ar, durante alguns instantes ainda, depois a baixou, com uma tossida de leve.

A Eve está no jardim, disse. Está trabalhando no gazebo. Tenho certeza de que não vai demorar. Ela está esperando você, certo?

Amber olhava pela janela. Não disse nada.

Não quer comer alguma coisa, enquanto espera? Uma fruta, quem sabe, ou talvez prefira tomar algo? (Por dentro, sentia-se tumultuado, exausto.)

Jóia, disse ela. Tem café?

Jóia. Não escutava isso havia anos e anos. Ela tinha um sotaque que parecia estrangeiro. Escandinavo. Na cozinha, lhe veio a lembrança do tempo em que ia de bicicleta até o acampamento e se debruçava na cerca, sentado no selim, para espiar as pessoas em férias, e teve o ano daquelas duas suecas, um cabelo tão claro que parecia quase branco, o cheiro do óleo de patchuli, as pulseirinhas artesanais, as tirinhas de couro em volta do pescoço, também usavam pulseira nos tornozelos, as unhas dos pés pintadas de roxo e de preto, o jeito como zanzavam, rindo, entre as barracas e as torneiras que usavam para encher as garrafas de água, e elas o chamaram, por cima da cerca e, da porta da barraca, o seduziram a entrar, tão pequena parecia aquela barraca, vista de fora, como se mal fosse haver espaço naquele V de cabeça para baixo para abrigar as duas, que dirá ele também. Anna-Katherine, e a outra era Marta. Ele tinha dez anos. Quantos anos teriam elas? Não podiam ter mais de dezenove, quem sabe vinte; para ele, pareciam inimaginavelmente adultas, ele tinha certeza absoluta de que jamais teria o tipo de idade que tinham as duas. Onde estariam essas moças, agora? Que fim teria levado a vida delas? Trinta anos atrás. Mais. 1971. Como se fosse ontem. O barulho da chuva do lado de fora da barraca, a parte de trás das pernas nuas, dentro do short, sobre o plástico úmido do chão da barraca.

Não lembrava disso fazia anos.

Aquelas garotas ficaram acampadas ali por uma semana. A mãe queria saber aonde é que ele estava indo de bicicleta todo fim de tarde, e por que só voltava quando já estava quase escuro. Ele não tinha permissão para ficar por lá; o tipo de gente que fazia coisas como acampar jamais seria o tipo certo de gente. Tinha dito que estava indo à casa de Jonathan Hadley. (Jonathan Hadley era agora patologista-chefe ou coisa que o valha, ganhando fortunas, com uma família enorme e uma casa de três milhões e meio de libras em Walton-on-Thames, na beira do rio.) E assim foi que, toda noite, ele tirava um livro da prateleira dos clássicos e, sem dar na vista, deixava a lombada bem à mostra, debaixo do braço, e dizia à mãe que ele e Jonathan Hadley iriam passar o final da tarde lendo, no quarto de Jonathan. Isso era admirável. Isso era permitido. Grandes Esperanças. *Minha língua infantil não conseguia fazer de nenhum dos dois nomes algo mais comprido ou mais explícito.* O moinho sobre o rio. Volume Um, Livro Um, Menino e Menina. Feira das Vaidades. Um romance sem herói. O diretor de cena. O cheiro de grama molhada. A luz se infiltrando através das paredes e das costuras da barraca. Quando aquelas moças se foram, o trecho de relva amassada onde tinham ficado era inacreditavelmente pequeno. O novo pessoal que ocupou aquele espaço era de algum lugar desagradável, Bournemouth, Bognor Regis, uma família grande. O pai exibia uma expressão grosseira no rosto, levantando a complicada estrutura da barraca, que ocupou três espaços. Era uma gente barulhenta. Conversavam aos gritos. Ele não passava de um garoto local, debruçado na cerca.

    Havia levado uma pêra para ela, elegantemente fatiada. Ela comera na hora, uma fatia após a outra. Teria notado a elegância das fatias? Ela não disse obrigada.

    Então o que foi que houve, com o carro, quero dizer?, perguntou ele.

    Ela não respondeu nada. Talvez não tivesse escutado, por causa do barulho do aspirador, lá em cima.

    O seu carro, repetiu ele, mais alto. Quebrou? Não quer pegar?

    Ela deu de ombros.

    A bateria?, disse ele. Com voz alta demais, bem numa pausa do barulho do aspirador.

    Ela não parecia ter entendido. Talvez não conhecesse a palavra bateria.

    Eu enfiei a chave, girei e nada, disse ela, desviando a vista dele.

    Decerto tinha deixado o farol aceso, durante a noite, pensou ele. Quem sabe a luzinha interna. Devia ser falta de gasolina.

    Sentou-se no braço do sofá. Então, de onde você é?, começou ele, quando foi interrompido por uma frase que chocou pelo tamanho:

    Mas você acha que tudo bem, você acha que ele está seguro, lá, abandonado daquele jeito no meio da estrada?

    A frase acabou. O barulho recomeçou em cima da cabeça de ambos.

Bem, eu não faço a mínima idéia, gritou ele. Para ser bem sincero, não me parece nem um pouco seguro, se é mesmo como você diz. Onde está o carro?

Ela fez um gesto vago no ar, na direção da janela.

Quer dizer, é tudo muito quieto, por aqui, gritou ele, acima do rugido do aspirador. A incongruência o fez dar risada. Ela olhou para ele. Ele parou de rir.

Mas o que estou tentando dizer, disse ele, é que, na minha opinião, nada fica muito seguro, largado no meio de uma estrada. Tudo depende de quão meio da estrada é esse seu meio da estrada.

É bem no meio mesmo. Bem numa curva, tive de largá-lo ali, onde empacou. Dirigi a noite inteira para chegar até aqui.

Ela esfregou os olhos. Parecia exausta.

Está tudo lá ainda, disse ela.

Mas você deixou algo de valor dentro?, disse ele. Por exemplo um laptop, coisas do gênero?

Ela balançou a cabeça, dizendo que sim, e fez um gesto para o celular dele, sobre a mesa.

Tudo, disse ela.

Pois não devia, disse ele. Não há lugar seguro, hoje em dia. Nem mesmo no meio do nada. Há gatunos por toda parte.

Ela afundou de volta no sofá, fechou os olhos, sacudiu a cabeça. Esfregou a cabeça com a mão. Parecia estar à espera de algo.

Bom, eu —, começou ele. Eu não entendo muita coisa de carro. E estou meio sem tempo. Tenho de dar um pulo a Londres daqui a uma hora.

Ela parecia ultra-entediada.

Onde está o carro, exatamente?, disse ele. Se quiser, eu poderia dar uma —

Ela já havia se levantado, tirado uma chave de carro do

bolso do short e estava com ela estendida. Sentou-se de novo, depois que ele a pegou.

Mas o café vai demorar muito tempo ainda?

Era café de verdade, ele teve vontade de dizer. Queria que ela soubesse que era o tipo de homem que jamais faria um café solúvel. Contudo não conseguiu imaginar uma forma de dizer isso que não fosse soar pernóstica. Ela saberia, ao tomar, tinha certeza disso. Havia ligado para Philippa Knott já da rua. Mas antes bloqueara o número; jamais forneça o número de seu celular. *Alô, Philippa? Aqui é o professor Michael Smart*, o som de sua voz ao ar livre, ar de verão, era estranho, bombástico. Combinou o encontro para as duas da tarde. Bem numa curva, na entrada do bosque, havia um pequeno Volvo quadrado, de um modelo qualquer, estacionado muito corretamente ao lado de uma valeta. Não parecia danificado. Não parecia arrombado.

A porta estava aberta. Ele entrou e se acomodou ao volante. Não sabia coisa alguma a respeito de carros. Talvez nem fosse o carro dela. Mas enfiou a chave na ignição e o motor pegou de cara. Mágica, pensou ele. O toque mágico. Golpe de sorte. Com certeza o motor afogara. Algo do gênero. Talvez tivesse aquecido demais. Ela disse que tinha dirigido a noite toda. Levara o carro para casa, ensaiando a melhor maneira de dar a notícia. Eu tentei algumas vezes e ele pegou que foi uma beleza. Dei uma espiada por baixo e me pareceu que está tudo em ordem. Não sou nenhum especialista em carro, mas dei uma olhada e acho que você vai ver que ele agora está rodando macio que nem seda.

Macio que nem seda! Michael continuava à mesa, indo para a frente e para trás na cadeira, remexendo-se sem parar. Eve e Astrid estavam na cozinha, discutindo algo. Ela ainda não voltara para a sala. Mas voltaria, a qualquer momento. Era a mais pura verdade, pensou. Seda era um tecido macio. Sem insinuação nenhuma. Uma afirmação inocente. Um fato inocente. Seda tinha uma maciez toda sua.

    Philippa, por outro lado, tão logo beijada, já fora enfiando a mão dentro de sua calça e agarrando suas bolas. Era uma garota ambiciosa. Vamos começar pelo comecinho, ele tinha dito a ela, enquanto desabotoava sua blusa. É um bom lugar para começar. Mas ela não havia entendido. Ele ainda estava explicando que era uma referência brega quando ela baixou o zíper e puxou para fora. Tinha demorado para atinar. Até que disse, Ah, certo, aquele filme antigo, depois o espremeu com tanta força que ele não conseguiu mais falar.

    Era um tanto deprimente; não houve como não se sentir incompreendido, enganado até, quando partiu para o que havia embaixo da saia. Ele gostava de fazer uma pequena preleção sobre Ágape e Eros. Gostava de discorrer sobre o quanto havia admirado a coragem demonstrada em classe na hora em que ela tinha dito "   ". (Não precisou, mas estava pronto para lembrar o momento em que Philippa Knott havia dito aquilo de Charlotte Brontë ser Emily Brontë com Valium.) Gostava de contar, com detalhes, os muitos dias que havia passado andando de um lado para outro de seu gabinete, preocupado, incapaz de dormir durante várias noites por causa do comentário inteligente ou engraçado que ela havia feito em classe e que lhe revelara, sem mais nem menos, como se tivesse sido atingido por um raio, que queria possuí-la, e possuí-la bem ali, naquele momento, na frente de todo mundo. Gostava de contar a coisa dessa forma, depois sentava com o rabo entre as pernas na cadeira, não na cadeira dele, atrás da escrivaninha, e sim numa daquelas em que elas próprias se sentavam, com vergonha de si mesmo, reprovando a si mesmo, sacudindo a cabeça, olhando para o chão. Depois, o silêncio. Em seguida, a olhada para cima, para ver. Uma (teria sido Kirsty? Kirsty Anderson, licenciatura plena, aprovada com distinção, classe dois superior, 1998), ele induzira com muita engenhosidade; ela levava jeito. Recitara o fragmento sobre Safo, Estou perdida por uma linda jovem, e lhe dissera, em seu tom mais baixo de voz, também eu sou uma lésbica. Não ria. Eu me sinto feminina, minha alma é *anima*, sem sombra de dúvida, e a verdade é que não consigo evitar de amar as moças e as mulheres. (Tinha a impressão de que ela estava agora trabalhando para a BBC.) Antes, elas gostavam mais desse tipo de coisa; ele costumava usar citações de escritoras como Lillian Hellman e Alice Walker, escritoras cuja fama obviamente estava se esgotando; agora era a proposta de dissertação de Philippa Knott para Literatura Contemporânea Norte-Americana III: "A ereção presidencial norte-americana: imagens do poder nos romances de Philip Roth". Tinha tomado o trem para a cidade pensando que poderia lhe dizer, com toda a gentileza, antes de tocá-la (se ela o deixasse tocá-la), que havia passado nos exames. Pippa passou, ele pensou que poderia dizer com voz suave no ouvido dela, valendo-se de uma dose de graça e muita aptidão. Mas ela tinha levado as próprias camisinhas e enfiado uma nele ela mesma, enquanto o encostava contra a escrivaninha, deixando-lhe uma sensação de fraqueza, como se tivesse sido hospitalizado.

 Dez anos atrás, era romântico, inspirador, revigorante (Harriet, Ilanna, aquela garota muito doce, com cara de pajem, cujo nome lhe escapava agora, mas que ainda mandava um cartão para ele, todo Natal). Cinco anos atrás, ainda era bom (por exemplo, Kirsty Anderson). Mas agora, com uma Philippa Knott de vinte anos sacudindo-se em espasmos, de olhos abertos, em cima dele, no chão de seu gabinete, Michael Smart estava era preocupado com as costas. Fechou os próprios olhos. Que decepcionante, pensou, que aquela atriz de cinema, Jennifer Beals, esse era o nome, sobre quem assistira a um programa tarde da noite, num dos infindáveis canais que agora eles assinavam, tivesse feito plástica no rosto para se tornar igualzinha a todas as outras mulheres de Hollywood. Estava vendo a madeira áspera dos fundos da escrivaninha. Talvez Philippa Knott tivesse sido a escolha errada. Talvez devesse ter investido, no fim das contas, na ruiva tímida, como era mesmo o nome, Rachel, de Yorkshire, que escrevia poesia, pelo que diziam, e cujo tema de dissertação fora reconfortante: a importância da voz autêntica na literatura operária do pós-guerra na Grã-Bretanha. Será que Rachel teria sido mais autêntica? Diferente disso. Mas por outro lado. Tinha lá suas compensações. O cérebro de Michael se esvaziou. Ele gozou.

Quando conseguiu pensar de novo, depois que Philippa Knott desmontou, levantou e começou a se arrumar, percebeu que estava se lembrando de Aschenbach, de *Morte em Veneza*, no momento em que se compraz com a idéia de que aquele lindo e delicado moço provavelmente vai morrer muito cedo. Ela conferiu o celular. Havia um recado. Penteou o cabelo, refez a maquiagem no espelhinho de mão, que apoiara na estante, perto dos dicionários. Ele se levantou, de costas para ela, enfiou a camisa para dentro da calça, afivelou a cinta, endireitou o vinco. Quem possuíra quem, ali? Ele a ela, ou ela a ele? O professor fode a aluna. A aluna fode o professor. Começou a falar, porque a sala ressoava com os pequenos ruídos de Philippa Knott. A ordem dos vocábulos era crucial em inglês, ele lhe disse, de uma forma que não acontecia, curiosamente, em muitas outras línguas, por exemplo em alemão, porque sujeito e objeto eram assinalados, separadamente, pela flexão masculino/feminino. Não havia muita necessidade de morfologia flexional, no inglês, que já havia perdido a tendência de se flexionar por volta do período do inglês médio. A morfologia flexional não acontecerá, disse ele, rá rá, enquanto dobrava a camisinha usada numa folha de papel tamanho A4 tirada do topo da pilha de velhos folhetos de Yeats. Ó, o amor é trapaceiro, dizia o folheto, mais ou menos na metade inferior da folha. Ele viu as palavras. Uma estrofe de um de seus poemas pré-"Responsibilities", de quando Yeats ainda era jovem. Depois o Yeats já entrado em anos, tentando reativar o encrencado motor da própria virilidade. Yeats já velhusco. Philippa falava sobre resultados e projeções de notas. Eu me saí até que bastante bem, ia dizendo ela. A Justine do escritório me disse. Na verdade, estou supersatisfeita. Estou com um classe dois superior com distinção engatilhado para o meu Shakespeare e em literatura vitoriana vou sair com um classe um, com louvor. De repente, Michael se sentira exausto. Antes de deixar a sala, ela ocupara o lugar de costume, na terceira cadeira em frente à mesa dele, e da sacola tirara uma caneta, um bloco tamanho ofício e uma pilha de volumes de capa brilhante de Philip Roth. Sentada, esperava. Sinto muitíssimo, disse o professor Michael Smart. Mas teremos de fazer isso numa outra vez, Philippa. Esta tarde já tenho outro compromisso.

Está bem, disse ela, despreocupada, fuçando dentro da bolsa, em busca da agenda.

Depois que ela se foi, dera uma olhada no relógio. Eram duas e vinte e quatro. Ficou os dez minutos seguintes parado na janela. A vista era para um pátio onde não havia nada além de tijolos sobre tijolos. Em geral, gostava daquele pátio. Em geral conseguia lhe conferir algum sentido. Mas naquele momento era inegavelmente um nada.

Ligara o computador para verificar a caixa de entrada de e-mails. Cento e setenta e três novas mensagens. O peso das atividades administrativas nessa profissão estava virando mais que piada.

Atravessara todo o corredor do departamento sem encontrar vivalma; escutara atrás de duas ou três portas e não ouvira ninguém. Sexta-feira à tarde, depois dos exames finais, não chegava a ser uma surpresa. Tinha passado pela secretaria, para esvaziar a caixa postal anacrônica, e fora recebido por uma Justine educada, mas pouco falante, meio desdenhosa. Secretárias eram as legisladoras não reconhecidas deste mundo. Michael não gostava nem um pouco quando descontavam nele. Ficava tudo tão mais difícil. Justine nunca o apreciava no início e no final dos períodos letivos. Era possível que sentisse ciúme.

Tinha se lavado na toalete dos professores e se secado com toalhas de papel. Desviara os olhos da imagem refletida no espelho. De volta a sua sala, abrira os novos e-mails e apagara, sem ler, sete mensagens de Emma-Louise Sackville, que tinha acabado de se formar com um mísero classe dois inferior e estava na fase chorosa da carência. Mesmo que os resultados tivessem sido melhores, não faria diferença. Ele deixara muito claro, tudo. Tivera o maior cuidado para deixar bem claro o ano todo. Após a graduação, não havia mais supervisão.

Desligara o computador. Trancara a porta.

Tinha cogitado dar um pulo até sua casa, a casa vazia do outro lado da cidade. Não haveria crianças emotivas, lá, de nariz empinado e montes de problemas, não haveria uma Eve de olhar severo, preocupada, resmungando. A casa só para si. Olhou o relógio. Muito tarde. Caminhara até a estação. As ruas estavam repletas de jovens irritantes e de gente feliz. Sentara. O vagão ia quase vazio, ao contrário da ida, quando o trem estivera lotado e cintilante de sol, as árvores transbordantes de verdor estival e seu ânimo tão exuberante quanto o das árvores. Fora até a cidade como se fosse um idiota, rindo sozinho do jornalzinho gratuito deixado no assento ao lado do seu. Publicidade de café matinal com a presença dos Beatles de Norfolk. Beatles de

Norfolk! Uma notícia sobre atos locais de vandalismo. Várias cartas iradas a respeito de um grupo de ciganos que estava instalando seus trailers de modo semidefinitivo em alguns pastos locais. (O que suscitava uma pergunta: haveria, de fato, algo como um trailer semifixo?) Uma coluna sobre o mistério de quem poderia estar roubando as caixas para coleta de papel reciclável da prefeitura de uma determinada cidadezinha. Ele estava ansioso para contar a alguém, Justine, Tom, Nigel, talvez, se por acaso Nigel estivesse por lá, que lugar mais engraçado, estranho e interessante era aquele onde estavam passando o verão, do ponto de vista de interação e demografia social, em termos de metáfora para a Inglaterra como um todo. Ele teria contado as histórias e todos teriam dado risada.

Mas agora que voltava para lá, as histórias não contadas o faziam se sentir embotado e sórdido por dentro. As portas do trem se fecharam com um bipe barato. Deveria ter voltado para casa quando pensou a respeito, quando teve a oportunidade. Deveriam ter ido para Suffolk. Ninguém ia para Norfolk. Todo mundo ia para Suffolk. O professor Michael Smart jamais chegaria a diretor do departamento, nem mesmo a vice, via Norfolk. Tom estava em Suffolk. Marjory Dint estava em Suffolk. Ela tinha uma casa de campo lá. Claro, os Dint tinham muita grana. Podiam se dar ao luxo. Várias pessoas de quem se lembrava estavam em Suffolk, e várias outras das quais ele nada sabia também deviam estar por lá. O trem balançou e saiu da estação. Era um daqueles trens leves sem a menor importância. O coração dele pesava. Pesava mais que o trem. Pesou durante toda a travessia dos bairros mais distantes. As pálpebras também pesavam. Ele adormeceu.

Mas foi só quando acordou, sabe Deus onde, no meio do nada, que viu o assento vazio a sua frente.

Era apenas um assento, sem ninguém nele, apenas um assento vazio num trem. Havia um bocado de outros assentos vazios exatamente como aquele por todo o vagão; não havia quase ninguém naquele desagradabilíssimo trem. O tecido que forrava os bancos, municipal e vivamente colorido, como se para crianças, estava puído e encardido; aqueles trens eram um constrangimento em matéria de design. Mas algo dentro dele tinha descartado o que parecia etc. e tal, porque o que importava, mais que qualquer outra coisa, era que Michael sabia, com um conhecimento vindo do nada, como se tivesse sido atingido, é, exato, por um raio, que queria aquela mulher, Amber, que aparecera na porta pela manhã, queria aquela mulher sentada na frente dele, no assento vazio.

Abanara a cabeça. Rira de si mesmo. Atingido por raios duas vezes num único dia. Tinha acabado de fazer sexo com uma garota. *Professor Michael Smart falando.* Incorrigível. Acomodara-se de volta no banco, tornara a fechar os olhos e tentara imaginar aquela mulher, Amber, lhe fazendo um boquete no banheiro do trem.

Mas não funcionou.

Na verdade, não conseguiu imaginar.

Que estranho, pensou o professor Michael Smart.

Tentou de novo.

Ela no chão, de joelhos, na frente dele, na última fila de um cinema quase vazio. Mas tudo que conseguiu ver foi o facho de luz do projetor mais acima, o movimento de partículas preguiçosas de poeira na luz, à medida que mudava o quadro, e, à frente dele, um único pontinho de luminosidade a se refletir de volta, bem no lugar onde havia um furo minúsculo na tela.

Ela de novo no chão, na frente dele, num táxi londrino, no inverno. Tudo que conseguiu ver foi a maneira como as luzes das ruas e do trânsito de Londres se fundiam nas gotículas de chuva sobre o pára-brisa do carro.

Curioso mais e mais a cada vez, como escreveu o

matemático pedófilo em seu livro para crianças, comentou inteligentemente o prof. Michael Smart com seus botões.

Mas no fundo era um pouco desnorteante não conseguir imaginá-la de nenhuma outra forma a não ser sentada ali, a sua frente, naquele trem. Isso dava. Era perfeitamente possível. Lá estava ela. Olhando para fora pela janela do trem. Examinando as unhas. Examinando as pontas do cabelo. Lendo um livro numa língua que ele não conhecia.

Tinha lembrado daquelas duas moças do acampamento, de quando era menino, que o punham sentado entre elas, que lhe davam para comer carne moída com cebola preparada no fogareiro de chama azul, e que, depois, não tomavam mais conhecimento dele; elas o deixavam dormir encostado nelas, com o livro aberto à frente, na primeira página, aquecido pelo calor do corpo de ambas, que conversavam por cima da cabeça dele numa língua cujas palavras não reconhecia.

Epifania! santo Deus, fora uma epifania! o assento vazio cheio de nada a não ser bondade era um momento sagrado! e num trem imundo cruzando pântanos imundos!

Mas ali estava uma nova verdade para o prof. Michael Smart — porque quem neste mundo dava a mínima pelota, se estivesse de fato vivo, vivo mesmo, para "epifanias", ou, em outras palavras, para o nome que tinham as coisas, para esquemas e conceitos, regras e limites de gêneros, para cronologias eruditas, para as definições e classificações atribuídas às coisas? Agora tinha finalmente entendido, agora sabia, pela primeira vez na vida, o que significava exatamente aquilo, o que Joyce e a chata pentelha da Woolf, o que Yeats, Roth e Larkin, o que Hemingway, o que as autênticas vozes da classe trabalhadora do pós-guerra, o que Browning, Eliot, Dickens e quem mais, William Thackeray, Monsieur Apollinaire, Thomas Mann, o velho Will Shakescene, Dylan Thomas bêbado, morto e para

sempre jovem e à vontade sob os galhos da macieira, e todos eles, todos os outros, e cada página que escreveram na vida, toda exegese que algum dia ele já tivesse exegisado (será que existia o verbo exegisar? quem se importava? agora tinha virado um verbo, confere?), estavam falando.
Disto.

Estava sentado na frente dela, no jantar. Ela era aquele tipo de garota, não, de mulher-feita, de adulta, que pede carona na beira da estrada, você pára, ela sobe, vai até a cidadezinha seguinte, salta do carro e dá um aceno de adeus — você nunca mais vê a moça, mas também nunca mais a esquece.

Ela lembrava a garota descabelada, toda coberta de flores, da *Primavera* de Botticelli.

Saltara do trem surpreso consigo mesmo. Deixara-se ficar uns momentos ao sol. Havia parado só para ver a luz do sol reluzindo na carroceria do carro, que largara no estacionamento da estação. Sentira-se estranho, diferente, brilhante sob as roupas, tanto que, a caminho de casa, começara a achar que talvez fosse melhor tomar um anti-histamínico. Ao chegar, vira que o Volvo continuava na entrada da casa. Estacionara ao lado. Dera a volta até a lateral da casa. Ela estava deitada de bruços, examinando qualquer coisa no jardim, como uma menina. Quando a viu, seu coração virou uma asa no ar.

Tinha feito jantar. Tinha feito um jantar excelente. Ela vai ficar para o jantar?, perguntara a Eve, assim que ela entrou. Não faço a menor idéia, Eve dissera, você a convidou? Ele havia perguntado a ela, que continuava no jardim, deitada na relva junto com Astrid. Será que gostaria de ficar para o jantar? Astrid, a doce Astrid, gritou de volta que sim. E agora ela tinha empurrado a cadeira para trás e saído da mesa, tinha subido, e

Michael Smart abrira os olhos para o que sabia ser luz, qual um paciente em estado de coma depois de anos de escuridão sem sentido. Viu Eve. Viu Astrid. Viu as próprias mãos como se nunca as tivesse visto antes. Ele tinha visto a luz. Ele era a luz. Ele fora aceso, qual um fósforo. Fora iluminado. Era fotossintético; ficara verde. Era folhudo e verde. Olhou em volta de si e tudo que viu brilhou cheio de vida. O copo. A colher. As próprias mãos. Ergueu-as no ar. Elas flutuaram. Ele flutuava, pairava no ar, bem ali, sobre a cadeira. Ele era um desafio à gravidade. Estava flamejante, cheio de fogo, cheio de um novo e incorrupto combustível. Apanhou a taça de novo. Veja só isto. Ela fora moldada sob calor intenso. Era milagrosa, essa taça comum. Ele era ela. Era essa taça. Era a colher, aquelas colheres ali. Conhecia a cristalinidade do cristal e a colherabilidade lustrosa da colher. Ele era a mesa, ele era as paredes da sala, era a comida que estava prestes a começar a preparar, era o que ela comesse, sentada a sua frente, olhando direto através dele.

 Ela o havia ignorado durante o jantar.
 Ela o havia ignorado o tempo todo.
 Havia sentado na sua frente como se ele não estivesse ali. Ele poderia perfeitamente ter sido uma cadeira vazia na frente dela, um espaço, um inocente nada. Mas ele fizera o carro dela pegar. Fizera um jantar excelente. E faria peras quentes com calda de chocolate, para vê-la cortar a fruta com a beirada da colher, recolhê-la, pôr a colher na boca, mastigar e engolir algo saboroso de fato, pegar mais com a colher, abrir de novo a boca para a colher.
 A qualquer minuto, agora, ela passaria por aquela porta e entraria na sala.
 Lá estava ela, agora, na soleira.
 Oh

o começo a mantinha acordada. Preferia mil vezes a edição, o fim, a hora em que o trabalho às cegas termina e se pode cortar, e cortar um pouco mais, até ver surgir o verdadeiro formato das coisas.

Onde está Eve, no momento? Deitada na cama num quarto quente demais, escuro demais, sem conseguir pregar o olho, noite alta, ao lado de Michael, que dorme a sono solto com a cabeça debaixo do travesseiro.

Nenhum outro motivo para não conseguir dormir? Não.

Sinceramente? Bem. Aquela moça do Michael era um tanto irritante.

Que moça? A moça que tivera a desfaçatez de aparecer na casa de veraneio deles, comer a comida deles, seduzir os filhos dela e lhe contar na maior cara-de-pau o que desconfiava fosse a mais desavergonhada das mentiras já contadas por alguém. A moça que ao final de um dia (no fundo bastante agradável) pegara Eve pelos ombros e, sem motivo nenhum, lhe dera uma bela chacoalhada.

Ela tinha feito o quê? Tinha chacoalhado Eve fisicamente, depois recuara um pouco, abrira a porta da frente, dera um boa-noite animado, fechara a porta e saíra para dormir sob as estrelas (na verdade sob o teto de um Volvo estacionado na entrada, para ser mais comedida a respeito).
Ela dera uma chacoalhada em Eve? Sim. Que topete.
Por que ela chacoalhara Eve daquele jeito? Sem motivo nenhum. Nenhum motivo, até onde Eve sabia. Ela não fazia a menor idéia por quê.
Quem era a moça? Algo a ver com Michael.
E Eve, como está ela, no momento? Acordada, de forma completa e cabal.
Será que não está um pouco escuro demais, nesta casa que alugaram para passar as férias? Sim. Está escuro demais para uma noite de verão. As janelas da casa são muito pequenas. As cortinas, muito grossas.
De que forma essa moça "era algo a ver com Michael"? Obviamente, era sua "aluna" mais recente.
E Michael estava fingindo que não? Claro que sim.
Michael: (*já na cama, para Eve, enquanto ela tira a roupa e também se apronta para deitar*) Como foram as coisas?
Eve: Como foram que coisas?
Michael: Que tipo de perguntas ela fez?
Eve: Quem fez que pergunta?
Michael: Como é mesmo o nome dela? Amber. Foram boas?
Eve: (*resolvida a não mencionar a humilhação de ter sido chacoalhada meia hora antes, no hall*) O que você quer dizer, exatamente?
Michael: Você sabe. Os Autênticos. Ela é boa? Inteligente? Ela parece bem inteligente.
Eve: Bom, isso é com você.
Michael: Como assim?

Eve: Bom, ela é uma das suas.
Michael: Uma das minhas o quê?
Eve: Alunas.
Michael: Não é, não.
Eve: Ah. Tá.
Michael: (*virando-se*) Ela veio aqui para falar dos Autênticos, não é isso?

Qual é a grande sensação do momento no mercado editorial? São os Artigos Autênticos da Editora Jupiter, uma série de "entrevistas autobioveridificcionais", criada por Eve Smart (42) oito anos atrás, quando da publicação do Artigo Autêntico nº 1: "A história de Clara Skinner", perfil da garçonete londrina Clara Skinner, morta durante a blitz, aos 38 anos de idade. (Em outros Artigos Autênticos, retratou um prisioneiro de guerra italiano, uma lanterninha de cinema, um piloto de guerra e uma criança separada dos pais e mandada para o interior.) O interesse que cercou seu mais recente Artigo Autêntico, "A história de Ilse Silber", galvanizou as atenções para a até então independente Editora Jupiter, cujas tiragens em geral não passavam de cinco mil exemplares e que vendera, só na primavera, quase quarenta mil histórias de Silber e vira a demanda pelos volumes anteriores disparar (um dos motivos para a badalada compra da pequena Jupiter pelo multiconglomerado HarperCollins). "Com certeza nos pegou de surpresa", diz a editora Amanda Farley-Brown, que, com apenas vinte e sete anos, era a principal encarregada das aquisições da Jupiter. "Ainda estamos atordoados. Mal dá para acreditar na sorte que tivemos. E estamos torcendo para que Richard e Judy enfoquem um Autêntico no programa deles."

Sobre o que são esses livros? Cada um deles pega um vivente qualquer, morto prematuramente durante a Segunda Guerra Mundial, e conta a história dessa criatura como se ele ou ela não

tivesse morrido. "Eu deixo que eles contem uma história alternativa — a história de como poderia ter sido a vida deles", diz Smart.
O que há de tão novo assim, nesses livros? Cada um dos delgados volumes é escrito em forma de Perguntas e Respostas. Uma das perguntas pede à "locutora" de "A história de Ilse Silber", uma mulher nascida na Alemanha que oculta o fato de ser judia e que, por fora, é uma boa mãe nazista — ela chega até a receber de Hitler a Cruz de Ferro das Mães, por ter dado à luz sete filhos (todos falecidos durante os ataques aéreos dos Aliados) —, que descreva o momento de sua morte na vida real, quando as roupas se incendeiam sob o intenso bombardeio e ela se atira no rio Wuppertal. Com a ajuda das perguntas feitas por Smart, continua, postumamente, a contar o que houve depois que conseguiu sair do rio, se secou, curou as queimaduras com a ajuda de um agricultor local e continuou a vida por mais trinta anos.
Por que usar o macete do pingue-pongue? "Não é um macete. Toda pergunta tem uma resposta", diz Smart.
Parentes da pessoa falecida não se incomodam que seus mortos sejam desenterrados? "Em geral, os parentes ficam encantados. Vêem o que eu faço como uma forma positiva de atenção. Sempre deixo muito claro que os Artigos Autênticos são, antes de mais nada, ficcionais. Porém a ficção tem o grande dom de revelar algo verdadeiro."
Teria a crítica finalmente se dado conta de sua argúcia? "Engenhoso e comovente" (*Times*). "Um livro que torna o metafísico tão parte do cotidiano quanto uma chávena de chá numa mesa de cozinha nos idos de 1957" (*Telegraph*). "Brilhante, profundamente expiatório. Uma leitura que nos traz alívio profundo" (*Guardian*).
Essa recepção entusiástica é unânime? "Quando escritores e leitores hão de finalmente parar de se envolver com

embelezamentos mendazes de histórias de uma guerra que, a esta altura, poderia ter acontecido a muitos planetas de distância deste em que vivemos? Os Artigos Autênticos de Eve Smart são um ótimo exemplo de nossa vergonhosa atração por tudo quanto nos dá uma sensação de falsa culpa e, ao mesmo tempo, de justificação moral. Chega desse comodismo conspurcado. Precisamos promover histórias de agora, não as velhas tolices de outrora" (*Independent*).

Qual o próximo passo? Especula-se muito sobre a possibilidade de Eve Smart estar à procura de um arranjo editorial mais lucrativo; nesse meio-tempo, será que está recolhida, escrevendo o Artigo Autêntico nº 7? Quem ela irá ressuscitar desta vez? Só Eve Smart sabe.

O que Eve Smart (42) sabe? Só Deus sabe.

Onde está Eve (42), no momento? Deitada na cama, ao lado de Michael, numa insalubre casa de férias, em Norfolk.

Não, falo de onde ela está com o novo projeto? Por favor, não me pergunte.

Por quê? Sentia-se tão inútil quanto um lápis sem ponta no chão do "elegante gazebo dotado de conexão com a internet" situado no "jardim plenamente formado" dessa "sede de fazenda em estilo Tudor, próxima à pitoresca aldeia de Norfolk Broads". O anúncio deveria ter dito "fraude anos 1930 nas imediações de estradas vicinais de Norfolk, pegada a uma quase favela cheia de casas do tipo das que são encontradas em conjuntos de casas populares". Alguém havia pregado lâminas de velhos dormentes ferroviários no teto — isso na casa toda. Falso Tudor, sem dúvida. Eve riu, mas consigo mesma, para não acordar Michael.

Por quê? Em parte por uma vontade autêntica de não acordá-lo e, em parte, porque não queria ter de fazer sexo de novo. Ele dormia com um dos travesseiros que havia trazido de casa sobre a cabeça.

Por que ele trouxera os travesseiros? Porque costuma ter alergia a travesseiros que não são os seus. Fora isso, não tem dificuldade para dormir. Também não tem dificuldade nenhuma para começar algo novo. Está sempre "começando" alguma outra coisa, alguma coisa nova.

Por que aquelas " " irônicas? Eve preferiu não responder a essa pergunta.

O que havia de errado com a cidadezinha? Eve imaginara um lugar pitoresco, cheio de casarões confortáveis com estúdios de gravação instalados nos celeiros, gente tomando sol em varandas, de frente para os lendários céus abertos de Norfolk. De fato, o céu de Norfolk era muito bonito. Mas uma das duas únicas lojas da cidadeca tinha um crânio na vitrine, com um rato de plástico enfiado no buraco do globo ocular.

Por que não tinham ido embora? Eve havia pago adiantado.

O que tinham ido fazer ali, exatamente? Quebrar a rotina. Mudar de cenário.

E o que mais? Para fugir 1) de parentes de mortos telefonando e enviando e-mails o tempo inteiro para concordar, discordar, exigir atenção ou dinheiro; 2) de todas as lamentáveis cartas, ligações e e-mails de gente do país inteiro, desesperada para que fossem seus falecidos os próximos escolhidos para voltar à vida num novo livro; e 3) de pessoas da Jupiter ligando várias vezes por semana para lhe perguntar como e em que pé estava o livro.

Como e em que pé está o livro? Por favor, não me pergunte.

Mas não está trabalhando nele? Todos os dias, às seis da tarde, ela saía do barracão no jardim, voltava para a casa principal, se trocava e jantava como se um dia de trabalho tivesse sido completado e o verão de todo mundo não estivesse sendo desperdiçado num moquiço em Norfolk. Hoje Astrid se aproximara pela grama, e não pelo cascalho, de modo que Eve não escutara a filha chegar, mas tinha visto de relance sua

95

sombra passando pela janela, e ainda tivera tempo de se levantar do chão, sentar na velha cadeira, em frente à escrivaninha, e batucar no teclado do laptop. Depois de a filha ter ido embora, Eve havia encarado a tela vazia. Calma. Comedida.

Eve Smart seria uma fraude, então? Ela voltara a se deitar no chão sujo, depois que Astrid se fora.

Seria possível, por exemplo, que Eve estivesse cansada de inventar uma pós-vida para pessoas que na verdade já estavam mortas e enterradas? Eve preferiu não responder a essa pergunta. *Estaria perturbada pela popularidade do último volume, popularidade essa que na verdade deveria ter previsto, dado o repugnante aumento do interesse público por tudo quanto fosse relacionado ao nazismo e à Segunda Guerra em geral, nos últimos anos, sobretudo agora que a Grã-Bretanha estava de novo em guerra?* Eve preferiu não responder a essa pergunta. *Teria algo a ver com aquela crítica "embelezada e mendaz" citada há pouco?* Eve preferiu não responder a essa pergunta. *Quer dizer que Eve de fato sabia de cor aquela resenha inteira, ipsis litteris?* Eve preferiu não *teria algo a ver com o fato de trinta e oito mil não ser na verdade tanto assim, no fim das contas, não em termos de livros mais vendidos, e agora que chegara o sucesso, não era infelizmente tanto sucesso assim?* Não! Claro que não! De jeito nenhum. *Eve já tinha um assunto para iniciar seu próximo livro?* Não. *Por que a simples idéia de começar um novo livro, que traria certo dinheiro e certa fama, era suficiente para fazê-la passar o dia todo deitada de costas no chão de um falso gazebo, incapaz de se mexer?* Boa pergunta. Veja se você consegue responder a ela com as respostas já fornecidas. Tinha visto um tatuzinho sair de uma fresta no assoalho e depois voltar lá para dentro de novo. Desejara, de todo coração, naquele momento, ser um tatuzinho com as responsabilidades de um tatuzinho, e os talentos de um tatuzinho.

Chama a isso de trabalhar? Eve respirou fundo. É trabalho duro, trabalho pesado, respondeu ela, ser uma mulher, e estar viva neste hemisfério, numa época como esta. Exige um bocado, ser capaz de fazer todas as coisas que se esperam de nós, e da maneira como se espera de nós que sejam feitas. Talento. Sexo. Dinheiro. Família. A modesta inteligência correta. A magreza correta. A presença correta.

Não é uma desculpa meio fraca? Mais uma pergunta como essa e Eve daria por encerrada a entrevista.

Bem, e quais são as perguntas aceitáveis? Boas perguntas. Perguntas conceituais. Não pessoais. Que importância tinha a cor de seus olhos? Ou a que gênero calhava de pertencer? Ou o que estava ocorrendo em sua vida particular ou na da família?

O que estava acontecendo com a família dela? Bem, Astrid, por exemplo, começara a se comportar como uma adolescente típica.

E o Magnus? Eve não sabia o que fazer com Magnus. O comportamento dele era muito preocupante.

E seu marido? Michael era legal. Não, sério, ele era legal. Mas essas são perguntas pessoais. São o tipo errado de pergunta. A questão era: Eve é uma artista e algo a estava bloqueando.

Certo, então, no que Eve acredita?

É uma pergunta bastante direta; em que Eve acredita? O que está querendo dizer, exatamente, com acreditar?

No que Eve acredita?

Qual era o credo que seguia na vida?

E então?

O que a fazia pensar?

O que a fazia escrever?

O que a mantinha motivada? Eve era motivada pela Quantum.

Como na física? Teoria? Mecânica? Salto? Quantum era o nome do aparelho que ela usava para correr.
Uma esteira? Exato.
Ela "acreditava" em sua esteira Quantum? Exato. *Como outras pessoas acreditam em Deus, na teoria do caos, na reencarnação ou em unicórnios?* A esteira Quantum decididamente existia. Em casa, quando não conseguia dormir, Eve usava a Quantum. Na Quantum, exercitava tanto o corpo como a mente enquanto todo mundo dormia, fazendo perguntas a si mesma e respondendo a todas, ao ritmo da caminhada ou da corrida. (Foi na verdade assim que ela teve a idéia de escrever o Artigo Autêntico.)
Mas em Norfolk não havia uma Quantum? Não. Ficara em casa, no escritório de Eve.
Por que Eve não saía simplesmente para dar uma corrida, durante o dia, em vez de ficar ali deitada o dia todo, no barracão? Mas que ridículo. Eve jamais sairia "para dar uma corrida", fosse onde fosse, quando quer que fosse. Que coisa pública mais horrenda de fazer. Não seria a mesma coisa, em hipótese nenhuma.
Por que ela não tentava sair para dar uma corrida, bem agora, no escuro, no meio do nada, quando ninguém a veria? Eve sentou-se na cama. Cruzou os braços.
Certo, certo. Onde é que estávamos mesmo? Estávamos no chão do barracão. Tatuzinho.
E aí o que aconteceu, depois do tatuzinho? Depois do momento de revelação, diante do tatuzinho, ela pegara no sono, deitada no chão.
E ainda se espantava de não conseguir conciliar o sono, depois de ter dormido o dia todo? Escute. Eve estava deitada numa cama muito quente num quarto muito quente numa parte muito quente e muito escura do mundo. Em casa,

quando ficava acordada assim, pelo menos havia a iluminação pública na rua.

Por que aquela moça dera uma chacoalhada em Eve? Ciúme? Intimidação? Malevolência?

A sensação fora malévola? Bem, não. Na verdade não. Foi como se —

Como se o quê? Bem, curiosamente como se, ao pegá-la nos braços, a moça fosse, bem, por mais estranho que pareça, lhe dar um beijo.

Mas não deu? Não. Deu uma chacoalhada.

Se Eve se levantasse e fosse até a janela, será que daria para ver o carro dela lá embaixo? A moça estaria dormindo no banco de trás. Não, o mais provável é que os bancos traseiros fossem dobráveis, criando um espaço razoável para dormir. Ou talvez tivesse se esticado nos dois bancos da frente. Ou reclinado o banco do motorista. Eve ergueu o lençol, saiu da cama e foi até a ai, ca***

O que foi isso? Isso foi a quina da penteadeira.

*Ora, ora, e o que era aquela suposta palavra, ca***? Será que Eve não consegue dizer um palavrão?* Não em voz alta.

Por que não? Você nunca teve filhos? Eve esfregou a coxa. Puxou a cortina, de respiração presa. Poeira. Essas cortinas muito provavelmente eram de antes da guerra, última vez, com certeza, em que foram lavadas. Na saída, Eve pretendia mandar para a sra. Beth Orris uma lista de tudo que considerava insatisfatório na casa, junto com um pedido de reembolso parcial.

O carro continuava lá? Continuava, estacionado ao lado do carro deles.

Como é que uma pessoa conseguia dormir num carro? Como é que uma pessoa conseguia fazer isso toda noite? Será que ela fazia isso também no inverno, além de no verão? Dormir dentro de um carro deve acabar com os músculos, com as juntas todas.

Você não gostaria de dormir aqui em casa, Amber?, tinha dito Eve, quando chegou a hora de partir e ela se levantou para ir embora. Eve era hospitaleira. Tem lugar sobrando, disse ela. Tem um quarto vazio, sem ninguém, acho até que a cama está feita, não teria problema nenhum, você é muito bem-vinda. Não, disse ela, eu gosto de dormir no carro, e aproximou-se, já no hall, como se para lhe dar um boa-noite de polidez impecável e um abraço de agradecimento pelo jantar, ou um beijo, sei lá, qualquer coisa, e, em vez disso, pegou-a com firmeza pelos ombros, tão firme que chegou a ser dolorido, Eve estava sentindo a pressão daqueles dedos até agora, e, antes que tivesse tempo até mesmo de se dar conta do que havia acontecido, que dirá de dizer algo, ou de se sentir insultada com a intimidade do gesto, a moça a sacudira com força, duas vezes, sem motivo nenhum, como se tivesse todo o direito de fazê-lo.

Por que ela achou que tinha todo o direito de sacudi-la? Atrás de si, Eve escutou Michael virar-se na cama. Viu quando ele afastou ainda mais o lençol das costas. Eve fizera questão de dar um bom beijo em Michael, quando a "aluna" dele saiu da sala.

Por quê? Para que ele soubesse.

O quê? Que tudo bem no que lhe dizia respeito, qualquer que fosse o jogo dele no momento.

Mas a grosseria da moça (bom, não moça, exatamente, só uns dez anos mais nova que Eve, pelo amor de Deus)

— *mas a grosseria da moça para com Michael, à noite, não foi mais uma prova de que era uma das conquistas dele?* Sem a menor sombra de dúvida.

Ela não parecia ser bem mais velha que as de hábito? Curiosamente, sim, e também mais devassa, mais rude, com aquele short lá em cima e aquela blusa esfarrapada lá embaixo, pelo menos mais esfarrapada que as preferências de Michael, em geral. Não tinha cara de estudante. Tinha uma cara meio familiar, como alguém que reconhecemos sem conseguir lembrar de onde, talvez alguém que tenha nos atendido na Dixons ou na farmácia, e que vemos na rua, depois. Era também uma das corajosas, corajosa o bastante, ou burra o bastante, para ir até a casa. Eve chegou quase a admirá-la por isso.

Estariam dormindo juntos, já? Muito possivelmente, porque Amber MacDonald não se abalava mais, quando na presença de Michael. Agia com uma frieza quase sobrenatural, quando com ele. Nem mesmo piscou quando ele lhe encheu a taça.

Mas quando fora a última vez que tiveram um jantar como o daquela noite? com Astrid de uma forma ou outra reduzida à doçura, à hilaridade corada da infância com qualquer coisa que a visita lhe cochichasse ao ouvido?

Quando fora a última vez que Eve vira Astrid daquele jeito, como alguém domado pelas cócegas? Sabe Deus.

E como é que ela conseguiu convencer Magnus? Ela deu um pulo lá em cima e, ao descer de novo, ele estava atrás dela, seguro pela aba da camisa, ela o levou até a sala, eu o encontrei no banheiro, tentando se enforcar, disse. Todo mundo à mesa deu risada. Magnus também riu e sentou ao lado da moça. E ficou lá embaixo. Ficou com eles até o fim da noite. Comeu peras com chocolate do prato da moça.

De onde viera o estranho ar de celebração? Nessa noite não houve protestos contra as filmagens obsessivas de Astrid registrando os vários pratos servidos ao jantar porque, nessa noite, a câmera de Astrid estava sabe-se lá onde e Astrid se comportava como uma criatura civilizada de novo.

O que era Astrid? Postada diante da própria maturidade qual um jovem veado diante de uma rosa. (Veados adoram comer rosas.) Parada sobre suas pernas finas demais, inocente, instável, completamente ignorante de que o futuro faz mira nela. Com olheiras. Irrequieta, impaciente, tão cega quanto um gatinho recém-nascido, aparvalhada por todo o saber e o não-saber. A animalidade daquilo era repugnante. Não herdara de Eve. Herdara sabe Deus de quem. De Adam. Era tão adolescente. Tudo, em torno dela, demandava atenção, a maneira como atravessava uma sala, uma loja ou o pátio de um posto de gasolina, inclinada no ar a sua frente como se prestes a perder o equilíbrio, a exigir mudamente que alguém — Eve, quem mais — estendesse para ela a mão espalmada e lhe permitisse encostar nela a testa ou o ombro.

Como era Magnus, até poucos minutos atrás? Claro e simples como um copo de água. Tão seguro a respeito da simplicidade que sentou (na idade de Astrid, faz um momento apenas? há cinco anos?) atrás da escrivaninha estilo vitoriano que havia no escritório de Eve e escreveu para a rainha, para Elton John, Anthea Turner e sabe Deus quem mais, pedindo a eles que lutassem contra a pobreza no mundo e ajudassem os sem-teto a encontrar um lugar para morar. Para a rainha, Palácio de Buckingham, para Elton John, Los Angeles, para Anthea Turner, a/c da BBC. A criança-Magnus, um doce pedante. Recebeu algumas cartas muito simpáticas, de volta, como aquela de uma dama de companhia em algum gabinete palaciano que, presumivelmente, passava os dias respondendo a cartas semelhantes. Sua majestade, a rainha, estava muito comovida com sua preocupação e interessada em saber mais. Magnus: um acidente feliz, uma feliz gravidez inesperada, os começos felizes de uma inesperada família. (Astrid, por outro lado: uma gravidez pretendida; pretendida por Eve, para manter funcionando uma união infeliz.) Aquela versão feliz do Magnus infantil fora levada, por ladrões talvez, e substituída por um garoto comprido, magrelo, ansioso, misterioso, metido a sabichão, impertinentemente educado, que tomava um monte de banhos por dia (ou, então, como agora, não tomava nenhum); um garoto tão estranho e desconhecido que chegara até mesmo a se anunciar, uma noite, à mesa do jantar, no início do ano, a favor da guerra no Iraque — guerra a respeito da qual Eve ainda se sentia um tanto culpada, embora de forma contida, por não fazer mais, por não ter se concentrado mais, também, pudera, com tantas preocupações sobre não estar conseguindo começar o novo livro.

Mas Astrid, esta noite? havia tirado os pratos da mesa e dado risada das piadas de Eve como uma filha normal. *Magnus?* quase parecia o antigo Magnus de novo. Ele fora inclusive, e voluntariamente, como nos velhos tempos, ajudar Michael a lavar os pratos (uma vez que pelo visto não havia lavadora de pratos nessa fraude que era Norfolk). Depois Astrid se esquecera de suas frescuras adolescentes a respeito da mobília da casa e se deitara no sofá (se bem que pôs um *Guardian* dobrado no braço, onde iria encostar a cabeça) e quase adormecera. Eve e a moça, Amber, ficaram ao pé das janelas à francesa, aspirando o ar morno.

O que Eve fez, então? Vamos dar uma volta pelo jardim, disse Eve. Calma, contida.

Vamos, disse a moça. Vai ser gostoso. Obrigada.

Cruzaram o cascalho. Eve falava de forma geral, sobre como plantar flores, sobre como fazer crescer coisas na sombra. Sentaram-se debaixo de uma velha árvore.

O que foi que Eve disse à moça no jardim?

Você é escocesa, não é? Dá para notar pelo jeito de falar. Eu amo a Escócia. Faz um tempão que não vou. Minha mãe era escocesa.

Ah. Onde foi que você nasceu?

Você ainda fala — não me lembro do nome — aquela outra língua que as pessoas costumavam falar por lá?

O que foi que disse? Tão melodioso.

Traduza para mim. O que disse agora há pouco.

Conte-me um pouco mais a seu respeito.
Bom, qualquer coisa, generalidades. O que você está estudando?
Digo na faculdade.
O que foi que a moça no jardim respondeu?
Eu sou uma MacDonald.
Sou descendente direta dos MacDonald de Glencoe.
(Algo que soou como conversa fiada.)
(*rindo*) Eu estava repetindo alguns antigos provérbios em gaélico que todos conhecem de cor, lá de onde eu venho.
Certo. Mal traduzidos. Um: tem muita galinha que bota ovo. Dois: o amarelo sempre volta ao giesteiro. Três: cuidado para só deixar cruzar a soleira de casa aquele que você tem certeza absoluta de saber quem é.
O que você quer saber?
Como assim?
(*rindo*) Eu não estou na faculdade.
Qual foi praticamente a última coisa que Eve disse à moça no jardim?
Nós somos uma família, Amber, como você há de ter visto esta noite. Astrid está com doze anos, só, e numa fase muito difícil, e as coisas com o Magnus estão ainda um pouco adolescentes demais. É complicado, com uma família. Você entende, tenho certeza disso. Foi o Michael que lhe disse que poderia vir até aqui?
E a última coisa que a moça no jardim disse a Eve, sorrindo para ela, no escuro?
Michael quem?
(Era esperta, a moça.)
Ele disse a você que tudo bem vir aqui?, perguntou Eve. Porque tanto você como eu sabemos que não é tão simples assim, que é muito complicado, sobretudo quando há família e filhos no meio.

Eve estaria sendo condescendente? Apenas dentro de seus direitos.

O que fez a moça? A moça deu uma risadinha desdenhosa muito escocesa, soltando uma pequena bufada pelo nariz. Levantou-se, sacudiu a cabeça para Eve, estendeu os braços acima da cabeça e voltou para dentro da casa. Eve continuou sentada debaixo da árvore. Olhou o relógio.

Dez minutos seriam suficientes para eles resolverem as coisas? Ela entraria após o décimo minuto e, com educação, ofereceria à moça o quarto vazio para que passasse a noite, para mostrar que não havia ressentimento, porque não havia, correto? e, pela manhã, sem ressentimento nenhum, a moça partiria. Deixou que os segundos se escoassem, contida, tranqüila, calma.

Mas o que houve quando Eve voltou para dentro da casa? Nada. Nada de nada. Michael e Magnus continuavam na cozinha, tilintando pratos, secando coisas. Astrid dormia no sofá, com os pés em cima do colo de Amber MacDonald. Psiu, Amber MacDonald falou para Eve, quando Eve entrou. Ela segurava os pés da filha de Eve.

Impressão ou até mesmo o psiu dela soava meio escocês? Eve parou em frente à janela aberta. Dava para ver o teto do carro, mas não dentro, não dava para saber se ela estava acordada ou dormindo, nem mesmo se estava ali, de fato.

Por que a moça quis lhe dar uma chacoalhada? Ela não fazia idéia.

Como era mesmo a história, a do lugar de onde Amber MacDonald dizia ser? Eve não conseguiu se lembrar. Era algo histórico, ou estava numa música, ou então era algo sobre uma batalha e uma família escocesa.

O que era a Escócia, para Eve? A mãe de Eve se ajoelhava sobre o tapete, diante das barras elétricas da sala da frente, na casa em Welwyn Garden City, tocando discos no toca-discos grande, em forma de caixote. Vozes de homem saíam daquele caixote. Soavam como se já estivessem mortos, mas como quem tombou com bravura, por amor ou por perda; soavam como se sua ruína tivesse valido a pena.

O que eram aquelas suaves canções aterradoras? Elas enchiam de lágrimas os olhos da mãe.

Quantos anos tinha Eve? Isso fora antes de ela ir para a escola. Uma das músicas se chamava "A ilha sombria". Embora o fogo emitisse um brilho, havia escuridão sorrateira enrodilhada nos cantos da sala. Eve (4) enxergou-a. Ao final dos domingos, a mãe de Eve sempre fazia torradas, em vez de uma refeição completa, e ela e Eve comiam num silêncio amistoso, escutando a parada das vinte mais ouvidas no rádio. Quando Eve pensava em felicidade, era disso que se lembrava: gosto de torrada com geléia de laranja, luz de começo de primavera, um rádio sobre a mesa. "If you leave me now", com o Chicago, estava tocando. Era a primeira colocada. Já bem tardio, na cronologia das coisas. Já na adolescência de Eve. Logo mais, Eve voltaria da escola à tarde, todos os dias, e encontraria sua mãe doente, de cama.

Tardes de verão? Tardes de inverno? Todas as tardes, claras e escuras.

O que acontecia às quatro e vinte, toda tarde, quando chegava em casa? Eve deixava a mala da escola perto da mesinha do telefone, ia até a cozinha, punha um saquinho numa xícara, fazia um chá e levava para cima, ainda com o blazer da escola. A cabeça da mãe era minúscula, no topo da vastidão branca das cobertas. É você, querida?

Seria esse um jeito escocês de dizer as coisas? É você? Sim, era. A mãe de Eve fora para o hospital e morrera. Havia morrido de doença no coração. Eve estava com quinze anos. O pai de Eve trabalhava nos Estados Unidos; tinha "outra" família lá. Quando ela morreu, ele voltou por uns tempos. Ele e Eve recolheram todos os pertences da mãe e deram aos vizinhos e bazares de caridade. Fique calma, dizia com seus botões uma Eve de quinze anos, empacotando os elepês escoceses numa caixa de papelão cheia de malhas de lã. Olhe, só olhe. Um elepê dentro da capa é muito fino, não muito mais grosso que uma fatia de queijo. Havia neve no topo das montanhas na frente de um dos discos. É só neve numa montanha, disse com seus botões, enquanto enfiava o disco entre a lateral do caixote e as roupas dobradas. É apenas a imagem bidimensional de um lugar que eu nunca vi. Comedida e calma. Eve, em frente a uma janela, tantos verões depois, se comoveu até as lágrimas com seu eu de quinze anos. Seu eu de quinze anos, ainda com o blazer da escola, fitou Eve de volta, inflexível, com desdém, sem uma lágrima nos olhos. Não seja fraca, dizia. Como se a infância de alguém fosse desculpa para alguma coisa. Não me culpe pelo que você é. Eu não vou levar a culpa. Pegou então o rádio transistor de cima da mesa, segurou-o pela alça e jogou-o com força no chão. A tampa de trás saltou fora, bem como o que havia dentro. Vê se cresce, caralho, riu Eve (15), desdenhosa, para Eve (42), com uma bufada zombeteira.

Quando foi que Eve bufou daquele mesmo jeito? Durante a cerimônia fúnebre, da idéia de que houvesse um Deus que fosse tomar alguma providência a respeito de alguma coisa, com ou sem reza. Do pai, depois do enterro, quando ele a levou para um jantar refinado num restaurante londrino, como se fosse uma comemoração, antes de voltar para Nova York. Do pai novamente, quando ele sugeriu, por cima do coquetel de camarão, que talvez ela fosse gostar de passar os verões lá com a "outra" família. Ela faria dezesseis anos, dali a um mês. Ela bufou e soltou um riso desdenhoso. Dali a um mês, poderia fazer o que quisesse. (Foi uma das vezes, na vida, em que esteve livre para fazer exatamente isso.)

Que mais? De Adam, quando anunciou que iria pedir o divórcio para poder se casar com "Sonja" do "Departamento de Pessoal" da "Alliance", que ele conhecera no dia em que fora abrir uma "conta remunerada conjunta" para ele e Eve.

Isso é piada, não é, não? O nome dele era Adam mesmo? Eve preferiu não responder a essa pergunta.

E o que tinha feito Eve, aquele dia na sala de Michael, quando compreendeu pela primeira vez, ali sentada, esperando que ele voltasse de uma reunião, que todo o espaço livre nas paredes do gabinete, e mesmo os espaços entre as estantes nas paredes, estavam forrados por um mosaico de postais, literalmente centenas deles, reproduções de obras de arte, de pôsteres de filmes, de fotografias famosas, de marcos internacionais, de praias, de gatos enrodilhados sob o sol da Grécia, de mosteiros franceses, de pingüins etc. fazendo coisas curiosas, escritores, cantores, atores, figuras históricas, e que provavelmente todos aqueles postais tinham sido enviados por alguma moça que ele havia fodido, quer dizer, f***ido? Um dos cartões escorregara da parede e caíra na frente dela. Ela se inclinara, apanhara e virara o cartão. Um desenho colorido de dois trens antiquados. Nas costas, havia uma mensagem de mau gosto, escrita por uma garota que escrevia froidiano em vez de freudiano, que se dizia sua "onça" e que abusava dos pontos de exclamação. Calma e comedida.   Hxxxx   p.s. você ganha um A   calma   !!!!   comedida. Eve aguardava seu marido Michael, em seu gabinete universitário, onde ele ocupava uma posição de prestígio na faculdade de letras.

Sim, porque o que era Eve? Eve era uma casa, um jardim, uma família, uma escritora fascinante que, em vista do panorama geral, estava se saindo até que bem, embora numa escala pequena; era também dinheiro entrando.

E o que era Hxxxx? Tão fino quanto um cartão-postal, e um postal velho, ainda por cima, a julgar pela data. POR GENTILEZA, NÃO PONHA NADA A NÃO SER PAPEL NESTE CESTO. Ela grudou o postal de volta na parede, de volta ao pequeno espaço que lhe cabia. Ergueu os olhos para a parede. Cartões e mais cartões. Olhou em volta para todas as outras paredes. Cartões. Eve tentou de novo, agora, do outro lado do quarto, longe do Michael adormecido (tentou bem baixinho) e, sim, ainda conseguia bufar com desdém, e exatamente como a moça no jardim tinha feito, mais cedo.

O que mais a havia inesperadamente seduzido, a respeito da moça? O comentário que ela fez sobre Magnus no banheiro. "Eu o encontrei tentando se enforcar." Não era nenhuma tola, ela, para ver assim com tanta clareza, para ser capaz de resumir tão bem o período especial de luto que é ser adolescente.

Não há ocasiões em que só mesmo um estranho para revelar a uma família que ela é uma família? Magnus tinha dado boa-noite como antigamente. Astrid dera um beijo de boa-noite na mãe. Michael havia lhe dado um beijo nas costas, entre as omoplatas. Tinham feito um sexo bem cuidadoso, antes de ele enfiar a cabeça debaixo do travesseiro. Ao pensar nisso tudo, ocorreu-lhe outra idéia. E ocorreu-lhe com muita convicção.

E se por acaso a moça tivesse dito a verdade?

E se por acaso a moça não tivesse mesmo nada a ver com Michael? E se por acaso, durante a noite inteira, Eve tivesse julgado mal a moça — e Michael também, dormindo na mais santa paz debaixo de seu travesseiro de plumas de ganso? Ai, Deus do céu. Ai, Deus do céu. Eve estava parada na janela. Ai, Deus do céu.

Seria possível, isso? Por exemplo. Vamos voltar no tempo. Eve tinha saído do barracão, no final da tarde, no horário habitual. Na porta, escutara um barulho curioso. Era Astrid, com voz de quem estava feliz. Astrid parecia estar conversando com alguém, com uma jovem, deitada na grama, de olho fechado.

E agora?, Astrid dizia.

Continuo enxergando os contornos, mas ao contrário, dizia a moça. O claro e o escuro estão ao contrário.

Feito um negativo fotográfico?, disse Astrid. Como se a coisa toda dentro fosse um negativo fotográfico?

Eve entendera, enquanto observava, entendera naquele flash do instante em que parou, sem ser vista, para observar, que um dia Astrid iria traí-la. Entendera no flash do instante que Astrid, fazendo o que era natural, simplesmente ficando mais velha, era em si mesma uma inevitável traição.

Aí Astrid viu Eve parada no jardim.

Ah, oi, disse ela. Disse isso com animação, distraída. Parecia contente em ver a mãe.

A moça de olhos fechados os abrira e vira Eve acima dela. Sentara-se. Protegera a vista.

Olá, disse ela.

Dissera isso sem nada além de simpatia na voz.

Porque

e se por acaso, durante a noite toda, desde aquele olá, e, o que era muito provável, devido à sensação momentânea de ter sido traída por outra coisa qualquer, algo sem a menor relação com nada — e se por acaso, por causa disso tudo, Eve tivesse criado uma hipótese da qual a moça era absolutamente inocente? Eve estava parada na janela, no escuro. Esfregou os olhos.

Mas então, se ela não fosse de Michael, o que seria?

Uma criatura errante. Ela tinha um ar de quem podia ser uma criatura errante.

Uma espécie de cigana.

Uma bicona habilidosa que vivia de se infiltrar toda

sedutora na casa dos outros para comer. Ela era sedutora, isso não se podia negar.

Uma anedota para futuros jantares — a noite em que uma completa estranha nos enganou a todos e nos levou a recebê-la para o jantar, quando passávamos férias em Norfolk, um verão. Eu achando que ela fosse uma das alunas dele e ele achando que a moça tivesse alguma coisa a ver comigo —
Não, responda à pergunta — o que é a moça? A moça é sincera.
Por exemplo, por acaso ela tinha pedido alguma coisa a eles? Não. Nada, nada. Ela fora convidada para o jantar. Fora convidada para passar a noite na casa.
Então por que o espanto, quando ela deu uma chacoalhada tão forte em Eve? Eve estava parada na janela. Olhou lá para baixo, para o carro. Olhou para a noite. Olhou para o carro de novo.
Então, o que Eve iria fazer a respeito? Certo. Se chovesse, aquela noite, Eve desceria até lá e diria à moça que em hipótese alguma ela poderia dormir dentro de um carro na chuva, que ela teria de entrar. Eve iria correndo até a porta e sairia com uma capa sobre a cabeça, bateria na carroceria molhada do carro e insistiria.
Mas (deu uma olhada para o céu de uma limpidez irritante) choveria esta noite? Não. Não choveria. Era uma noite perfeita de verão. Fazia, no entanto, calor demais para uma pessoa dormir num carro. Era sabido, por exemplo, que os cães sufocavam dentro de veículos que permaneciam com as janelas fechadas em dias muito quentes. Eles morriam de desidratação.
E se a garota estivesse dormindo com as janelas do carro fechadas? É de se esperar que quem dorme no carro deixe as janelas fechadas para que ninguém entre lá dentro e faça os

horrores que as pessoas costumam fazer com alguém vulnerável dormindo dentro de um carro. Mas dormir com as janelas fechadas numa noite quente como essa seria na melhor das hipóteses fator de desidratação e, na pior, um perigo tremendo.

Eve debruçou-se na janela para ver o carro. De onde estava, não saberia dizer, por causa do ângulo em que o veículo fora estacionado, se as janelas estavam abertas ou fechadas.

Afinal de contas, não fora uma espécie de sacudida amistosa?

Pois a moça não estava sorrindo um sorriso severo, quase como se Eve fosse uma velha companheira?

O que fazer, agora? Muito silenciosamente, Eve atravessou o quarto e jogou o penhoar nos ombros. Muito silenciosamente, abriu a porta.

Onde estava a moça? No carro ela não estava. Eve olhou por todas as janelas, mas não havia ninguém dentro do veículo.

Ela estava no jardim. Sentada debaixo das árvores onde as duas tinham se sentado, mais cedo. Fumava. Eve sentiu o cheiro de fumaça, depois viu a brasa. A fumaça de cigarro se enrolou no ar, parada sobre a cabeça da moça, e depois sumiu.

Olá, disse ela.

Deu um tapinha na grama, a seu lado.

Eve ajeitou o penhoar em volta do corpo.

Quer um?, disse a moça. Sacudiu o maço e estendeu na direção de Eve. Eram cigarros franceses, Gauloises. A moça riscou um fósforo; ao acender o cigarro de Eve, seu rosto iluminou-se com a luz da chama, concentrado e sério, depois escureceu de novo.

Não fui totalmente sincera com você esta noite, disse ela.

Não foi mesmo, disse Eve.

Não, e eu sinto muito. Eu não lhe contei a, bem, a verdade completa.

Ah. Certo, disse Eve.

Porque quando você me perguntou se eu não gostaria de dormir na sua casa, disse a moça, bem, claro que a resposta é sim, quem vai preferir um carro a uma cama? Mas. O problema. Aconteceu uma coisa, e eu não posso, prometi, isso faz anos, e eu não vou, bem, não posso.

O que ela contou a Eve? Nas meias frases de alguém com dificuldade para dizer algo, o seguinte:

Quando tinha por volta de vinte anos, Amber MacDonald trabalhava no centro financeiro do país e ocupava uma posição de prestígio numa empresa de seguros e investimentos. Tinha um Porsche. Era a década de 1980. Numa noite de chuva misturada com neve muito fininha, uma semana antes do Natal, seguia por uma rua estreita de uma cidade pequena, com carros estacionados dos dois lados, os limpadores passando a borracha no pára-brisa, com o rádio ligado, tocando uma música chamada "Smooth operator", quando uma criança, uma menina de uns sete anos, vestindo um casaquinho de inverno, o capuz debruado de pele, saiu do meio de dois carros parados, bem na frente dela, e o carro de Amber MacDonald pegou-a, e a criança morreu.

Desde então, contou Amber MacDonald, larguei o emprego, abri mão do meu salário. Vendi o carro e deixei grande parte do dinheiro obtido, milhares de libras, numa grande pilha de notas, como um monumento funerário ao pé de uma montanha, na beira da calçada onde aconteceu. Comprei uma perua Citroën usada. E resolvi que dali em diante nunca mais voltaria a viver num lugar que pudesse ser chamado de lar. Como é que eu poderia? Como é que eu poderia viver da mesma forma, depois disso?

Continuaram sentadas no escuro. Logo mais, amanheceria. Uma única lágrima assomou num dos olhos da moça, escorreu pelo nariz e parou, como se solicitada a fazê-lo, logo abaixo da curva da maçã do rosto, exatamente a meio caminho da boca. Com delicadeza, ela apagou o cigarro na grama. Ergueu a cabeça e fitou Eve bem nos olhos.
E então?, disse ela. *Você acredita em mim?*

Eu nasci num baú. Durante a matinê da sexta-feira. Interrompi o espetáculo.

Eu nasci no ano do supersônico, na era das múltiplas camadas de multivitamina multitônica, no tempo edificante de homens munidos de tecnologia e mulheres que podiam ser biônicas. No tempo em que os caças de decolagem vertical eram Harrier, no tempo em que o QE2 era da Cunard, no tempo em que o *Princesa Margaret*, do alto dos seus doze metros de altura, parava majestoso no porto dos hovercrafts, l'année érotique estava a meros trinta minutos ar-acolchoados de distância e tudo girava duas vezes mais rápido que o som. Abri os olhos. Era tudo em cores. Não parecia mais com o Kansas. Os estudantes estavam nas barricadas, a moda era máxi, os Beatles transcendiam, abriram uma loja. Era a Grã-Bretanha. Era o máximo. Minha mãe era uma freira que não agüentou mais o convento. Casou-se com meu pai, o capitão; ele era bravo. Ela nos ensinou a cantar e nos fez roupas com o pano das cortinas. Corríamos pelas pontes e saltávamos para cima e para baixo nas escadas. Trepávamos nas árvores e nos jogávamos do barco para o lago. Tiramos o primeiro lugar no concurso de corais e por um triz não caímos nas mãos dos nazistas. Fui formada e feita nos tempos de Saigon, nos tempos da Rodésia, nos tempos de rios de sangue. PAU EM ENOCH POWELL. A *Apollo 7* se espatifa. Enchente em Tunbridge Wells. Multidão acorre à London Bridge, onde trinta e seis norte-americanos fazem lances para comprá-la. Em Memphis, meteram uma bala no king, o que adiou a transmissão televisionada da entrega do Oscar por dois dias inteiros. Ele tinha um sonho, julgava que as verdades eram evidentes, acreditava que todos os homens nascem iguais e que, um dia, todos se sentariam à mesa da fraternidade. Mataram o brother dele no hotel Ambassador. RIGHTEOUS BROS, anunciava o letreiro luminoso, acima do estacionamento do hotel. Nesse meio-tempo, meu pai era o alcoviteiro e minha mãe voava usando apenas o guarda-chuva. Quando eu era criança, corri o Grand National com meu cavalo. Não sabiam que eu era menina até que desmaiei e desabotoaram minha camisa de jóquei. Mas tudo era possível. Nós tínhamos um carro que voava e boiava. Impedimos o desastre ferroviário acenando nossos saiotes para o trem; meu pai era inocente e foi preso, minha mãe teve de se virar para pagar as despesas. Eu vendi flores em Covent Garden. Um cara grã-fino me ensinou a falar direito e me levou às corridas, com roupas desenhadas por Cecil Beaton, se bem que minha voz acabou sendo dublada porque eu não cantava lá muito bem.

 Mas meu pai era Alfie, minha mãe era Isadora. Eu era tremendamente mediúnica, na adolescência, fiz um garoto cair da bicicleta e incendiei uma escola inteira. Minha mãe era louca; estava apaixonada por Deus. Lá estava eu no altar, prestes a me casar com um cara, quando meu namorado esmurrou o vitral dos fundos da igreja e nós fugimos de ônibus. Minha mãe ficou furiosa. Ela também tinha dormido com ele. O diabo me engravidou e uma seita satânica me obrigou a ter o bebê. Aí então me apaixonei por dois fora-da-lei e tive uma conversinha com o sol. Falei que não gostava do jeito como ele fazia as coisas. Fiz sexo nos fundos do velho cinema que ia fechar. Usei manteiga em Paris. Tive uma fazenda na África. Tirei a roupa na janela de um prédio de apartamentos e distraí os dois inspetores da polícia que vigiavam o louco no telhado tentando matar o padre. Eu me apaixonei por um italiano. Foram seus passos na pista de dança que me arrebataram. Eu sabia o que significava o amor. Significava jamais ter de dizer perdão. Significava que o homem que dirigia o táxi iria matar o candidato presidencial, ou o cafetão. Tão macio quanto uma poltrona. Aconteceu tão depressa. Minhas pernas foram arrancadas por um tubarão. Esfaqueei o seqüestrador, mas todo mundo fez igual, não fui só eu, no Expresso Oriente.

Meu pai era Terence e minha mãe era Julie. (Stamp. Christie.) Nasci e fui criada pelas montanhas (vivas) e pelos animais (falantes). Eu me considerava bem enquadrada, parte da mobília. Não sobrava muita coisa. E quem se importava? Montei um espetáculo, bem aqui no celeiro; nasci cantando música a plenos pulmões recém-formados. Lagarta-mede-palmos. Lagarta-mede-palmos. Medindo os cravos-de-defunto. A mim parece que seria bom parar para ver como são bonitos. Cresci palmo por palmo com a crescida internacional do nariz da Streisand, do zê de Liza. De que adiantava ficar sentada sozinha no quarto? Quando tudo mudou para o sistema decimal, eu estava pronta.

Nasci na era da luz, da velocidade, do celulóide. Lá embaixo, se fumava. No balcão não podia. Custava mais caro, sentar no balcão.

O cinematógrafo. O idoloscópio. As ferrotipias galopantes. A grande tela. As sessões de cinema. Os filmes. Tudo virou cinza. Lembranças de aquarelas esfumaçadas.

Mas está tudo no jogo e na maneira como se joga, e é preciso fazer o jogo, você sabe.

Eu nasci livre, me diverti à beça e, até onde sabemos, vou viver para sempre.

O meio

de uma estrada de quatro pistas, bem na frente dos carros! Ela ergue o braço, i. e., Pare. Os carros que vêm na direção dela freiam, guincham os pneus, buzinam feito loucos. Amber se mantém no meio das duas pistas, com a mão erguida, para que os carros continuem onde estão.
  Agora! grita ela, por sobre o barulho, balançando o outro braço para Astrid. Astrid atravessa correndo, tomando cuidado para não derrubar a câmera.
  E então, quando estão ambas no canteiro central, Amber repete exatamente o que fez há pouco, diante dos carros indo na direção oposta, e, de novo, começam as freadas e as buzinas.
  É muito louco isso. Perigoso mesmo. É um pouco como a história da Bíblia, quando o mar se parte em dois, só que é trânsito. É como se Amber tivesse sido abençoada com um campo de força magnética sideral, ou de outra galáxia. Se ela fosse personagem de desenho, seria o tipo da super-heroína capaz de atrair coisas para si e, ao mesmo tempo, repelir.
  Astrid acha que Amber deveria parar quando chega à beira

da calçada, ou do que seja. É muito louco ir em frente daquele jeito. Mas assim é Amber. Assim é a personalidade dela. Não que seja meio retardada em matéria de carro, é mais uma questão de acreditar de fato que tem tanto direito à rua quanto eles, talvez mais até.

Param as duas na beiradinha, com os carros rugindo e ganhando velocidade de novo atrás delas, todo mundo ainda berrando indignado das janelas. Amber não toma conhecimento. Agora que a respiração voltou ao normal, que o coração parou de fazer aquilo que faz quando está assustado, agora que consegue se ouvir pensando de novo, Astrid bem que gostaria de ter filmado as duas atravessando a estrada. Seria uma coisa incrível de ter em filme.

Ela filma Amber outra vez. Está com a plantação por trás. Toda dourada.

Astrid também gostaria muito que houvesse uma terceira pessoa filmando as duas, de fora. Dariam a impressão de uma pessoa mais velha e uma pessoa mais jovem passeando, duas boas amigas de fato, ou talvez irmãs, às vezes andando até de braço dado, porque a idade, segundo Amber, não tem nada a ver com nada, é irrelevante, e ponto.

Há uma vista excelente dos campos em volta, quando a cidade termina. Amber aponta para as flores silvestres misturadas com o mato, enquanto andam; flores compridas, fininhas, vermelhas, florzinhas azuis lindas, lindas. Astrid filma as flores. Quando termina, Amber já está bem na frente, indo na direção de umas construções ao longe. Filma Amber pelas costas por um tempo, andando no campo, balançando os braços.

Uma das construções é um supermercado. Tem um telhado pontiagudo e um pequeno galo cata-vento no topo. Quando Astrid a alcança e aponta para aquilo, Amber diz que o cata-vento não tem nada a ver com o lado para onde sopra o vento. Que é para fazer o supermercado ficar com cara de mais antigo, de coisa do passado, assim, quando as pessoas vão fazer compras ali, se sentem melhor, como se estivessem indo a um lugar que tem algo a ver com a tradição, um lugar que acham que reconhecem, saído do passado, ainda que seja quase certeza absoluta que o passado delas não tenha tido nada nem remotamente parecido. É de uma esperteza diabólica, o jeito como a coisa funciona. Funciona de forma subliminar. Astrid ainda não sabe aonde estão indo. Não pegaria bem perguntar. Traga a câmera, Amber gritara lá para cima, falando com Astrid, de manhã. Esse é o terceiro dia que saem para filmar coisas importantes na câmera de Astrid. Amber marcha agora pelo campo, passando direto por tudo que cresce ali no meio. Insetos zumbem ao redor e há passarinhos. É provável que haja ratos silvestres, coelhos ou cobrinhas também, ricocheteando e fugindo delas a cada passo que dão. Seria incrível se desse, de fato, para ver os bichos escapulindo do barulho dos pés das duas, i. e., ela e Amber são gigantes de um outro mundo, o chão treme sob elas e todos os animais e coisa e tal saem de perto. Mas o treco plantado no campo arranha as pernas de Astrid, o chão por onde andam, no espaço entre os talos, é seco e acidentado, a plantação é imensa, muito maior do que parecia da beira da estrada, de lá parecia muito fácil atravessar, e está muito muito quente porque é mais ou menos meio-dia.

    Na metade do caminho, Amber pára e espera por ela. Desamarra a malha da cintura e enrola na cabeça de Astrid, para protegê-la do sol, e dá um nó com as mangas, para segurar.

    E agora, como se sente?, diz ela.

    Astrid se sente melhor.

    Do outro lado do campo, dão a volta por uma estradinha, passam em frente a uma oficina vendendo carros (câmeras externas), por uma gigantesca filial da farmácia Boots (câmeras externas), em seguida por um tipo qualquer de fábrica (câmera) e entram no estacionamento do supermercado (várias câmeras). O estacionamento está bem movimentado. A sombra reaparece quando cruzam a porta, de modo que Astrid tira a malha da cabeça e a devolve para Amber, que volta a amarrá-la na cintura. Amber é mesmo bem magrinha. Deve ser manequim trinta e oito. Tem mãos compridas, dedos compridos, que são bem elegantes mesmo. Amber, disse a mãe de Astrid, no jantar de ontem, você tem mãos de pianista. Pois é, Amber respondeu, mas que tipo de pianista, das boas ou das vagabundas? Magnus deu risada. Michael riu feito louco uma eternidade. Uma boa pianista, claro, disse a mãe de Astrid. Você nunca me ouviu tocar piano, disse Amber.

Astrid olha então para as próprias mãos, pequenas, e para a câmera dentro delas.

Você quer que eu grave?, diz ela, apontando a máquina para a primeira câmera de segurança no interior da loja.

Amber está parada na porta, com os olhos franzidos, vistoriando o supermercado. Ela abana a cabeça. Faz isso devagar, i. e., está se concentrando.

Pegue alguma coisa para o nosso almoço, ela diz. Está com fome?

Astrid faz que sim com a cabeça.

O que você preferir, diz Amber. Mas pegue algumas frutas. E um sanduíche para mim.

A missão de Astrid é pegar o almoço. Na seção das frutas, escolhe duas maçãs chamadas Discovery. O cartaz acima delas diz que são da região e que são orgânicas. Melhor que não fossem da região nem orgânicas. Experimentar é acreditar!, diz uma placa no alto das maçãs. Uma outra elogia a capacidade do supermercado de vender frutas realmente frescas. Imagine se não fossem frescas. Imagine se fossem todas passadas e machucadas, todas essas fileiras e mais fileiras de maçãs, laranjas, nectarinas e pêssegos. Será que a placa continuaria anunciando frutas frescas ou será que diria passadas e machucadas? Frutas passadas e machucadas à venda aqui. Experimentar é acreditar. Rá rá. Vai tentar se lembrar disso para comentar com Amber, e com Magnus, quando chegar em casa. Pega um sanduíche de atum com maionese da grande muralha de prateleiras refrigeradas, cheias de sanduíches, na frente da loja. A grande muralha de sanduíches — como a grande muralha da China! Imagine se a grande muralha da China fosse feita de sanduíches. O atum do sanduíche foi pescado sem causar danos aos golfinhos. É isso que diz no invólucro, que mostra uma ilha e uma palmeira.

Não tem muita gente fazendo compras no supermercado, apesar de toda aquela quantidade de carros estacionados do lado de fora. Astrid olha acima das prateleiras, em busca das placas penduradas do teto indicando o local das comidas quentes. As comidas quentes ficam ao lado do balcão da delicatessen. Outra placa pendurada atrás das comidas quentes também declara Experimentar é acreditar! Ela pede uma porção pequena de costelas na brasa, para o seu almoço, e uma senhora embrulha a porção numa embalagem que vai mantê-las quentes, diz ela, por cerca de meia hora.

Obrigada, Astrid diz a ela.

Não há de quê, diz a senhora.

Uma câmera acima da cabeça das duas filma tudo: Astrid pedindo as costelas, a mulher embalando e dizendo a Astrid (na fita, não vai ter som) quanto tempo elas se manterão quentes. Astrid pega o pacote. Quer saber se a mulher servindo no balcão sabe sobre as câmeras, i. e., claro que sim, é óbvio, ela trabalha ali. Mas e quando pára de trabalhar e caminha pela calçada, e as outras câmeras pelas quais passa, só por causa do caminho que faz para ir para casa, gravam a passagem dela? Da mesma forma que eles gravaram aquele menino que morreu quando Astrid era mais nova, aquele que foi esfaqueado; pouco antes, ele tinha passado pela fachada da biblioteca de Peckham e sua nova arquitetura; e aquela menina que tocava saxofone e passava roupa, no vídeo caseiro que os pais deixaram as autoridades mostrar, nos noticiários, a menina que sumiu voltando para casa, depois da escola.

Com a diferença de que o vídeo dessa funcionária do supermercado fazendo seu trabalho, andando na rua ou tirando o carro dela do estacionamento, indo à biblioteca, ou sei lá o quê, é só uma gravação sem utilidade, não tem nenhum significado, nunca será assistido, a menos que aconteça algo horrendo com ela, e então sim vai ter algum significado, que seria terrível, mas importante.

E então, se nada de terrível acontecer, quando a mulher chegar em casa, à noite, e sentar para jantar, ou para tomar uma xícara de café, ou sei lá o quê, será que vai se dar conta de que não está sendo mais filmada? Ou será que pensa, lá com os botões dela, porque está tão acostumada com isso, porque é a mesma coisa em todos os lugares, que *continua* sendo gravada por algo que acompanha tudo o que fazemos? Pode ser também que nunca nem pense no assunto, que seja apenas uma mulher que trabalha num supermercado e não se dê ao trabalho de pensar em coisas como essa.

Só de pensar nisso, Astrid se sente estranha. Olha para a embalagem na mão. Sabe que as costelas estão quentes lá dentro, embora a embalagem pareça totalmente fria, por fora.

Astrid vai de corredor em corredor de coisas de supermercado. Acaba encontrando Amber no corredor de coisas para banheiro, desodorantes etc. Amber tira os produtos dos ganchinhos dos quais estão pendurados e derruba no chão, como se o da frente não fosse o desejado, nem o seguinte, tampouco o que vem depois desse. Os produtos vão para o chão um atrás do outro. Depois de esvaziar por completo um ganchinho, ela começa com os do gancho ao lado e faz a mesma coisa. Já descarregou alguns ganchos.

Astrid se aproxima. Pacotes fechados de lâminas de barbear, do tipo que tem cabo de plástico, estão espalhados em volta dos pés de Amber. Amber tira mais um do gancho e derruba no chão.

Astrid olha para ela.

Por que você está fazendo isso?, pergunta o olhar de Astrid.

Amber olha para ela.

Porém Astrid não faz a menor idéia do que significa aquele olhar.

Tudo bem maionese?, Astrid pergunta.

Depende se ficou fora no sol e por quanto tempo, diz Amber.

Astrid dá risada.

Quero dizer no seu sanduíche, diz ela.

Amber deixa o pacote cair, tira outro do gancho, estende a mão e deixa cair.

Sim, diz Amber. Id est, eu gosto de maionese. Contanto que não seja um sanduíche só de maionese, id est, sem nada dentro, a não ser maionese.

Atum, diz Astrid, estendendo o sanduíche.

Meu favorito, diz Amber.

Astrid fica muito satisfeita. Satisfação, ou seja qual for a palavra, passa por todo o seu corpo.

Amber fita por alguns momentos os ganchos vazios a sua frente e os pacotes espalhados pelo chão, depois diz:

Certo.

Afasta-se do círculo de produtos largados no chão.

Hora de pagar, diz ela.

Três seguranças uniformizados e dois homens de terno estão parados do outro lado dos caixas, quase como se estivessem à espera de Amber e de Astrid. Depois Astrid percebe que estão, sim. Amber paga pelas maçãs, pelo sanduíche e pelas costelas na brasa. A moça do caixa não ergue os olhos nem para Amber nem para Astrid. Olha apenas para as coisas que estão comprando, para o leitor do código de barras e para as teclas que pressiona. Também faz todas as devidas perguntas sobre à vista ou no cartão sem olhar para elas. Sabe que está sendo observada e que algo aconteceu. Os seguranças aguardam onde estão até a conta ser paga, feito dois caubóis silenciosos e zangados num faroeste de televisão. Um dos homens de terno olha bravo. O outro olha irônico. Olham direto para Amber e balançam a cabeça para ela, quando as duas passam. Mas não fazem nada, não dizem nada.

Amber e Astrid saem do supermercado.

Costelas, diz Amber, dando uma espiada na embalagem de Astrid. Seu rosto parece o de quem não gosta muito de costela na brasa.

Você não gosta de costela?, Astrid pergunta.

Ame-as ou deixe-as, diz Amber.

Eu também, diz Astrid. Consigo fazer as duas coisas também. Eu gosto do gosto queimado delas.

Carcinogênico, diz Amber.

Pois é, diz Astrid.

Ela sabe que carcinogênico quer dizer alguma coisa, mas não consegue se lembrar do quê.

Comer coisas queimadas. Câncer, diz Amber.

É como se ela soubesse ler os pensamentos de Astrid.

Eu sei, diz Astrid.

Depois fica preocupada, porque se Amber souber de fato ler os pensamentos dela, saberá que ela não sabia o que significava. Dá uma olhada rápida para Amber, mas Amber está apontando.

Lugar excelente para um piquenique, diz ela.

É um lugar horrendo, cheio de latões para reciclagem. Sentam-se na grama, na beirada do estacionamento, em meio ao cheiro de vinho e cerveja que sai dos latões destinados às garrafas. Nosso projeto de reciclagem, diz uma placa ali perto. Sucesso. Meio ambiente.

Um dos seguranças está parado na frente do supermercado. Esteve vigiando as duas desde que saíram e continua de olho o tempo todo, até elas acabarem de almoçar. Está falando num telefone.

Astrid e Amber, por sua vez, vigiam-no também.

Eu acho que ele viu você fazendo aquele treco com os barbeadores, diz Astrid.

Eles me viram, não resta a menor dúvida, diz Amber. Vamos dizer que eles me vêem um bocado.

Ela conta a Astrid que esse supermercado está testando uma nova maneira de impedir furtos. Quando alguém tira um pacote de lâminas de barbear do gancho, um chip de computador dentro dele instrui a câmera para tirar uma foto daquela pessoa, para que o pessoal nos caixas possa conferir a foto com a pessoa que está comprando, para que assim eles saibam quem pagou e quem não pagou pelas lâminas de barbear e se elas estão sendo roubadas ou não.

Astrid não entende direito qual é o problema. Ela acha justo, no fundo, que o supermercado faça isso. Afinal de contas, é para impedir que as pessoas roubem.

Amber fica meio irritada.

Astrid pensa em perguntar a Amber sobre a mulher do supermercado e sobre aquela coisa de ela ser filmada. Mas sabe que se falar da mulher do supermercado meio sem estar muito interessada no assunto, porque ela é só uma funcionária de supermercado, Amber vai ficar ainda mais irritada. De modo que não abre a boca a respeito de nada. Segura uma costela e vai arrancando a carne em volta com os dentes, fazendo o possível para o molho não esparramar pelo rosto e não subir ainda mais pela mão.

Amber terminou o sanduíche. Ela se levanta. Astrid mais que depressa se ergue também, com as mãos longe do corpo. Amber dá uma espanada na roupa e se espreguiça. Acena um adeus ao segurança, que ergue a mão para acenar de volta, mas como alguém que não tem certeza, como se por engano. Depois Amber pega a câmera, porque as mãos de Astrid estão que é só molho, e elas voltam pelo mesmo caminho, atravessam a plantação pegando fogo (Astrid come uma maçã, depois joga o centro fora, biodegradável), então cruzam a estrada de quatro pistas por uma passarela de pedestres que leva direto à estação e é sem a menor dúvida o caminho que elas deveriam ter pego logo de cara, em vez de andar bem no meio da estrada daquele jeito muito louco.

Na metade da passarela para pedestres, por sobre o tráfego que ruge, Amber pára. Elas se debruçam e olham de novo a paisagem e os prados em volta. É bonito. De fato aquilo é muito inglês, é o supra-sumo do inglês. Ficam observando os carros embaixo delas, indo e vindo, se movimentando como um rio de duas mãos. O sol nos pára-brisas e a pintura dos carros brilham nos olhos de Astrid. É mais fácil olhar para os carros mais distantes, desfazendo-se numa muralha transparente de ainda mais calor cintilante. As cores se derretem e somem como se os carros não fossem feitos de nada sólido.

Faz uma bela tarde de verão, como costumavam ser os verões perpétuos dos velhos tempos, antes de Astrid nascer.

E então Amber joga a câmera lá embaixo, na estrada.

Astrid tem tempo de vê-la despencar. Escuta a própria voz, remota e longínqua, depois escuta o barulho meio de plástico da sua filmadora batendo no asfalto. Soa tão pequeno. Vê a roda do

caminhão bater nela e chutá-la para baixo das rodas de um carro vindo logo atrás, na pista de dentro, estraçalhando a máquina em todos aqueles pedacinhos que se espalham por toda a estrada. Outros carros, que vêm atrás, continuam atingindo os estilhaços, passando por cima deles, chutando os fragmentos pela superfície da estrada.
Vamos, diz Amber.
Ela caminha na frente e já está na metade da escada que desce para a estação. Astrid vê desaparecer as costas, depois os ombros, por último a cabeça.
É muito embaraçante.
É muito louco.
No caminho todo, até em casa, Astrid pensa: é muito louco. No caminho todo, da estação até a casa, que fica a uma boa distância, Astrid não fala com Amber. No caminho todo de casa, também não vai olhar para ela. Quando por fim resolve dar uma olhada rápida, por debaixo da franja, Amber não parece nem um pouco perturbada, como se nada de terrível tivesse acontecido, como se não tivesse feito absolutamente nada de errado.
Tinha sido presente da mãe e de Michael no seu último aniversário.
Vai ser uma encrenca danada.
Custou uma fortuna.
Toda hora eles falam que custou caríssimo. Eles se orgulham de ter pagado caro.
Era uma Sony digital.
Tinha as gravações feitas hoje, daquelas flores.
Tinha Amber atravessando a plantação, com todo o amarelo e o dourado por trás da cabeça.
Havia filmagens nela do outro dia em que tinham ido a Norwich, e talvez também fosse a mesma fita em que ela gravou a fachada do Curry Palace, e coisa e tal.

Que serventia terá Astrid para Amber, agora, agora que ela não pode mais gravar nada importante? As gravações das alvoradas estão na mesinha-de-cabeceira. Mas elas só foram até o dia em que Amber chegou. E se Astrid acordasse e quisesse começar de novo a filmar o amanhecer? Alguém terá de fazer Amber pagar pela câmera. Mas, claro, como não poderia deixar de ser, não tinha uma câmera de monitoramento na passarela para pedestre. Ninguém viu o que houve. Astrid não pode provar nada. No caminho todo de casa, não olha para ela nem fala nada. Amber nem sequer repara. Segue assobiando, mãos nos bolsos. Astrid se arrasta atrás dela, do lado oposto da estrada, os olhos fixos no chão que se move embaixo das sandálias. No entanto Amber não repara, ou, se repara, não parece achar nada demais.

Quando Astrid chega em casa, sobe até o quarto e tranca a porta, vê-se refletida no espelho e seu rosto está tão pálido que ela tem de olhar duas vezes. Quase ri alto, de ver como parece pequeno, pálido e bravo seu rosto no espelho. Quase ri alto ao perceber que aquela é ela.

Olha fixo para si mesma.

A parte dela que tem vontade de rir parece separada, vendo-se daquela maneira. Parece, i. e., totalmente nem aí, ou então uma outra ela, muito diferente.

Senta-se na cama, desvia os olhos do espelho e se concentra em continuar furiosa.

Uns dois dias depois, Amber pede a Astrid que lhe empreste o bloco e a caneta com ponta de feltro por alguns momentos.

Astrid faz um gesto de cabeça. E um barulho que quer dizer sim. Ela ainda não está falando de fato com Amber.

Amber está deitada na grama, numa sombra, desenhando com a caneta de Astrid no bloco de papel de Astrid. Depois de alguns instantes, Astrid se aproxima e senta por perto. Então se aproxima ainda mais.

Amber é muito hábil e muito rápida para desenhar. Fez o retrato de uma criança pequena. Dá para ver que a criança está na escola porque há uma carteira e uma lousa antiquada atrás dela, e uma professora antiquada também. A criança do desenho também está desenhando, numa folha de papel num cavalete. O desenho dela tem a palavra *Mamãe* em letras infantis, escrita no alto, e é aquele desenho típico que as crianças fazem das mães, feito uma figurinha de pauzinhos, com os braços espichados dos lados, de um jeito ridículo, um cabelo gozado, todo espetado, um olho muito maior que o outro e um rabisco representando a boca.

Amber mostra para Astrid.

Depois arranca a página, passa para uma limpa, põe o braço por cima do bloco, como quando as pessoas não querem que você copie as respostas delas, e desenha outra coisa.

Quando termina, dá para Astrid.

O segundo desenho é o portão de fora da escola (tem uma placa que diz Escola) com três mães esperando para levar os filhos para casa. Duas das mães parecem pessoas de verdade. Mas a terceira mãe é a cópia escarrada da mãe que a criança tinha pintado no primeiro desenho. Parada ao lado das mães de verdade, ela é toda tamanhos malucos e cabelo espetado, um olho grande demais, a boca igual àquele rabisco muito louco, os braços num ângulo cretino, i. e., a mãe *de fato* é assim, na vida real, essa é a piada.

E é a coisa mais engraçada que Astrid já viu na vida. Não consegue parar de rir. Não dá para acreditar, é hilário, a mãe na vida real se parece mesmo com a mãe do desenho que a criança fez. É tão engraçado e no fundo tão bobo que Astrid ri até chorar de tanto dar risada. As lágrimas escorrem pelas laterais da cabeça, geladas por trás da orelha, e caem na grama. Amber também ri, deitada de costas, ri às gargalhadas. Estão as duas rolando no gramado, rindo a mais não poder dos dois desenhos.

Exemplo de verdadeira semelhança, Michael diz, quando olha por cima do ombro dela, mais tarde, para as folhas de papel (ela está mostrando para Magnus).

Muito engraçado, diz Magnus. Ele está deitado no sofá, olhando o teto. (Está quase normal de novo, voltou a falar com as pessoas, está inclusive tomando banho, e coisa e tal. Ainda tem um certo pretume em volta dos olhos dele, como se alguém tivesse pegado uma caneta de ponta de feltro e feito um borrão ali.)

Foi a Amber que fez?, pergunta a mãe. Ela é tão talentosa. É uma moça de tanto talento.

É mesmo. Amber é de fato muito talentosa. Durante dias e dias, a brincadeira continua fazendo Astrid dar risada no meio de outra coisa qualquer, qualquer coisa, não importa o quê.

Noites depois, ainda lhe volta à cabeça e ela não consegue evitar, começa a rir tudo de novo, como se tivesse uma coisa engraçada tão lá no fundo da barriga, onde começa a respiração, que parece que tudo por dentro vai derreter, ou que algum alienígena entrou em você e não faz outra coisa a não ser rir lá por dentro, e bem depois que as folhas dos desenhos se perderam, ou foram guardadas, ou quem sabe até jogadas fora por Katrina da Faxina, Astrid continua rindo sem poder se conter toda vez que lembra daquilo, de como foi engraçado, de como foi boa a idéia, a mãe parada, esperando no portão da escola, com cara de quem existe na vida real, igualzinha, daquele jeito infantil boboca em que foi desenhada, i. e., como se o jeito como a criança a desenhou fosse de fato verdadeiro e real, no fim das contas.

Astrid, diz a mãe, numa noite quente em que Michael preparou algo que deveria ser considerado especialíssimo, e que tem flores incomíveis espalhadas na salada. Que tal você filmar este nosso jantar de hoje? Está uma noite tão gostosa, foi um dia tão gostoso e o jantar está tão gostoso que nós deveríamos comemorar. Vá buscar a sua câmera.
Astrid não diz uma palavra.
Astrid, diz a mãe. Vá buscar.
Astrid olha para o prato.
Vá buscar, diz a mãe. Vamos, vá.
Não, diz Astrid.
Não?, diz a mãe.
Não posso, diz Astrid.
Como assim, não pode?, pergunta a mãe.
Eu perdi a câmera, diz Astrid.
Você o quê?, diz a mãe.
Astrid repete.
Eu perdi a câmera.
Onde foi, Astrid, que você perdeu a câmera?, diz Michael.
Bom, se eu soubesse onde, diz Astrid, ela não estaria perdida, certo?
Amber dá risada.
Astrid, agora já chega, diz a mãe.
Astrid franze o cenho para o monte de florzinhas na borda do prato.
Mas como, exatamente, você foi fazer uma coisa dessas?, diz Michael.
Astrid, ela custou duas mil libras, você sabe disso, diz a mãe,

mas de um jeito mais bajulador que irritado, porque Amber está com eles, à mesa, e todos fazem de tudo para parecer perfeitos na frente dela, inclusive a mãe de Astrid.

Quando?, pergunta Michael. Você deu queixa na polícia?

Astrid, pelo amor de Deus, diz a mãe. A sua câmera.

Na verdade, diz Amber, enquanto pega mais uma fatia de pão, a culpa foi minha. Eu não gostava de vê-la carregando aquela máquina o tempo todo. De modo que joguei de uma passarela para pedestre, numa estrada.

Todos se viram e olham para Amber. Faz-se um silêncio que continua e não se desfaz até que Astrid diz:

Não jogou, não. Ela simplesmente caiu.

Ó, diz a mãe dela.

Ah, diz Michael.

Estava na beiradinha da passarela. E ela simplesmente — caiu, diz Astrid.

Ó, diz a mãe de novo. Faz-se outro silêncio, quebrado só pelo barulho do garfo e da faca de Amber no prato.

Passarela para pedestres, diz Amber. Sobre a A14.

Poderia ter matado alguém, atingido alguma coisa, diz Michael. Se tivesse batido no pára-brisa de um carro, em qualquer coisa.

Pois é, diz Amber.

Mas não bateu em nada, certo?, diz a mãe de Astrid, rápida.

Não, diz Astrid.

Ninguém morreu, diz Amber, partindo o pão ao meio. Seja como for, a culpa foi minha, de modo que não caiam de pau nela por isso. Se querem cair de pau em alguém, caiam em cima de mim.

A mãe de Astrid passa o guardanapo de leve na boca e olha para Michael, depois para o relógio, em seguida para fora da janela.

Tem o seguro. Vou investigar a respeito, diz Michael, dando uma olhada para sua mãe, depois para ela, em seguida para Amber e por fim para ninguém, para o ar rarefeito, acima da cabeça de Amber. Estende a mão para a garrafa e põe mais vinho nas taças. Vai dar tudo certo, ele diz, balançando a cabeça.

A mãe dela continua comendo, como se nada tivesse acontecido. É tão gozado. Michael continua comendo. Magnus está olhando para o prato e mastigando. O pescoço dele está todo vermelho, dos lados, e o rosto também, parece alergia. Mas ninguém mais diz uma palavra sobre a câmera quebrada.

Ninguém mais diz uma palavra sobre o assunto pelo resto da noite, e no dia seguinte e, lá pelo terceiro dia, Astrid tem certeza absoluta de que todo mundo esqueceu da câmera.

Id est é i. e. por extenso, ou melhor, i. e. é a abreviação de id est. É um outro jeito de dizer i. e. e veio do latim, que é a língua em que está id est.

Astrid conta a Amber sobre o celular na lixeira da escola, cuja linha continua sendo paga porque ninguém sabe ainda o que houve. Conta a ela sobre Lorna Rose, Zelda Howe e Rebecca Callow. Conta que Rebecca Callow e ela eram amigas. Conta sobre as cartas enviadas por seu pai, Adam Berenski, para sua mãe, conta que as encontrou debaixo de certidões de nascimento, seguro do carro, papeladas sobre de quem é a casa e coisa e tal, na escrivaninha do escritório da mãe, diz que pegou todas elas e que ninguém nem reparou que haviam sumido, e que guardou tudo dentro de uma meia, enrolada dentro de outra meia, dentro do bolso com zíper de uma sacola que está debaixo de sua cama, em casa. Repete para Amber as coisas bonitas que dizem as cartas, i. e., id est, guardadas de cor, *você é para mim o Começo dos Começos. Você me ensinou o significado da palavra fiel. Se eu tivesse uma filmadora atrás dos olhos, o que eu faria seria filmar todas as alvoradas de todas as manhãs da minha vida e, depois, dar o filme acabado a você todo enganchado* (enganchado quer dizer casado). *Aí então você saberia o que significa ter conhecido você, acordar com você. Você é um lindo verão perpétuo, um verão que dura muitos meses, de maio a outubro, dia após dia de ininterrupto sol brando e ar fresco. Eu sou os pássaros que passam voando alto em seu céu. Você me faz voar. Quando olho para você, sinto que sou o único homem vivo que já conseguiu voar tão perto do sol. Não derreta minhas asas!* (id est Ícaro, que é filho de Dédalo no mito grego).

Descreve a fotografia dele no carro azul, com a porta aberta. Ele está com uma perna para fora do carro, o pé no chão. Está de jeans. Tem cabelo escuro. É magro. Usa uma camisa xadrez azul, dá para ver pelo pára-brisa. Há uns arbustos atrás do carro e casas com jeito de novas atrás dos arbustos. Tem a folha no chão, que caiu de uma árvore antes de a foto ser tirada.

Os braços dele estão cruzados. Dá para ver as mãos. Os olhos estão ou sorrindo ou fechados.

Ele tomava chá com açúcar.

As palavras saltam da boca de Astrid como aquelas pedras aquecidas que usam no lugar onde a mãe vai fazer massagem, o tipo que deixa marcas vermelhas na pele da pessoa, depois que são postas e tiradas.

Amber arranca um talo comprido de grama, põe o talo na boca e se deita na relva. Olha para Astrid durante um bom tempo, de olhos semicerrados para se proteger do sol. Não diz nada.

Lá no alto, o topo das árvores se mexe por alguns

momentos, antes que as duas possam sentir a brisa que agitou a copa das árvores durante aqueles momentos.

Amber foi passar o dia fora.
Astrid dá voltas e voltas pela casa. Dá voltas pelo jardim. Depois vai dar uma volta na cidadezinha. No caminho, lembra do dia em que ela e Amber foram filmar em Norwich.

Pare ali, Amber disse, bem embaixo da primeira câmera que ela apontou, a que gravava os movimentos das duas na estação de Norwich assim que saltaram do trem. E continue filmando por um minuto. Estou falando para filmar durante um minuto inteiro.

Astrid senta-se num banco, em frente à igreja do vilarejo, do outro lado da rua. Olha em volta. Olha o relógio durante um minuto inteiro, cada tique do ponteiro dos segundos. Nesse minuto, que parece um tempão enorme, não acontece nada.

Um minuto inteiro?, ela tinha dito a Amber. Quem é que vai querer assistir a um filme com mais de cinco segundos parado, focalizado numa câmera idiota pendurada ali na parede, sem fazer nada?

Amber girou os olhos e olhou para Astrid, id est, Astrid estava sendo burra e irritante, de modo que Astrid ligou a câmera, pôs no foco automático e começou a filmar a outra câmera. Que girou para olhar para ela. As câmeras estavam filmando uma à outra.

Está quente demais para ficar ali sentada ao sol. O sol é um olho vermelho colossal. Astrid se levanta. Olha para o memorial de guerra, com as fanadas flores falsas das duas coroas. Toca na saliência de pedra, tão quente de sol que não dá para ficar com a mão ali por muito tempo. Desde que esse memorial era novo, o sol o aquece todo verão.

139

Tenta a porta da igreja. Está trancada. Há um recado nela, dizendo a quem pedir a chave, senhor qualquer coisa, que mora na mesma rua, na segunda esquina (tem um mapinha).

Igrejas em geral permanecem com a porta trancada. Para impedir vandalismos.

Mas e se você for o vândalo? É só ir pedir a chave.

Mas aí então eles ficariam sabendo quem é o vândalo.

Mas e se você dissesse que tinha deixado a chave cair em algum lugar e que o ato de vandalismo fora obra de algum vândalo que devia ter achado a chave?

Ou — e se o vândalo fosse o *dono* da chave, e ele decidisse fazer algum vandalismo, depois inventar que alguém tinha pegado a chave emprestada e que essa pessoa é que sujara as paredes de tinta, ou quebrara os bancos ou fizera sei lá o que lá dentro, e coisa e tal?

Não é bem verdade que não tenha acontecido nada de nada durante aquele minuto que acabara de cronometrar. Havia passarinhos e coisas como insetos voando. Os corvos ou algo assim provavelmente grasnavam no calor, acima dela. Estão gritando agora mesmo. Tem aquela planta comprida e branca atrás do muro, cana qualquer coisa, é o nome. Em sessenta segundos, ela provavelmente se mexeu um pouco no ar e deve ter até crescido, só que de um jeito que não pode ser visto pelo olho humano. Há abelhas e coisas assim por toda parte, à sombra, entrando e saindo das flores, a caminho de casa, de volta a suas colméias, onde os zangões continuam com as pernas porque ainda é verão, tudo acontecendo em seu próprio mundo, que existe nos próprios termos dentro deste, embora alguém como Astrid não saiba disso ou ainda não tenha descoberto. Uma pedra em forma de coração perto da porta diz: Morreu em 1681. Tem mesmo alguém debaixo dela que morreu em 1681, id est, houve um tempo em que ele ou ela estava vivo desse jeito e agora ele ou ela, seja quem for (não tem nome na pedra, só a data da morte, e também não tem mês, só o ano), o que sobrou dele ou dela está aí embaixo há mais de trezentos anos, e houve um tempo em que ele ou ela vivia e andava por ali, naquela cidadezinha. O sol tem batido nessa pedra todo verão, o tempo todo, desde os verões perpétuos de antes até os ecologicamente preocupantes de hoje. Até ali, Astrid nunca havia reparado de fato em como são verdes as coisas. Até a pedra é verde. A madeira da porta trancada da igreja é marrom-esverdeada, tem uma espécie de brilho verde por cima, só de ter ficado ali, sujeita ao tempo, e coisa e tal. Na verdade é uma cor bem brilhante. Se ela estivesse com sua câmera, teria filmado apenas a cor por um minuto inteiro e, mais tarde, poderia ver de fato que cara tem essa cor.

 Senta-se na sombra, perto da porta, e olha fixo para o verdor do verde. Se olhar com bastante atenção, talvez acabe sabendo ou aprendendo algo a respeito do verde ou seja lá o que for.

 Mas aquela gente que morreu nas guerras do século passado, e a pessoa debaixo da pedra cortada em forma de coração, será que é igual o jeito como pensamos nelas e naquele menino que passou correndo pela biblioteca de Peckham, ou naquela menina que eles encontraram morta na mata, no ano passado? Ou nas pessoas que, bem neste momento, em certos lugares do mundo onde não existe o suficiente para comer, estão morrendo bem agora, enquanto Astrid fica sentada ali pensando sobre uma cor? Ou nos animais em países onde não há comida nem chuva suficiente, por isso eles morrem? Ou nas pessoas que estão naquela guerra que supostamente está acontecendo, se bem que não parece ter morrido muita gente nela, não tantas como numa guerra de verdade.

Morto em 2003.

 Astrid tenta imaginar uma pessoa, quem sabe uma criança, ou alguém da mesma idade que ela, em lugares poeirentos vistos pela televisão, morrendo por causa de uma bomba ou algo parecido. Imagina Rebecca Callow numa cama de hospital num lugar que não parece ter equipamento nenhum. É difícil imaginar. E na escola os professores vivem falando do meio ambiente e das espécies todas que estão morrendo, e coisas assim. Está tudo em toda parte o tempo todo, é sério, animais com as costelas à mostra e crianças em hospitais, nos noticiários, é gente num lugar ou noutro gritando por causa de um homem-bomba, é soldado norte-americano que morreu ou algo do gênero, mas é difícil saber como fazer tudo isso adquirir importância de fato, lá dentro da gente, como fazer disso tudo algo mais importante do que pensar na cor verde. O Curry Palace, i. e., foi fácil fazer *aquilo* importar porque ele está bem ali, bem ali no nariz delas. Mas quando ela e Amber foram até lá e perguntaram para o indiano, ele sacudiu a cabeça e disse que tinham sido apenas alguns moradores mais saidinhos se divertindo um pouco, e que não era vandalismo coisa nenhuma, e com certeza nada racista, e que não havia decididamente nada que ele quisesse gravado em fita e pediu a elas que fossem embora. O tempo todo, ele olhava por cima dos ombros para uns meninos parados, observando tudo, em frente a uma lojinha vendendo batatas fritas, do outro lado da rua, em frente ao Curry Palace. Amber olhou na direção deles e disse que achava que aqueles garotos eram os saidinhos. O indiano se afastou e entrou de novo no restaurante. Um homem saiu da loja de batatas fritas e parou atrás dos garotos, vigiando Astrid e Amber.

É para filmar o estacionamento?, perguntou Astrid.

Não. Filma aqueles lá, disse Amber, olhando para as pessoas paradas com os braços cruzados, do outro lado da rua.

Quando Astrid começou a filmá-los, um dos garotos começou a atravessar a rua, com certeza para fazê-la parar de filmar, e Amber ficou bem atrás de Astrid, com as mãos nos ombros dela, mas o homem chamou o garoto de volta e todos tornaram a entrar dentro da loja de batatas fritas, fechando a porta.

Morto em 1681. Astrid toca no coração morno, com a palavra e a data gravadas nele.

Nós perdemos um material quando a câmera quebrou, ela tinha dito a Amber uma noite, num sussurro, para que ninguém mais ouvisse e se lembrasse da máquina.

Que material?, Amber perguntou.

A parte dos saidinhos da cidade, Astrid cochichou.

Amber deu de ombros.

Você por acaso queria assistir àquilo de novo?, disse ela. Eu não. Filhos-da-mãe mais mal encarados, eles.

Mas não era prova de alguma coisa?, perguntou Astrid.

Prova do que seria?, disse Amber.

Prova de que nós estivemos lá.

Mas nós sabemos que estivemos lá.

Prova de que nós os vimos.

Mas eles sabem que nós os vimos, disse Amber. E nós sabemos que nós os vimos.

Prova daquilo que nós de fato vimos, disse Astrid.

Para quem?, Amber disse, e bateu com a mão fechada na cabeça de Astrid. Toque-toque, fez a mão dela.

Quem está aí?, perguntou Amber.

Amber é muito boa mesmo em perguntas e respostas. Aquele dia em Norwich, depois de ter filmado a câmera de monitoramento da estação durante os sessenta segundos inteiros, de acordo com o contador de segundos de sua máquina, Astrid erguera os olhos do visor e vira, por trás de Amber, que um homem de camisa de manga curta e gravata havia saído de uma porta mais adiante na plataforma e estava vigiando as duas.

Ele continuou vigiando quando elas foram filmar a câmera seguinte, do outro lado da estação, perto da WH Smith. Lá pela metade da filmagem da terceira câmera, no saguão de entrada, ele já estava ao lado delas.

Vou ter de pedir a vocês que parem com isso, disse ele para Amber.

Parar com o quê?, disse Amber.

Parar de filmar, disse o homem.

Por quê?, perguntou Amber.

Não é permitido, disse ele, que membros do público registrem detalhes de nosso sistema de segurança.

Por que não?, disse Amber.

Por razões de segurança pública, disse o homem.

Por que está pedindo para mim?, disse Amber.

Estou pedindo que pare de filmar, disse o homem.

Não o quê, por quê, disse Amber. Por que está pedindo para mim? Eu não estou filmando nada.

O homem cruzou e descruzou os braços. Pôs as mãos nos quadris, preparando-se para ficar de fato enfurecido.

Se não se importa de pedir a sua menininha que pare de filmar, disse ele.

A todo momento dava uma olhada para a câmera acima deles, como se soubesse que estava sendo filmado.

Ela não é uma menininha. E não é minha.

É para as minhas pesquisas locais e arquivo, disse Astrid.

O homem olhou para Astrid com uma expressão de espanto total, como se não estivesse acreditando que alguém com doze anos de idade pudesse falar, que dirá ter um motivo para se pronunciar em voz alta a respeito de alguma coisa.

É para um projeto da escola sobre sistemas de segurança em estações de trem, disse ela.

Amber sorriu para o homem.

Eu receio, suponho, que será preciso obter permissão por escrito dos proprietários de cada estação para algo assim, disse o homem para Amber, ignorando a presença de Astrid.

O senhor receia ou supõe?, disse Amber.

O quê?, disse o homem. Ele parecia embaraçado.

Receia ou supõe?, disse Amber.

O homem deu mais uma olhada para a câmera e enxugou o pescoço com a mão.

É de nascença, essa sua incapacidade de falar com ela, tanto assim que precisa da minha intermediação, como se eu fosse sua secretária, ou intérprete de alguma linguagem especial de sinais, como se ela fosse surda e muda?, disse Amber. Ela sabe falar. Ela escuta.

Hein?, disse o homem. Veja bem, ele disse.

Nós *estamos* vendo, disse Amber.

Escute, ele disse.

Decida-se, disse Amber.

Não se pode filmar aqui, disse o homem. Assunto encerrado.

Cruzou os braços diante de Amber e não descruzou mais. Amber sustentou o olhar. Deu um passo à frente. O homem recuou dois passos. Amber começou a rir.

Depois engatou o braço no de Astrid, puxou-a para fora da estação e foram visitar Norwich.

Você viu, falou Astrid, enquanto caminhavam sob a luz do sol, em frente à estação, como o homem estava suando debaixo do braço?

É, bom. Não é de espantar. Está bem calor, hoje, disse Amber, desengatando o braço e saindo na frente, em direção à ponte.

Astrid vai voltando para casa, sob o calor escaldante. Balança os braços dos lados, enquanto caminha. É assim que

Amber anda, com os braços meio que balançando para um lado e para o outro, como se soubesse exatamente aonde está indo e, embora seja muito longe e você talvez não saiba onde vai dar, valerá a pena, será muito muito legal quando chegar lá.

O dia passa com uma grande lerdeza, mas Amber acaba voltando de seja lá aonde foi que ela foi.
Por falar nisso, diz ela, quando Astrid está tirando a mesa do jantar, aquela noite. Enquanto estive fora, resolvi um negócio para você.
O quê?, diz Astrid.
Você vai ver, diz Amber.

Astrid está deitada naquele quarto pavoroso no dia mais quente até o momento. No noticiário da noite tinham dito que esse fora o dia mais quente de todos os tempos, desde que começaram os registros. Tudo no quarto exala um cheiro morrinhento, quente. É pouco antes de ela adormecer.
Ela vê, na imaginação, Amber sentada sozinha, no trem para Liverpool Street, com a paisagem passando rápida por ela, depois o trem parando na estação e Amber saltando do trem e cruzando a catraca, entrando no saguão, descendo alguns degraus, depois a escada rolante, entrando no metrô, sentando de novo, saindo do metrô, continuando a pé seu caminho, passando pela delicatessen e pelas lojas do parque, subindo a rua até o fim, até o cruzamento com a Davis Road, onde atravessa a rua e pára na frente da casa da mãe de Lorna Rose. Mas e se Lorna Rose não estiver em casa? E se ela estiver na casa do pai? Amber bate, mas ninguém atende. Então. Então ela vai até a casa de Zelda Howe, toca a campainha, alguém vai até a porta,

na verdade é a própria Zelda Howe, e Amber lhe dá um tabefe forte no rosto.

Surpresa, diz Amber. Depois quem sabe Amber vai até a casa de Rebecca Callow, bate na porta, e uma mulher atende, é provável que seja a *au pair*, e Amber diz que é professora de Rebecca, da escola, que foi vê-la a respeito disso ou daquilo, de modo que a moça que trabalha de *au pair* deixa que ela entre e a conduz pela casa toda até o grande jardim dos fundos, onde Rebecca está sentada na cadeira de balanço branca que eles têm no jardim, e há outra menina ali também, plantando bananeira, na grama, e ela não vê Amber se aproximando e a primeira coisa que Amber faz é agarrá-la pelas pernas, como se a estivesse ajudando a ficar reta, e a garota pergunta quem é você? E Amber pergunta você é a Lorna? E a garota diz que sim e Amber então diz pode crer, eu sou seu pior pesadelo, bem-vinda ao inferno, depois balança as pernas dela e Lorna cai no chão. Depois se aproxima de Rebecca, que olha tudo de boca aberta, pega o balanço dos dois lados e puxa com força para trás, até que Rebecca caia sentada na grama. Depois, enquanto Rebecca corre para dentro, pega o celular de Lorna da mão dela — Lorna está sentada na grama, com ar atônito, tentando ligar para alguém — e diz agora observe com muita atenção, e põe o aparelho no chão de pedra e pisa com toda a força, arrebentando o telefone. Da próxima vez, ela diz a Lorna Rose, eu faço isso com a sua mão. Depois atravessa a casa de novo, e Rebecca Callow está na cozinha, chorando ao telefone para alguém, assustada de verdade, e a *au pair* está no hall, em outro telefone, e Amber puxa o cabelo comprido de Rebecca uma vez, mas com muita força mesmo, e pergunta se ela gostou de ser tratada daquele jeito e a *au pair* continua no hall, berrando com seu sotaque croata ou seja lá qual for e Amber passa por ela, dando uma boa folga entre as duas, sai pela porta da frente e fecha com uma batida.

Depois Amber vai até um lugar de pesquisa onde você descobre onde estão as pessoas para outras pessoas que precisam saber. Ela diz à mulher atrás do balão preciso descobrir o paradeiro de, e então escreve o nome no formulário.

A mulher atrás do balcão meneia a cabeça. Não vai demorar nada, ela diz, porque este é um nome bem incomum. Posso saber se você é parente?

Não, diz Amber, mas estou agindo em nome de um parente que precisa saber onde ele está para poder entrar em contato com ele legalmente.

Depois Amber empurra duzentas libras em notas bem dobradas por sobre o balcão, na direção da mulher, como num filme ou num drama.

É uma questão de família, diz Amber.

A mulher olha em volta, para ver se não tem ninguém vendo o que está acontecendo.

Claro, madame. Não vai demorar nada, diz.

Ela some pelos fundos, onde ficam os computadores que têm todos os detalhes dentro deles de todo mundo, do tipo onde eles estão neste mundo e o que estão fazendo lá onde se encontram.

Astrid sonha com um cavalo num prado. O prado está cheio de capim seco, todo amarelado, e as costelas do cavalo estão à mostra. Atrás do cavalo, um poço de petróleo, ou uma pilha de cavalos ou de carros queima. O céu está coberto de fumaça preta. Um pássaro que quase não existe mais passa voando por ela. Ela vê o negro brilhante dos olhos dele quando chispa acima dela. É um dos últimos sessenta de sua espécie existentes no mundo. Por todo o prado, aos pés de Astrid, há pessoas deitadas na grama amarelada. Estão com a cabeça e os braços enfaixados; há sondas em algumas delas. Uma criança pequena estende a mão e diz algo que Astrid não consegue entender. Astrid olha para baixo, para a própria mão. Não há câmera nela.

Está quase dormindo no abafamento do mais forte calor que jamais se viu, quando escuta uma porta do outro lado do hall abrir e fechar, depois escuta a própria porta abrindo, alguém entrando no quarto e fechando a porta de novo.

Finge que dorme. Tem alguém ali no escuro, alguém que não se move, de modo que não dá para saber ao certo, mas sem sombra de dúvida há um silêncio preenchido de outra forma, ali.

Astrid conhece o aroma de coisa limpa, feito couro limpo, com um quê de laranja, de pele limpa, de talco, quem sabe madeira, aparas de um lápis, um lápis que acabou de ser apontado, esse é o cheiro.

Ela pára na beira da cama um tempão, antes de se mover. A cama balança quando deita. Astrid mantém os olhos fechados. Ela se aproxima, escorrega bem junto das costas de Astrid. Sopra bafo morno no cabelo de Astrid, que alcança a cabeça. Passa um braço em volta da cintura de Astrid, o outro em volta do ombro, pela frente, e respira o mesmo hálito quente na nuca de Astrid.

Astrid sente os próprios ossos debaixo do bafo quente, magros e limpos, feito gravetos prontos para acender uma fogueira de verdade. Acha que o coração pode saltar fora do peito e entrar em combustão, i. e., tamanha a felicidade o meio do jantar, com todo mundo ouvindo quando ela diz: *se querem cair de pau em alguém, caiam em cima de mim*.

Depois pisca para ele, direto para ele, e bem na frente da mãe, bem na frente de Michael, que não faz idéia de nada. Cair de pau! Caiam em cima de mim! Depois pisca direto para ele. Magnus sente a subida afogueada do pinto ir engrossando junto ao jeans, o coração um buraco quente no peito, a cabeça arde, o rosto arde, uma sensação de ardor em toda a nuca e no pescoço.

Magnus, diz a mãe, instantes depois. Você hoje exagerou no sol.

Ahã, diz Magnus. Escuta o próprio resmungo. Soa como uma criança burra. Sol demais, ele diz.

Rá!, diz Michael, como se Magnus tivesse dito algo muito inteligente. A mãe acrescenta que no dia seguinte ele vai estar com um belo tom bronzeado. Astrid não diz nada, está calada para não chamar atenção sobre si mesma. Magnus conhece a tática, a irmã aprendeu com ele. Olhe para eles todos. Não sabem de nada. Um minuto atrás, estavam discutindo a respeito de algo inútil, porque Astrid perdeu uma câmera que custou muito dinheiro. Mas Amber deu cobertura para ela. Assim é Amber.

    Amber = embaraçante.

    Não pode olhar para Amber, caso contrário vai ficar ainda mais vermelho.

    Olha em vez disso para a mãe, que está de novo contando a Amber sobre seus tempos de juventude. A mãe passou o jantar inteiro pipilando feito um daqueles passarinhos que o pessoal que mora em países mediterrâneos mantém dentro de gaiolas, penduradas nas janelas, passarinhos canoros que começam a cantar quando o sol bate neles, no começo da tarde ou no fim do dia. *A gente cantava "Eu adoro vagabundar", cantávamos Tive uma briguinha com a sogra/ Joguei a velhinha no rio da Logra/ Mas a danada sabia nadar/ Escapou e me jogou n'água pra revidar. Éramos uma geração de moças tensionadas entre esses tipos de expressão. Num minuto eram músicas de Natal em ritmo de calipso, no outro eram ninfas e pastores, as férias de Flora, e eu chegava até mesmo a imaginar alguém chamado Flora fazendo as malas para sair de férias, quando cantávamos "Estas são as férias de Flora".*

    Rá!, Michael torna a dizer, como se tudo fosse uma grande piada só para os íntimos. Amber está apoiada num cotovelo sobre a mesa. Boceja sem cobrir a boca. Sua mãe = passarinho que o sol cegou e fez esquecer que continua numa gaiola.

    Faz Magnus sentir algo, pensar assim. O sentimento é equivalente a uma espécie de pena. Também sente essa pena, embora não saiba por quê, de Michael, inclinado para a frente, na cadeira, despetalando a pequena flor da salada com tamanho cuidado. Sente pena de Astrid, sentada ao lado dele, perdida. Mas ela não está nem um pouco perdida — está bem ali do lado.

Não há nada de errado com ela. Mas algo parece estar perdido. Magnus não sabe explicar.

Põe um pedaço de pão na boca. Como gostaria de poder pôr uma pedra ou coisa parecida na boca, algo que não se dissolvesse, apenas, que não se alterasse só porque os sucos digestivos dos seres humanos a tudo apodrecem, algo em que pudesse se concentrar sem que esse algo mudasse. Mas pedra = Sociedade Lapidária = a dor o diminui, irrompe dele gigantesca, tão grande quanto o quê? quanto um farol numa rocha com um facho de luz que pega todos à mesa. Magnus tem de desviar os olhos por causa do que ele ilumina.

A mãe = estilhaçada. Há qualquer coisa estilhaçada na forma como ela diz o que diz, no jeito como se debruça à frente, tão alegrinha, na mesa, dizendo *está uma noite tão agradável, foi um dia tão agradável, o jantar está tão agradável*. Michael = quê? Os óculos estão enviesados. O corpo, num ângulo desajeitado. Ele parece ultrapassado. Parece um modelo Airfix montado por um garoto que não se concentrou como devia, tanto que uma asa grudou meio de banda, uma roda recebeu cola demais e acabou fora do esquadro das outras; bolotas tolas de excesso de cola espalhadas por todos os lugares errados.

Magnus dá uma olhada em Astrid.

Ela olha de volta para ele, bem nos olhos.

O quê?, ela diz.

Astrid não está estilhaçada por completo, não ainda. Mas se o vidro de uma janela pudesse atirar um tijolo em si mesmo, para se testar, eis o que Astrid faria, ela se despedaçaria, acha Magnus, depois testaria quão afiada tinha ficado usando os próprios estilhaços em si mesma. Todo mundo sentado a esta mesa está estilhaçado em cacos que não se juntam, cacos que não têm nada a ver uns com os outros, como se tivessem saído de quebra-cabeças diferentes e sido postos numa mesma caixa por

algum vendedor avoado de uma loja de caridade, ou seja lá qual for o lugar onde vão morrer os velhos quebra-cabeças. Só que quebra-cabeças não morrem.
    O estômago de Magnus começa a doer para valer.
    O quê?, Astrid continua dizendo, fazendo uma careta para ele. O quê? o quê? o quê? o quê? o quê? o quê? o quê? o quê? o quê? o quê? o quê? o quê?
    Astrid, diz Eve.
    O quê? diz Astrid.
    Amber ri. Eve também. Pare com isso, ela diz.
    Pare com o quê?, Astrid diz.
    Todos riem, exceto Astrid.
    Eu não fiz absolutamente nada, se alguém estiver minimamente interessado em saber, Astrid diz. Ele é que ficou olhando gozado para mim.
    De um jeito gozado, Astrid, diz Eve.
    O quê?, Astrid diz.
    Olhando de um jeito gozado para mim, diz Eve.
    Não estou, *não*, diz Astrid. Foi *ele* que ficou olhando para mim.
    Não, não *para mim*, estou corrigindo seu jeito de falar, diz Eve. Você disse: olhando gozado para mim. Você deveria ter dito: olhando de um jeito gozado para mim. Pergunte ao Michael.
    Amber coloca a palma da mão no topo da cabeça de Astrid, depois torna a tirar. Astrid afunda de volta na cadeira, gira os olhos, suspira. É a Amber que faz que as coisas fiquem bem. Se ela também for uma peça do quebra-cabeça espatifado, Magnus acha então que ela será um bloco ainda inteiriço de peças, um naco de céu azul. Talvez seja um céu inteiro que conseguiu sobreviver.
    Idioma, diz Michael de repente, como se fosse um louco, erguendo os olhos da flor que tem na ponta do dedo. Dá de

ombros. Ático, ele diz. Dá de ombros de novo. Amber sorri um sorriso enviesado para Magnus, por cima da mesa, de modo que não dá para não pensar naquela boca de lábios partidos se movendo por cima dele, perto dos olhos, depois na própria boca, também aberta, completamente aberta, espantado com o que o resto de si faz lá por baixo, enfiado e quente bem dentro dela.

Você está quieto demais, Santo. Em que está pensando? Amber diz para ele, por cima da mesa. (Na frente de todo mundo.)

Nada, diz Magnus.

E o que exatamente você estava pensando a respeito dele?, diz Amber.

A respeito do quê?, diz Magnus.

Do nada, diz Amber.

Todo mundo dá risada.

Não, diz Magnus. Eu estava pensando, hã, num farol. Se você quisesse, por exemplo. Eu estava tentando calcular, medir a área interna total em metros cúbicos seria realmente muito difícil por causa das mudanças de tamanho dele à medida que você vai, hã, entrando cada vez mais lá dentro.

Magnus ficou muito, mas muito, vermelho mesmo, diz Astrid.

Meu Deus, é mesmo, querido, diz a mãe, abanando a cabeça. Está doendo? Dá um pulo lá em cima, Astrid, pega a loção pós-sol. Está na minha bolsinha de toalete.

Não, diz Magnus. Eu estou bem.

Pois eu acho que você devia usar um pouco esta noite, diz Eve.

Eu estou bem, já disse, responde Magnus.

Parece muito sensível, ela diz. Você está usando algum bloqueador?

Amber olha direto para Magnus, ergue uma sobrancelha. Ri alto. Magnus não consegue não rir. Ri também. Na frente de todo mundo, e ninguém ainda pescou nada, ninguém sabe de nada, ninguém nem começou a desconfiar. De qualquer maneira, todos começam a rir junto com os dois, apesar de tudo. Riem como uma família, todo mundo rindo junto de alguma coisa.

Amber = o quê?
O Teorema da Curva de Jordan. Toda curva simples fechada tem um interior, bem como um exterior. Os seios nus de Amber, balançando acima de sua cabeça, eram duas perfeitas curvas em sino. Ela é um toro. Dentro dela, o espaço é curvo.
Era de tardezinha. Ele saiu do quarto. Amber assobiava, parada no hall de cima, olhando para o teto como se fosse algum tipo de especialista em construção, daqueles que aparecem em programas de televisão.
Espere aqui, ela disse. Não saia daqui.
Ela foi buscar um pau, no jardim, para baixar a alavanca e abrir a portinhola do sótão. Depois lhe fez escadinha para subir. Em seguida trepou na balaustrada do hall para ir atrás dele. Ele se debruçou e ajudou a puxá-la. O chão é de tábuas nuas, lá em cima, sem sinteco. Há uma pequena clarabóia, preta de sujeira antiga. Há um bocado de coisas guardadas em caixas, um bocado de poeira. Faz ainda mais calor que no resto da casa. Amber limpou as mãos no short, agachou-se no chão por um instante, olhou direto para ele. Que acha daqui?, ela disse. Ele não sabia o que ela queria dizer com isso. Não sabia o que deveria responder de volta. Enquanto tentava pensar em algo, ela desceu de novo pela portinhola do sótão.
Ele reparou no baque que o coração sentiu. Ela ter ido embora dava a impressão de que Magnus fizera algo errado. Mas logo Amber apareceu debaixo da portinhola de novo, com uma espécie de colcha ou cobertor que havia pegado num dos quartos.

Estava bem em forma, para alguém da idade dela. Equilibrou-se de novo na balaustrada, estendeu a mão para ele. Alçou-se descalça para o sótão. Fechou de novo a portinhola com o pé. Endireitou-se. Olhou em volta, ainda segurando a mão dele.

Aqui serve, ela disse.

Escuro, ele disse.

Ela largou de sua mão. E aí tirou a camiseta. Os bicos dos seios dela eram brancos, em volta dos mamilos. Tirou o short. Postulado paralelo. X incalculável. Ela pegou na mão dele de novo. Colocou-a em sua coxa, depois um pouco mais acima. Ponto de contato. Abriu o cinto dele. O cinto saltou, formando uma curva parabólica (grosso modo, $y = x$ ao quadrado). Ela o apertou. Saltou fora, como se de um lugar.

Então ela disse: deite aqui.

Múltiplo = agregado.

Agregado = formado por partes que compõem um todo.

Infinito = sem cessar.

Uma seqüência que se repete a intervalos regulares, uma vez, de novo, e de novo, e de novo = periódico.

Ponto de interseção. Ela o fez se deitar de costas, ficou perpendicular a ele, em ângulo reto. Ela se somou a ele.

A linha passando dos olhos de Amber para os dele, num determinado momento, tinha o mais inacreditavelmente lindo gradiente deste mundo.

Dentro dela era o mesmo que estar dentro de uma luva de boxe, ou de um quarto feito de almofadas, ou de asas. Magnus explodiu num bilhão de minúsculas penas brancas.

O cheiro do verão quente no sótão, o cheiro deles dois, grudados por um suor espantoso. A inclinação dela debruçada nele, depois, rindo junto a sua orelha. A inclinação de todo o seu corpo, quando anda, quando fala, quando senta sem dizer nada,

sorri para ele, do outro lado da mesa, ao jantar, sem que ninguém mais saiba. Suas ocultas curvas milagrosas.
    Amber = anjo.

    Eles fazem sexo no sótão mais três vezes. Por duas vezes, quando a casa está muito cheia de gente, fazem sexo rápido (e um tanto penoso) no jardim, atrás da moita. Uma vez, Amber vem até o quarto de Magnus, depois de todos terem ido dormir. Essa foi uma das melhores.
    É inacreditável.
    O quanto tudo é molhado é meio chocante. Magnus não fazia idéia. Também sempre fica um pouco chocado, por mais que veja, com o fato de Amber ter pêlos daquele jeito lá embaixo. Simplesmente nunca lhe ocorrera pensar que as mulheres teriam. Claro que era óbvio, pensando melhor a respeito. Claro que têm. Provavelmente tiram tudo com produtos especiais para remoção de pêlos antes de entrar na internet, de tirar fotos ou de ser filmadas. Ou talvez, como os meninos, como os homens, algumas têm, outras não. Talvez as mulheres mais velhas tenham. Olha para a mãe, que atravessa o jardim. Se pergunta se ela tira, ou se não tem, ou se tem um monte. Se pergunta qual a área em centímetros quadrados. Depois tem de piscar um bocado, mal consegue pensar direito.
    Vou levar o são Magnus para dar uma volta no centro, Amber anuncia a Eve. Vamos ficar fora coisa de uma hora, tempo suficiente para seduzi-lo sexualmente e trazê-lo de volta são e salvo. Tudo bem?
    Magnus sente todo o sangue lhe fugir do rosto. Quando consegue escutar de novo, ouve Eve, e Astrid também, rindo como se achassem a piada hilariante.

Vamos ser razoavelmente discretos, Amber está dizendo. Não vamos assustar a boa gente da aldeia, não desta vez, de todo modo. Não é verdade?

Mmfgm, diz Magnus, olhando para o chão.

Eu posso ir também?, Astrid pergunta.

Não, diz Amber. Mas, se você se comportar direitinho hoje, amanhã a gente sai para furtar algumas coisas nas lojas.

Façam um bom passeio, diz Eve, sem erguer os olhos, quando eles se afastam. Não vão muito longe.

Amber = gênio, pensa Magnus. Amber = gênio ao quadrado por ter a idéia de encontrar um homem no meio do vilarejo que tem a chave da igreja. Quando vai a Londres, uma outra ocasião, faz uma cópia dela. Isso é gênio elevado ao cubo.

Eles vão lá na maior parte dos dias, depois disso. Não são perturbados uma única vez.

Por que você está sempre usando esse cronômetro?, ele pergunta a Amber uma tarde, na igreja. Amber, ajoelhada no chão, entre suas pernas, acabou de pôr a pontinha dele na boca, induzindo-o a sair de si outra vez. Foi nesse momento que viu a faísca do braço com aquele relógio que sempre marca sete horas, não importa que horas sejam na verdade. Por exemplo, são umas cinco horas, agora.

Amber encosta no banco de trás, afasta o cabelo do rosto com a mão.

Preciso ficar de olho no tempo, ela diz.

Certo, mas o relógio está sempre marcando a hora errada, diz Magnus.

Isso é o que você pensa, diz Amber.

Depois, com a mão que usa o relógio, ela o pega lá. O que faz a seguir apaga totalmente o tempo de sua mente.

O tempo não é nada numa hora dessas.

Depois, sentam na praça do vilarejo, no banco do vilarejo.

As pessoas passam. Amber diz olá para todas. Todas respondem olá, como se a conhecessem. Todas sorriem. São o *pessoar*.

Magnus não conta a Amber que esse é o nome que sua família dá aos moradores dali. Por algum motivo, Eve nunca se mostra grosseira em relação à cidadezinha, nem Michael, pelo menos não na frente de Amber.

Olha só como são compridas as sombras deles, diz Amber, quando passam dois ciclistas. Ela acena para os dois. Eles acenam de volta. Magnus observa sombras balançando braços em ângulos estranhos na superfície da rua.

As pessoas nada mais são do que sombras, ele diz.

Pra mim, você não é sombra porra nenhuma, diz Amber. Ou, se for, então esta sombra aqui bem que gosta, mesmo que seja tudo o que eu sou, apenas uma sombra.

Magnus está sem graça porque talvez tenha ofendido Amber. Mas ela não parece nem um pouco ofendida. Não, o que acontece, como sempre, com ela, é uma forma surpreendente de ver as coisas de um ângulo diferente. O que lhe dá coragem momentânea.

Está sempre escurecendo quando está claro, ele diz. Quer dizer, quando não é para estar escuro.

É mesmo?, diz Amber.

Ela pensa a respeito.

Persistência de visão, diz ela. Você deve ter visto algo tão escuro que continua afetando sua visão, mesmo que não esteja mais olhando diretamente para lá.

Mas como? diz Magnus.

Exatamente da mesma forma que ocorreria se você visse algo brilhante demais, diz ela. Meu Deus, você é bem burro para alguém supostamente tão inteligente.

Magnus se endireita. (Situação = luz possível bem como escuro possível.) Passa uma velha senhora.

Como vai a senhora, hoje?, diz Amber. Calor, não é mesmo?

Muito calor demais mesmo, diz a velha senhora. O ruibarbo morreu. Os alhos-porós morreram. Os gerânios morreram. Os gramados estão todos mortos. Culpa do calor. Você é uma boa moça, não é mesmo, sempre na igreja, todos os dias, ele também, sempre lá com você. É muito bom ver isso.

Ah, não sou eu, não, é ele que me faz ir, diz Amber. Ele é um santo, sabia?

Você é um bom menino, muito bom menino, diz a velha senhora para Magnus. Não tem muito rapaz que vá assim todo dia à igreja nas férias, quando o tempo é todo deles. Um dia você ainda vai dar um bom marido para alguém.

E onde está o seu marido, hoje?, Amber pergunta.

Ah, sim, o meu marido, ele morreu, meu bem, diz a velha senhora. Eu tive um, eu tive um durante cinqüenta e seis anos, e ele até que foi um bom homem, enquanto esteve por aqui, mas agora está morto.

Amber espera até que a velha senhora tenha se afastado o suficiente antes de se virar para Magnus.

Culpa do calor, diz ela no ouvido dele.

Amber = anjo, se bem que não exatamente do jeito como Magnus pensou a princípio, quando a viu toda iluminada aquela primeira vez, no banheiro, ele de pé na lateral da banheira.

Ela o pegou na hora em que ele desceu. Ela o firmou no chão. Ela o pôs sentado na borda da banheira. Olhou para cima, para a manga da camisa balançando acima deles, a manga da camisa amarrada na viga. Depois desabotoou o short e sentou na privada. Estava urinando. Os anjos urinam? Ele desviou a vista, fechou os olhos. Fazia um barulhão danado. Quando abriu os olhos de novo, ela estava abotoando o short.

    Você é muito educado, disse ela.
    E apertou o botão da descarga.
    E bem que está precisando de um banho, sabia?, ela disse.
    E abriu as torneiras. A água jorrou da boca do chuveiro.
    Levanta, ela disse.
    E desabotoou o botão do jeans.
    Por onde foi que andou? Pelo rio?
    Ela sabia de tudo. Ele virou-se de costas. Ela puxou o jeans molhado para baixo. Ele saiu de dentro do jeans para o chão. Quando sentou na banheira, sentou de costas. Ela puxou a ducha até ele. Molhou-o inteiro. Depois ensaboou suas costas, o peito, o pescoço, em seguida pôs a mão lá por baixo, ensaboou em volta do saco, à volta toda do pinto. Ele sentiu vergonha de si mesmo quando ela fez isso.

    Ela regulou as torneiras, enxaguou com uma água mais quente. Depois ensaboou o cabelo dele e enxaguou. Fechou as torneiras. Ele se levantou. Tremia. Ela lhe estendeu uma toalha. Enquanto ele se secava, de costas, ela subiu na lateral da banheira, estendeu o braço, desamarrou a camisa da viga de madeira. Saltou para o chão. Era tão leve. Levou a camisa até o nariz, depois a torceu nas mãos e dobrou junto com a calça numa trouxa úmida que colocou nos braços dele.

    Quem sabe uma roupa limpa, ela disse.

    Estava sentada no último degrau, esperando por ele, quando abriu a porta de novo, limpo e de roupa limpa, para ver se ela continuava ali ou se, como suspeitava, fora puro fruto de sua imaginação.

A televisão está cheia de notícias sobre os filhos mortos de Saddam. Mortos pelos americanos durante um tiroteio, faz alguns dias. A televisão mostra as fotos deles de novo, as que foram tiradas logo depois da matança. Em seguida mostra as fotos que os americanos tiraram depois de eles terem sido barbeados para ficar mais parecidos com o que deveriam ser, para ficar como eram quando se podia reconhecê-los. As fotos tiradas depois de feita a barba provam que são obviamente filhos dele.

Este é um momento decisivo, diz a televisão. Isso quebrou a espinha da resistência e a guerra estará terminada em questão de poucos dias mais.

Magnus olha as fotos dos rostos mortos na tela. Eles eram tiranos = tudo quanto é tipo de tortura, estupro, matanças sistemáticas ou aleatórias. Um ser humano típico contém cerca de cem bilhões de neurônios. Um ser humano = uma célula que se divide em dois, depois em quatro, então etc. e tal. É tudo sempre uma questão de multiplicação ou divisão.

As pessoas na televisão falam interminavelmente. Depois da conversa sobre os mortos, vem a conversa sobre a popularidade do governo segundo pesquisa feita por telefone pelo próprio canal de televisão, em seguida uma reportagem sobre a atual estratificação política da classe média inglesa, mudanças de opinião depois das mortes. Eles dizem muito médio e intermediário. Apoio entre a classe média. Não há campo intermediário. Agora as outras notícias: mais distúrbios no Oriente Médio. Magnus pensa na região média de Amber, em sua cintura, seu abdômen, no cheiro que tem fazer com ela, cheiro de cera derretendo em fruta aquecida, no gosto que têm os beijos, gosto de aquário.

De modo que, como qualquer um que se considerava prafrentex nos badalados anos 60 poderá lhe garantir, sem medo de errar, dizia a locutora na televisão, você ainda pode se sentir na crista da onda com seus badalados sessenta anos porque o que era considerado meia-idade é hoje quase irreconhecivelmente jovem!

Uma foto de Mick Jagger aparece na tela da televisão. Sessenta anos bem badalados, diz a legenda.

Magnus se remexe, inquieto, no sofá. Levanta-se, aperta o controle remoto. A televisão é obediente, desliga. A sala, contudo, continua estalando sozinha à volta toda.

Caminha até o vilarejo. Quando chega lá, dá uma volta completa por ele, para ver quanto tempo leva.

Leva catorze minutos.

Dá a volta na igreja trancada.

A lojinha, onde também funciona o correio, está fechada. As persianas estão baixadas.

No caminho de volta para casa, pára em frente a uma construção comprida. Tem a sensação de já ter estado ali antes. Depois se lembra com toda a nitidez: está encostado numa parede; tentando vomitar; um homem vem saindo de lá de dentro; o homem está bravo; grita com ele, e o ajuda a se pôr de pé, com gestos bruscos; tem gente olhando para ele pela janela.

Magnus salta o muro baixo que cerca a construção e entra no estacionamento vazio. Vendo de frente, percebe que se trata de um salão de bingo daqueles antigos. É uma das maiores construções do lugar, sem contar as casas. Deve ter sido importante na vida da cidadezinha, em determinada altura, embora agora esteja com um ar bem dilapidado.

Há dois pintores trabalhando na parte externa. Estão pintando de uma cor ainda mais branca. Há um forte cheiro de tinta e, por trás dele, cheiro de comida. A construção dá a impressão de ser um restaurante, coisa assim. Não é à toa que o homem saiu gritando com ele, estava vomitando diante do restaurante dele, bem na frente das pessoas que jantavam.

Magnus se lembra de si mesmo naquela noite, um garoto estilhaçado no chão.

A mãe, estilhaçada. Michael, estilhaçado. O pai de Magnus, o pai de verdade, tão estilhaçado e distante do formato das coisas que, se passasse por ele, seu filho, ali sentado no ponto de ônibus caquético do vilarejo, bem agora, neste momento, Magnus não o reconheceria. E não seria reconhecido. Todos estilhaçados. O dono do restaurante, um homem estilhaçado. Magnus lembra de seus gritos. Aqueles dois pintores, também estilhaçados, se bem que nem sempre dá para dizer assim só de olhar. Mas devem estar, uma vez que Magnus sabe que todo mundo no mundo inteiro está. As pessoas falando em todos os milhões de televisores deste mundo estão todas estilhaçadas, embora pareçam até que bem inteiras. Os tiranos estão tão estilhaçados quanto os que por eles são estilhaçados. As pessoas levando tiros, sendo bombardeadas ou queimadas estão estilhaçadas. As pessoas que dão os tiros, bombardeiam ou queimam também estão. Todas as garotas da web, o tempo todo sendo estilhaçadas nas salas de aspecto mundano da internet. Todos aqueles que discam para elas, para dar uma espiada nelas, também estão estilhaçados. Não importa. Todos aqueles que sabem, neste mundo, todos aqueles que não sabem, neste mundo. É tudo uma espécie de quebra, o saber, o não-saber.

Amber está estilhaçada, um lindo pedaço reluzente de algo que se estilhaçou no leito do mar e que por milagre veio dar à mesma praia onde ele está.

Uma mulher passa de carro por ele. Olha. É espantoso o tanto de mulheres mais velhas que viram a cabeça para olhá-lo. Sente um orgulho momentâneo porque sabe o que fazer, porque Amber o ensinou a fazer.

Mas depois se dá conta de que foi só a faxineira que

trabalha para eles, na casa alugada. Estava olhando para ele porque o reconheceu.

Ele já a viu algumas vezes, espirrando produtos químicos na madeira, esfregando o tampo do aparador com um pano descartável com aroma de limão.

Eu estilhacei uma pessoa, Magnus diz para Amber naquele fim de tarde, quando estão na igreja.
E daí?, ela diz. E?
Ela diz isso com doçura. Abre o cinto dele.

Daí que.
É um outro fim de tarde. As sombras lá fora encompridaram. Estão todos na sala de estar. Amber está fazendo algo com o joelho da mãe dele. Sua mãe passa a ela informações sobre o impressionista francês Edgar Degas. Magnus não entende por que a mãe tem essa necessidade de ficar contando coisas a Amber, como se ela já não soubesse, como se fosse uma burra, ou não tivesse instrução. Michael é a mesma coisa, sempre citando coisas, como se fossem instrutivas para ela. Amber sabe tudo quanto é tipo de coisa a respeito de quase tudo. São poucas as coisas que ela não sabe. Ele e Amber já conversaram sobre a luz ser em parte partícula, em parte estrutura de onda, sobre o tempo que está se curvando e se acelerando, tanto assim que os minutos estão ficando mais curtos, se bem que a gente não repare nisso porque ainda não sabemos como. Amber conhece os egípcios, os minóicos, os etruscos, os astecas, tudo. Entende de eletrônica de carro, de radiação solar, do ciclo do dióxido de carbono, sabe coisas de filosofia. É uma especialista naquelas vespas que injetam

noutros insetos um líquido paralisante, para que as próprias larvas possam se alimentar de algo ainda vivo. Conhece arte, livros, filmes estrangeiros. Falou um tempão, numa tarde lá no sótão, sobre um dramaturgo irlandês que tinha alugado um quarto, na casa de uma família, e que ficava escutando pelas frestas do assoalho o que diziam as pessoas lá embaixo, na cozinha, para poder colocar em suas peças o mesmo tipo de fala que elas usavam.

Bem neste momento, Amber está ajoelhada no chão, na frente de sua mãe, enquanto a mãe discorre, não só para ela, mas para a sala inteira, como se a sala nunca tivesse ouvido falar em impressionismo francês, sobre a beleza dos cavalos esculpidos por Degas, sobre a vivacidade de suas bailarinas. Está explicando que, quando Degas morreu, deixou instruções para que suas esculturas — na maioria feitas de argila, mas em alguns casos também com cabos de pincéis, e até mesmo com a banha da cozinha do próprio Degas — não fossem, em circunstância nenhuma, moldadas em bronze. Ele queria que apodrecessem. Queria, diz a mãe, que tivessem um ciclo de vida. Mas, depois que Degas morreu, seu agente ignorou suas instruções. E mandou que todas elas fossem moldadas em bronze. A mãe está tentando provocar um debate sobre se essa atitude foi moralmente certa ou errada. Amber, nesse meio-tempo, massageia delicadamente o joelho da mãe de Magnus, em círculos no sentido horário.

360 graus é o número total de graus numa revolução porque os pastores, que foram os primeiros astrônomos, acreditavam que o ano tinha 360 dias ao todo.

Caso contrário, a grande verdade é que nós não teríamos mais nenhuma escultura dele, a mãe está dizendo. O mundo teria perdido uma grande manifestação artística, se o agente não tivesse sido tão ganancioso.

Magnus observa a mão de Amber. 360. 360. 360.
Seu pinto se mexe.
Ela pára com os círculos. Começa a apertar pontos abaixo da rótula de sua mãe.
Melhorou agora?, diz.
A mãe faz que sim com a cabeça, sem muita certeza.
De repente, uma onda de amor pela mãe, vinda de parte nenhuma, toma conta de Magnus, e também pela irmã sonolenta que acompanha tudo do sofá, por Michael, à mesa, farfalhando o jornal. Ele ama até Michael. O Michael é legal. No mesmo momento, compreende que se porventura vier à tona que ele é capaz de sentimentos, as coisas vão se esfacelar, a sala inteira irá se desintegrar, como se detonada.
Existem coisas que não podem ser ditas porque é muito duro ter de conhecê-las. Existem coisas das quais não se pode escapar, depois de conhecê-las. É muito complicado, conhecer seja o que for. É como a obsessão da mãe pelas coisas nojentas que aconteceram com os outros; todos aqueles livros sobre o Holocausto que ela tem empilhados no seu escritório, em casa. Sim, será que dá para ser normal de novo? Será que dá para não saber de novo?
Por exemplo. Será que sua mãe é inocente porque não sabe o que ele anda fazendo com Amber toda tarde, na igreja? Será que Astrid é inocente por causa disso? E Michael? Que tipo de inocência é essa? Será um tipo bom de inocência? Então é isso, a inocência, apenas não saber a respeito de algo? Para darmos um exemplo extremo. Será inocência, tomada no sentido de um estado de pureza ou coisa parecida, simplesmente não saber o que aconteceu com toda aquela gente no Holocausto? Ou será apenas ingenuidade, estupidez? De que serve esse tipo de inocência, na verdade?
No entender de Magnus, não serve para absolutamente

nada, a menos que um esteja querendo se sentir mais poderoso que o outro, porque sabe algo que o outro desconhece.

Será que é possível voltar a ser inocente? Porque lá em cima no sótão, com Amber, ou então debaixo do velho teto de madeira da igreja, respirando o ar empoeirado em goles rápidos — seguro, feito, endireitado e depois entortado por ela —, Magnus mal consegue acreditar que é possível se sentir tão bem, tão limpo de novo, mesmo depois dos horrores que conhece de si mesmo, mesmo que, supostamente, nada do que Amber está fazendo, ou do que ele está fazendo, ou do que ambos estão fazendo juntos, seja inocente. Na verdade, é bem o oposto.

Como ele gostaria que todos eles, todas as pessoas desta sala, soubessem tudo sobre ele. Uma das piores coisas a esse respeito é eles não saberem.

Mas um dos motivos para que a sala continue inteira, mesmo estilhaçada desse jeito, é eles não saberem.

Lá está a mãe, contando coisas a Amber. Lá está Amber, não escutando, 360-ndo o joelho dela. Alguma coisa em Amber, no centro, feito um eixo, é o que os mantém inteiros, bem neste momento, nesta sala, é o que mantém as coisas girando em seu curso, que impede que tudo se fragmente numa explosão de nada que se estilhaça até os confins do universo conhecido.

Amber é impiedosa com Astrid. É inacreditavelmente rude com Michael. *Eu estou cagando para o que você pensa dos livros*. Acha sua mãe um tédio e não faz o menor esforço para esconder o que pensa. Hã-hã. Então: Astrid está fascinada. Michael parece cada vez mais decidido. A mãe se esforça ainda mais para desencavar coisas "interessantes" para dizer. É como uma demonstração de gravidade magnética. É como observar o funcionamento do sistema solar.

No que diz respeito ao próprio Magnus, Amber = verdade.

Amber = tudo que nem sequer podia imaginar ser possível para si mesmo. Poderá se lembrar disso a vida toda, de perder a virgindade e aprender tudo com uma mulher mais velha; o tipo de coisa que aconteceria a um rapaz num romance clássico ou coisa parecida, mas que está acontecendo com ele, o tipo de coisa que ele poderá contar a alguém, com uma cerveja do lado, num *pub* tranqüilo, debruçado sobre o balcão, falando baixo, comovido com a lembrança, quando for bem mais velho, já homem, com vinte e tantos anos, quem sabe uns trinta.

Magnus toma o trem para Norwich. De lá, toma o trem para a cidade que tem a universidade na qual em determinada época ele deveria estar pensando em entrar.
Pede ao motorista do táxi que o leve da estação à biblioteca. Mas a biblioteca para onde o táxi o leva, talvez por engano, ou talvez porque tenha cara de estudante, é a biblioteca principal da universidade, na qual, por não ser membro, não pode entrar. O cara em frente aos computadores, no balcão do saguão colossal, que cheira a ceras extravagantes, trata Magnus como um imbecil, por desconhecer a proibição. Bem, é razoável. Só um imbecil esperaria alguma coisa.
A cidade é tão linda, por toda parte turistas gravando tudo em vídeo. Ele volta até o centro por uma linda ponte lotada de turistas. Observa-os gravando em vídeo as belas paredes amareladas, as fachadas de faculdades nas quais em determinada época deveria estar pensando em entrar. Quando chega ao mercado da cidade, uma garota com um aspecto rude, vendendo chapéus numa banca, lhe indica a outra biblioteca, a pública, atrás de vários edifícios com jeito de municipais, ao lado de um prédio de estacionamento.

A biblioteca pública tem um cheiro desconcertante de gente. Até a escada cheira a gente. O único livro que lhe é útil, na seção de Livros de Referência da biblioteca, lotada de gente que não é membro (gente velha, gente com cara de pobre, gente com cara de desempregada, gente com cara de estrangeiro) esperando para usar os poucos computadores, é o *Dicionário de santos* da Penguin. *Magnus de Órcade, M. em Egilsay, 1116, f. d.16 de abril. Este Magnus era filho de Erling, um dos regentes das ilhas Órcades. Quando o rei Magno "dos pés nus" da Noruega invadiu as Órcades, Magnus Erlingsson refugiou-se no castelo de Malcolm III da Escócia e teria vivido um tempo na casa de um bispo. Após a morte de Magno "dos pés nus", regressou às ilhas Órcades, das quais seu primo Haakon havia se apossado; acabou sendo traído e morto por Haakon numa ilha chamada Egilsay. Magnus foi enterrado na catedral de Kirkwall, dedicada a ele, e há outras igrejas que levam seu nome; foi assim honrado devido a sua reputação de homem bom e virtuoso, mas parece não haver motivo para ter sido considerado um mártir. Existem vários outros santos que têm o nome Magnus, quase todos mártires, mas pouco se sabe a respeito deles.*

Magnus lê o trecho de novo, mas não porque queira aprender a história, que de toda forma não rende muito, o que aliás é meio irritante, depois de ele ter ido até lá com o propósito específico de desvendá-la. Em vez disso, ele desvenda, ele fica totalmente fascinado por uma única palavra. A palavra é: e.

Bom *e* virtuoso.

E há outras igrejas que levam seu nome.

E teria vivido.

É uma palavra tão simples, tão crucial.

Folheia o livro dos santos, deixando que o olho descanse em frases ao acaso.

Apenas o nome de algumas pessoas e lugares sobreviveu. Era de esperar que os milagres fossem atribuídos a ele, e sua reputação de milagreiro aumentou dali em diante. Ela fez uma fogueira pública com suas roupas e jóias e foi em seguida levada para um convento. Num lugar chamado Dokkum ele e seus companheiros foram traídos pelo pagão Frieslander e foram passados a fio de espada. Mas não se pode confiar na história de que foi denunciada como cristã por um pretendente rejeitado e milagrosamente salva de ser levada a um bordel e de morrer na fogueira. Essa história, que obteve imensa popularidade, só começou a circular depois do século VII e não há nada que indique que tenha fundamentos na realidade.

Do lado de fora da biblioteca, operários estão quebrando a superfície da rua com uma britadeira pneumática. Dentro da biblioteca, gente que não é membro dela continua na fila para usar os computadores.

Dentro da biblioteca, gente que não é membro dela continua na fila e do lado de fora da biblioteca operários usam a pura pressão do ar para quebrar pedra ou o macadame.

Ar e pedra! A palavra e é uma pequena cápsula de oxigênio. E Magnus, que foi até essa douta cidade para se informar sobre seu xará, para pesquisar o apelido que recebeu de uma mui experiente mulher mais velha que passa seu verão seduzindo-o todas as tardes nos bancos de madeira de uma antiga igreja, e o nome cristão que lhe foi dado originalmente por um pai de quem mal se lembra, e para quem ele no fundo está cagando (embora sua irmã caçula sinta com muito mais força e emoção a falta de conexão entre eles), de repente se sente eufórico, respirando de novo a plenos pulmões, como se tivesse ficado um tempão encalacrado num espaço pequeno, escuro e sufocante que não era grande o bastante para um reconhecimento adequado de uma pequena palavra.

E?
E, Magnus diz em voz alta.

Deve ter dito isso em voz um pouco alta demais, porque algumas pessoas na fila se viram para olhar. O sujeito no computador mais próximo olha fixo para ele. Uma bibliotecária à escrivaninha ergue a cabeça, como se temendo que Magnus possa se tornar um problema.

Magnus fecha o livro e olha a bibliotecária no olho. Pergunta-se se ela estaria a fim dele. Pergunta-se como seria ela na cama. O primeiro computador do mundo, ele diz consigo mesmo, enquanto deixa a biblioteca, foi inventado por Pascal por volta de 1640, e olhe que Pascal não tinha nem vinte anos de idade!

Magnus segue radiante até a estação, pelas ruas da radiante cidade. No caminho, pára a fim de respirar, para absorver o ar de verão, mas apenas por alguns instantes, porque, se parar por muito mais que alguns instantes, não vai conseguir pegar Amber na igreja, mais tarde. Isso se ela estiver lá. Isso se ela aparecer. Talvez pare um pouco mais, na verdade, talvez fique ali parado mais algum tempo. Talvez perca o trem. Talvez Amber fique esperando na igreja e seja Magnus quem não vai aparecer hoje.

Ele parou ao lado de uma árvore plantada na frente de algumas lojas. Nada mais que uma árvore qualquer. Uma árvore qualquer e Magnus. Suas folhas, Magnus comenta com seus botões, estão ligadas a seus ramos, que estão ligados a seus galhos, que estão ligados a seus galhos maiores, que estão ligados a seu tronco, e seu tronco está ligado a suas raízes, e suas raízes ao chão. Sua espécie está ligada a outros integrantes de sua espécie e a outras árvores aparentadas pela espécie e às outras árvores em virtude de ser uma árvore e a outras plantas e seres vivos em virtude de serem coisas que reagem à fotossíntese = todo alimento, fóssil, combustíveis tanto no passado como no presente: e se há um passado e um presente, então é muito provável (e decididamente possível) que haja um futuro, e a noção de um futuro e de Magnus e de tudo.

Chove de verdade. Eles escutam o barulho que a chuva faz no telhado da igreja. Magnus está contando a Amber o que Wittgenstein disse a respeito da chuva, que não fazia sentido tentar contar as gotas e que a resposta correta à pergunta de quantas seriam não é um número exato, e sim muitas. Em matemática, Magnus explica, a correção é às vezes relativa. Uma parcela de erro é tolerável. Não é o mesmo que cometer um erro.

Certo, diz Amber. E, se não me falha a memória, e sem risco de erro, o obsceno não é igual ao oposto sobre a hipotenusa?

Ah, sim, diz Magnus. Pode ser. Mas é seno, não obsceno.

Irrita-se por uns momentos com o fato de ela saber tanto sobre as coisas que ele sabe. E ela está sendo irônica a respeito de algo, embora não consiga atinar com o quê nem como.

Mas mexe-se de leve para ficar mais confortável em seus braços, cercado pelo cheiro bolorento da igreja, com a chuva tamborilando (admissivelmente de modo inexato) no telhado, a cabeça pousada no aroma antigo da almofada de ajoelhar, e as curvas dos tubos do pequeno órgão visíveis acima da cabeça de ambos, caso ele olhe para a esquerda, por cima de Amber, e os estropiados números de papelão, de cabeça para baixo, na parede, no respectivo porta-número, anunciando os hinos de um culto realizado sabe Deus quando, passado ou futuro, talvez passado e futuro, quem é que sabe? 7. 123. 43. 208. Ele se pergunta que hinos seriam esses. Sabe, das horas de almoço, das tardes e dos finais de tarde que Amber e ele passaram na igreja que, seja lá quem for que escolhe os hinos, deixa os números em pilhas de papelão cuidadosamente divididas em 1s e 2s e 3s e 4s e 5s e 6s e 7s e 8s e 9s e 0s, na prateleira do encosto do banco da frente. Ele conhece o gosto e o cheiro da igreja de trás para a frente, o marrom dos velhos assentos, o branco das paredes e o marrom e branco do púlpito. Ele já leu, desatento, várias e várias vezes, nas últimas duas semanas, as placas nas paredes dedicadas a reverendos mortos. Sabe, agora, por que as pessoas freqüentam a igreja. É uma simples questão de cálculo, mas é preciso acreditar. Sim, porque 0 é = quê?

Acho que eu preferia quando você era um pouco mais sombrio, Amber diz. Será que dá para sossegar um pouco o facho?

Magnus não faz idéia do que ela está querendo dizer, mas concorda, enterra a cabeça no ombro dela e continua a fazer cálculos de cabeça. 0 = entidade adicionada, de tal forma que 0 + $a = a$. Por exemplo 0 + 1 = 1, e isso é tudo que você precisa saber a respeito do 0, não o que ele significa, nem nada a seu respeito, nada além do fato de que ele responde a determinadas regras.

Sente o pensamento de Amber se distanciar. Ela se mexe fisicamente sobre ele, apressa-o. Ele olha nos olhos dela. Está no ângulo da elevação. Sente que vai ficando excitado de novo. O que significa que dali a instantes estarão fazendo de novo aquele ruído de respiração que não conseguem deixar de fazer, o ruído que ele não tinha sequer percebido ser uma palavra, a mesma palavra inspirada e expirada, várias e várias vezes:

e

e

e

no meio da mundana noite de Norfolk, Michael sentou-se na beira da cama. Eve dormia. Tudo em volta estava calmo, silencioso, enganosamente comum, profundamente prosaico — igual a uma outra noite qualquer. Mas algo estranho acontecera a tudo em volta, algo que chegou tão formado, aveludado e desdenhoso como um gato. Acontecera a reviravolta. Tudo rimava, agora. Sim, ab seguia ab, e depois o jeito de cd vir após cd, ef, gg... Porque ensinava esse tipo de coisa todo dia, sintonizou na hora, como se fosse uma freqüência de rádio:
    O mundo de Michael havia se tornado um eterno sonet(e)ar.

Desdenhoso como um gato etc. não serve para descrever o que ocorre, na verdade. Nocauteado por um peso pesado. Baleado no peito. Cirurgiões zelosos abrindo seu inconsciente feito um tórax espalmado. O coração, flor aberta, lindamente petalado, batendo, simetria. Choque, calor e arte lhe crestaram a pele toda, depois foi revestido com um novo eu e seis novos sentidos, uma nova língua que só conseguia falar em versos iâmbicos, inteligências que juravam ser tudo só sinais e poesia:
 uma jovem chamada Amber cruzou uma sala
 e tudo se tornou um poema recém-fabricado.

Amber era um fixador exótico. Amber conservava coisas que não eram para durar. Amber dava a coisas mortas havia muito uma oportunidade de viver eternamente. Amber dava a coisas aleatórias um passado. Amber — âmbar— poderia ser usada como amuleto. Os ciganos usavam o âmbar como bola de cristal. Pescadores munidos com uma rede, mais nada, enfrentavam oceanos para colhê-lo. (Amber, no hall,
    passou por Michael como se ele fosse um pedaço rijo
    e invisível de nada, como se não existisse.)
Dizem lendas greco-romanas que o mijo
    de um lince selvagem é que fez com que o âmbar surgisse.
Ele luziu, endureceu e, com o calor e o tempo, burilou-se.
E urina de gato em artefato sublime transformou-se!

Os olhos de Amber tinham com o sol alguma identidade?
Porque ele se viu de fato superexposto,
Guardou com a solarização de Man Ray uma afinidade.
Fulgurou logo depois de ser olhado. Isso posto,
depois de cintilar como um solitário pirilampo,
explodiu em fogos de artifício que traçaram
no ar o nome dela e as palavras eu amo.
Em jorros, os crescendos esporraram
labaredas nas quais ela nem reparou. Sabendo-se
tão brilhante, ela ia a tudo empanando,
que não fosse como ela igualmente estupendo.
Porque era a própria luz. Amber, no mundo caminhando,
iluminou o mundo, arrebatou o mundo e de novo o fez
e, depois dela, tudo nele se desfez.

O soneto, porém, não deve ser assim tão unívoco.
Há que envolver no mínimo o diálogo. Percebendo
que ninguém respondia, que havia um equívoco,
que não tinha com quem discutir; acabou vendo
em volta uma família que não era sua; notou, abatido,
um bocado de cor desbotada, e então, com o corpo ainda
                                                                                                 lasso,
rodou a esmo de carro, fitando um prado vazio, ressequido,
pedregoso, descorado, igualzinho a ele; sob o mormaço,
ficou vendo tudo crestar. Era tamanho cabotino.
Conhecia seus trejeitos, suas mãos, seu riso cristalino.
Percebeu que ela jamais treparia com ele.
Percebeu que ela jamais seria dele.
Ele era um cara tão banal, filosofou.
Passou de areia a vidro e estilhaçou.

Tésseras aos milhares, caco espatifado
não possível,não com juntar
de novo . Frente,lados,de lascas lascado
eu,lembrete de uma,uma janela fechar —
vidro caiu quebrado e lá olhe ! danado
nas pedras ali como se jaz maligna
descalça incauta — com um brado
hein ? o quê ? em pedaços homem,insígnia,
fragmentos,coração,trapos pele em vez de ela .
Quem ponta um conto ? estaria ele ? você —
téssera quer dizer pedaço. Como também tessela
antes feito de o trabalho, fazê-los, o quê ?
fazer juntos ? É um ? Arranja-se o melhor que pode
(negar homem apaixonado sua alma explode) .

Gato   desdenhoso   urina   artefato.
Uma   família que
                 não era   fragmentos   alma.
Enganosamente espalmado coisas mortas havia muito   negar.
Zelosos   ciganos   rodou
                  a esmo
                       em seu
                         carro,
                             fabricando sinais.
Um
   amuleto endureceu seus crescendos.
Um   vazio,   de uma
       prado   lembrete   flor.
TÃO BRILHANTE o coração abrindo
                             com um brado.
Um novo eu   p a r t i d o   arrebatou o mundo —
                             n i n g u é m .
Coração trapos frag mentos revestidos   ninguém respondia.
Profundamente
                    nova língua o fusco u pelo mundo.
Se deu conta de que não serve.
                 Um soneto lindamente batendo partiu-se.
Toda uma   ar qui   tetura   era a própria escuridão.

                 E depois dela, poema superexposto

Foda-se a poesia. Fodam-se os livros. A arte que se foda.
Foda-se Norfolk, o emprego e a mulher. Foda-se a coisa toda.
Fodam-se os adolescentes sempre fazendo farol.
Foda-se aquela moça que passou por ele no hall.
Haverá corolário para amar e foder?
Haverá corolário para dar e receber?
Haverá sentido em escrever?
Haverá sentido nos itens do rol?
Haverá impulso que acabe em empurrão?
Haverá rima que acabe em paixão?
É possível parar de suspirar?
Onde as músicas pop vão murchar?
Haverá uma moça que nunca jamais?
Haverá uma artéria que não se desfaz?
Será que o coração fode a mente de tanto se favelizar?
Será que o destino de Shakespeare é e.e. cummings virar?
Será que tudo sempre acaba num soneto ruim?
Será que Shakespeare vira Don Juan no fim?

Michael foi até o vilarejo para dar uma andada.
Era o tipo de coisa que alguém como ele faria,
uma caminhada sem pressa, desanuviada.
Tranqüilo, sereno, sem pressa, como soía.
Mas na frente da igreja teve uma surpresa danada.
Percebeu que lá dentro reinava a maior anarquia!
Era óbvio que tinha gente trepando na igreja.
Era o som de Michael largado no ora-veja.

Porém, aos ouvidos do professor Michael Smart,
o barulho era trágico, melodia sangrenta de bode.
Batata! Era isso, o canto do bode. Não foi Sartre
quem disse que tragédia é aquele que transar pode
enquanto os outros ficam na mão, ou algo destarte?
Michael cansara de ser um poeta sem pendor pra arte.
Cansara de uma língua que não tinha flexibilidade,
de palavras que dizem Tudo não passa de *crise da meia-idade*.

Michael havia se encantado com um rabo-de-saia
que um belo dia, em Norfolk, na casa deles baixou.
E não é que o amor mudou quem só pensava em gandaia?
Feito o Domo do Milênio, de esperanças ele se inflou.
Pra sossegar o facho foi trepar com a mulher, o canalha.
Mas assim como no Domo, ninguém gozou,
perderam-se na ida, do mapa o Domo ainda não constava,
e, quando chegaram lá, o espetáculo não prestava.

O amor dele por Eve era neotrabalhista, então,
era um jantar festivo, de designer, terno e gravata,
uma retórica contendo em si sua única razão.
Acreditavam um no outro, e havia uma mentira barata
morando bem no meio da espinha dorsal da relação.

Ao ver o desperdício, quase que Michael desata
no choro. Ele era indecoroso, era um país arruinado,
e nada significava aquilo que deveria ter significado.

Aturdido, tapou bem os ouvidos com a mão.
Estranhos fazendo sexo o deixavam com vontade de se afogar.
Mas voltou para casa, imperturbável, e fez uma ligação
para a terapeuta. Ela não estava. Não tinha com quem
conversar.
Deu duas voltas pelo jardim, sentindo a pressão
dos anos, depois agiu como sempre agia pra se desafogar,
pegou o carro, foi até um supermercado conhecido
e fez o possível para estacionar em local proibido.

Encheu o carrinho com o melhor em fruta,
depois vistoriou a fileira de moças no caixa,
em busca da mais provável recruta.
Optou pelas melenas cor de mel de uma muchacha
de uns quinze anos. Estava disposto a fazer uma permuta.
Ofereceu-lhe as uvas do cestinho, ali parado atrás da faixa,
como pérolas, as laranjas, como se ela fosse uma artista,
depois sorriu para ela, sedutoramente, e jogou a isca.

Ela sorriu de volta e Michael viu que ia ser moleza
convencer a jovem da própria beleza. Usou da insistência,
implorou em voz baixa, agiu com toda a delicadeza.
Mas saiu sem pagar a conta, dizendo "emergência".
No estacionamento, para evitar a multa, usou safadeza,
se disse médico. Apressado. Depois soltou a concupiscência
por quinze minutos (inteiros), até estar tudo acabado
no banco do lado. E ela foi um verdadeiro bom-bocado

e coisa e tal, tal e coisa, só que ele não sentiu nada.
A não ser que era — um lixo. Dizia "Miranda", o crachá dela.
Admirável mundo novo. Sentiu-se mal, de alma estuporada.
Entregou-lhe tudo que tinha no bolso. E era uma bela
bolada. Miranda alisou o avental, sem se dar por achada.
Feito de náilon. Como se planejado, deixou-a na viela,
perto da entrada dos funcionários. Ela abanou a mão.
Admirável mundo novo. Michael Smart, o professor safadão,

chorou durante cinco horas, a cabeça sobre o volante,
num terreno baldio qualquer, enfiado no meio do mato,
até que começou a sentir uma fominha maçante,
que o levou a querer voltar para casa de imediato,
mas não sem antes tirar o vermelho do olho lacrimejante.
No jantar, Astrid disse ter perdido a câmera. Mas o fato
é que o cabelo de Amber estava realmente glorioso.
Ela tinha um cabelo sem dúvida alguma maravilhoso.

Mais tarde, Amber virou-se para Michael: "Me empreste
algo, qualquer coisa que seja bastante manuseada,
a chave de casa ou do carro, que eu quero fazer um teste.
A chave de casa é melhor. Onde fica guardada?
Bastará eu pegá-la pra saber, de forma incontestre,
Quem você é, de verdade. Não duvide de nada".
(Michael mandou Astrid ir até o quarto, isso foi uma asneira,
para pegar a chave de casa que estava na mesinha-de-
                                                    cabeceira.)

Amber estava com o anel de Magnus na mão fechada.
Disse qualquer coisa sobre verdade e dissimulação.
Astrid não quis nem ouvir falar em ser investigada.
Amber disse que Astrid deveria era usar a visão.

Eve lhe entregou algo — Michael tinha dado uma apagada,
não sabia o que era, mas àquilo que ouviu, deu sua plena
aprovação.
Foi a vez dele. Amber levou as chaves até a perfeição do nariz
e chegou tão pertinho que Michael se sentiu infeliz.

"Você nunca vai ter aquilo que quer.
Não até descobrir o que você quer.
Você na verdade não quer o que quer.
Apenas quer o que não pode ter. E quer
cegamente. Aquilo que você acha que quer
não tem nada a ver com o que de fato quer.
Você ainda tem de descobrir o que quer
e o verdadeiro significado de querer."

Ela largou as chaves sobre a mesa. Nunca jamais.
Amber disse que Michael nunca teria aquilo que queria.
Muito esperto. Assim, passava a querê-la ainda mais.
Assim, ficava-lhe uma esperança desiludida, fantasmagoria,
o espectro de alguém não obtenível, ademais.
Mas teria, sim. Ele a teria. O que sentia era quase alegria.
Saiu jardim afora, deblaterando que só podia ser feitiçaria.
Mas não se abateu. Um dia, acabaria tendo aquilo que queria.

Meses depois, lembrou-se de que ela aprendera direitinho
o lugar das chaves da casa, depois daquela brincadeira —
ficavam na sua cabeceira. Com um olhar escarninho,
divisou aquele seu tesão com vergonha verdadeira,
e percebeu que talvez isso fosse a dica de um caminho,
uma pista começando bem ali em sua soleira,
lhe mostrando exatamente o que teria de fazer,
tão claro quanto um abecê, só que ele se recusava a ver.

no meio das trevas do medievo, ela estaria em sérios apuros com todo aquele carisma; a história era testemunha de que possuir um magnetismo tão animal quanto aquele nem sempre fora o mais seguro; em outros tempos, teria sido supliciada publicamente por isso, teria sido arrastada de forma humilhante por toda a aldeia antes de ser levada ao pelourinho, ou então teria sido acorrentada a um poste diante da igreja da praça, de cabeça raspada como aquela moça do filme de Bergman, aquele em que a morte segue um cavaleiro medieval e a praga faz todo mundo perder o juízo. (Os filmes de Bergman davam um trabalho danado. Eram lindos. Mas impenetráveis, e sombrios demais. Ela supunha que os tempos tratados por esse tipo de filme eram igualmente sombrios. E era preciso estar vivendo em tempos sombrios para produzir filmes assim. Salvo engano, esse do qual Eve se lembrou era uma alegoria em torno da paranóia pós-nuclear. E será que tempos sombrios têm como efeito natural uma arte também sombria? Será que a arte reflete sempre seu próprio tempo, e não outro tempo qualquer? Eve fazia parte de um grupo de leitura muito simpático, em Islington, seis ou sete mulheres e um único homem um tanto assediado que se reuniam ora na casa de um, ora na casa de outro — um dos prazeres de participar do grupo estava em poder ver por dentro uma grande variedade de casas alheias. Nos seis meses anteriores, o grupo tinha lido dois tijolaços — dois romances históricos de escritores contemporâneos, ambos sobre a era vitoriana e quase que exclusivamente sobre sexo —, mais o vencedor do prêmio Booker do ano anterior — a respeito do homem no barco com os bichos —, um romance de Forster, o sucesso multicultural do momento, que a maior parte do grupo não conseguira ler até o fim, e um romance muito bom sobre Southwold. Michael não aprovava o grupo de leitura. Achava que era burguês até mais não poder. Porém Eve era uma pequena celebridade dentro dele, sendo ela própria uma escritora. Fato que lhe dava uma inegável autoridade crítica, com a qual metade concordava em silêncio e da qual, no íntimo, a maioria se ressentia.)

 Observou Amber, sentada ao lado de Michael, servindo-se de salada, e pensou em como ela ficaria com a cabeça raspada. Era muito provável que continuasse bela. Essa era a verdadeira beleza, Eve pensou, a beleza capaz de suportar ver-se humilhada ou careca, não como a careca de David Beckham, e sim a careca do rancor, da imolação, da violência, da raiva popular. Imaginou Amber, cabeça baixa, pelada feito um ovo, mãos atadas em volta do poste de madeira, atrás do corpo, sedenta, silenciada e lindamente louca, diante de uma igreja medieval, cercada de aldeões zombeteiros.

 Astrid, disse ela, rápida, interrompendo a si mesma. Que tal você filmar este nosso jantar de hoje? Está uma noite tão gostosa, foi um dia tão gostoso e o jantar está tão gostoso que nós deveríamos comemorar.

Mas Astrid, sendo Astrid, além de deixar Eve maluca com aquela mania de arrumar a comida no prato para comê-la em algum tipo de ordem psicótica de adolescente — a carne pura em primeiro lugar, em seguida a salada separada por tipos de folhas, pedacinhos de pepino isolados dos de tomate —, anunciou haver "perdido" sua câmera de quase duas mil libras "em algum lugar". Amber tentou dar cobertura a ela e fingiu ter sido a culpada; atitude mais de uma amiga adolescente de escola do que de uma mulher adulta; com a mesma brusquidão suave, Amber os distraiu após o jantar com um daqueles jogos psicológicos de personalidade, em que se dizia capaz de "extrair" informações de uma pessoa pelo simples fato de ter nas mãos, por um determinado período de tempo, algum objeto que pertencesse à pessoa.

É sério, disse Amber. Esse meu talento foi o que me permitiu viajar pelos três continentes quase sem dinheiro nenhum sem nunca deixar de jantar até que razoavelmente.

Todos riram, exceto Astrid, que não quis participar. Amber pediu a Magnus que lhe desse o anel que ele usava (o que Eve comprara para o aniversário dele dois anos antes). Magnus tirou o anel do dedo. Amber pegou-o e depois, com todo o profissionalismo, ergueu a mão até o rosto.

Este anel, disse ela depois de alguns momentos de silêncio, é muito muito precioso para você. Isso porque foi sua mãe quem o deu a você.

Espantoso!, disse Michael. Totalmente glorioso!

Eve ergueu a mão, para aquietá-lo.

Foi um presente de Natal, Amber disse, de olhos fechados, como se ouvindo algo. Não, de aniversário. Um presente de aniversário. Quinze anos depois de você nascer, sua mãe lhe deu este anel.

Bem, obviamente Magnus devia ter contado para ela. Mas Magnus jurou que não.

Silêncio, por favor, disse Amber. Seu nascimento foi complicado. Você estava com o cordão enrolado no pescoço, antes de nascer.

A boca de Magnus se abriu. Virou-se para a mãe para olhá-la. Amber levou a mão fechada, com o anel dentro dela, até a testa de novo. Alguém deve ter contado a ela. Se não foi o Magnus, só pode ter sido o Michael. Não que Eve conseguisse imaginá-lo lembrando de um fato desses. Porém Michael andava meio estranho. Estava esquisito, instável. Por diversas vezes, Eve o pegara sentado, fitando o espaço. No outro dia, encontrara, num dos bolsos da calça dele (quando foi virá-los do avesso, para lavar), junto com as camisinhas de hábito, um papel em que ele havia garatujado o alfabeto e, debaixo dele, uma lista misteriosa e sem sentido de palavras: aceno veneno pleno moreno feno pequeno obsceno sereno.

Amber era muito boa nessa encenação que fazia de si mesma. Era de fato muito boa. Quase cem por cento convincente. E naquele momento despejava em cima de Magnus, de forma brilhante e convenientemente vaga, um monte de coisas a respeito de ser verdadeiro consigo mesmo e de ser falso consigo mesmo.

Eve deu uma fugida até o jardim. Havia um punhado de pedrinhas sob uma roseira. Apanhou uma. Tirou um pouco da poeira com a mão, depois esfregou a pedra na perna. Serviria. Era branco-amarelada, feito um pedregulho de mar, brilhante em alguns lugares.

Voltou para a sala e, quando chegou sua vez, deu a pedra a Amber. Amber segurou-a por alguns instantes. Depois riu.

É mesmo?, ela disse.

Eve fez que sim.

Tem certeza?, Amber disse.
Tenho. Está comigo faz anos. Gosto muito dela.
Certo, Amber disse, ainda rindo.
O que foi que você deu para ela? O que é que ela tem na mão?, perguntou Michael.
É particular, disse Eve.
Podemos fazer isso só entre nós, claro, se você preferir, disse Amber. Pegou na mão de Eve, levou-a até o sofá, do outro lado da sala, e eis aqui o que disse, segurando a pedra aleatória tirada do jardim como prova, com o corpo inclinado para a frente, feito uma cigana:

Você nasceu num bom lugar numa boa época, na virada das décadas obscuras para tempos mais iluminados. (Isso era verdade e fácil de adivinhar.)

Você teve um belo romance logo cedo e uma bela perda logo cedo. (Isso também era verdade.)

Você levou uma vida impensável para a maioria das gerações de mulheres e homens que lhe deram a possibilidade de ter liberdades e riquezas que, para eles, eram inimagináveis. (Bem, isso valia para quase todo mundo.)

Você teve sorte.

Você foi abençoada.

Você foi instruída, mais do que compreende.

É mesmo? Eve riu.

Amber não fez caso e continuou:

Você sempre teve um lugar seguro para dormir e coisas boas para comer, a vida inteira.

Então o que você poderia querer saber a respeito de si mesma, afinal?

E o que lhe perguntariam eles, o que você acha que gostariam de saber, se estivessem aqui esta noite, todas aquelas mulheres e todos aqueles homens, e mulheres e homens e mulheres e homens que simplesmente foram necessários para que você acabasse sendo feita, para que houvesse o seu nascimento, naquele dia, para que você viesse à luz gritando, furiosa, coberta com o sangue de sua mãe?

    Bem, disse Eve, porque estava com a cabeça repleta de imagens de si mesma — uma pequena recém-nascida emplastrada de sangue —, e Amber tinha se levantado e estava prestes a se afastar, assim, sem mais nem menos, prestes a atravessar a sala e fazer o mesmo com Michael, que já segurava algo na mão, um chaveiro ou coisa parecida. Mas você não pode ir sem me dar as respostas, Eve disse a Amber, em voz baixa, segurando-a pelo pulso.

    A quê? Amber franziu o cenho.

    Àquelas perguntas, disse Eve.

    Eu não sei as respostas, disse Amber.

    Mesmo assim, disse Eve, sem soltá-la.

    Amber pegou na mão de Eve e abriu-a. Depositou a pequena pedra branca, morna de sua própria mão, na palma da mão de Eve, depois fechou os dedos de Eve sobre a pedra. Em seguida, pegou a mão de Eve com as duas mãos e sacudiu-a, como se estivesse lhe fazendo um cumprimento caloroso.

    Você é uma farsa excelente, disse Amber. Meus parabéns. Primeira da classe. Dez com louvor.

    Lá estava uma foto das férias de verão de 2003, com Eve Smart, de conjunto de linho cinzento, numa noite enluarada no jardim da casa que alugaram. Calma e comedida. Comedida e calma.

    Lá estava uma foto das férias de 2003, com Eve Smart (42) trabalhando com afinco durante o verão todo em seu mais novo livro, no idílico gazebo da casa de veraneio que ela e o marido, prof. Michael Smart, tinham alugado, e olhe como a luz pega bem a tinta molhada da caneta à medida que ela põe na página uma frase resoluta atrás da outra, e como ela pára um pouco para pensar, como a foto capta esse momento, e também aquele inidentificável espectro de fumaça ou de poeira, preso num feixe de luz, e a forma como isso assinalou, naquele dia, a passagem ocasional da luz pela janela do gazebo.

Lá estava uma foto das férias de 2003 da família Smart, todos parados diante da porta da frente da casa que haviam alugado em Norfolk, no verão de 2003, Eve Smart e Astrid Smart na frente, abraçadas, e Magnus Smart e Michael Smart fazendo bagunça atrás, Michael com uma das mãos sobre o ombro de Magnus.

Uma única família, todos eles, sorridente. Para quem estavam sorrindo? Seria para si próprios, em algum momento futuro? Seria para o fotógrafo? Quem tirou a foto? O que ela mostrava? Será que mostrava que Michael havia voltado para casa cheirando, de novo, a uma outra mulher? Será que mostrava que Magnus era um garoto tão parecido com o pai que Eve mal conseguia suportar ficar sentada na mesma sala que ele? Será que mostrava que Astrid era tão irritante, no entender de Eve, que merecia não ter pai, assim como acontecera com Eve, quase a vida toda, e que tinha sorte de ainda ter pelo menos mãe?

Eve perambulou pelo jardim enluarado chocada consigo mesma e com o quanto era boa a sensação de estar assim tão brava, fumando apenas a metade de um cigarro, para espantar os mosquitos do brejo, quer dizer, essa era a desculpa que dava. E que tipo de vida era essa, em que precisava de uma desculpa para fumar até mesmo meio cigarro? E haveria um brejo em Norfolk, ou mesmo brejos em algum outro lugar? Eve não sabia. Isso fazia dela uma farsa, o não-saber? A moça a havia puxado pela mão, depois a chamara de farsa. Eve era uma farsa, então?

Era uma farsa no mundo todo ou apenas em Norfolk? Uma Norfarsa! Eve sentiu uma zonzeira, como se estivesse embriagada. O coração batia feito louco. Isso parecia uma boa coisa. Parecia extraordinário. Parecia o coração de uma pessoa completamente diferente.

Mais que qualquer outra coisa, nos últimos anos, inclusive a Quantum, a simples noção de que Eve Smart (42) poderia ser algo diverso daquilo que parecia ser fazia seu coração pulsar mais rápido.

Uns dois dias antes disso, Eve havia saído à procura de Amber, queria contar a ela sobre um sonho que tinha tido e perguntar o que achava que queria dizer. Eve sonhara que Michael andava recebendo cartas de amor das alunas com quem tinha transado e que as cartas de amor estavam diminutamente gravadas em todas as unhas dele, feito páginas daquelas bíblias recordistas, as Menores Bíblias do Mundo, com palavras ainda menores que Seu Nome num Grão de Arroz. As unhas podiam ser lidas, mas apenas com um aparelho especial de leitura, que era caríssimo de alugar, e Eve acordara antes de ter conseguido assinar todos os formulários na loja que fornecia o equipamento.

Eve preparara, durante o café-da-manhã, uma versão do sonho na qual não apareciam nem Michael nem ela. Astrid tinha lhe dito, durante o café-da-manhã, que Amber era muito boa para interpretar sonhos. Mas Eve não conseguiu encontrar Amber. Amber desaparecera. Não estava no jardim. Não estava no carro. O carro continuava lá, no entanto, na frente da casa, de modo que não poderia ter ido muito longe.

Não estava com Magnus porque o filho se achava na sala, mergulhado num livro. Não estava com Astrid; Eve viu a filha

chutando isso e aquilo, sozinha, com ar de tédio, debaixo de uma árvore. Michael fora até a cidade. Eve o vira saindo. Ela decididamente não estava com Michael.
Eve subiu correndo as escadas. Gritou o nome de Amber. Vislumbrou alguém se movimentando lá embaixo. Mas não, era apenas a faxineira passando na sala, com o aspirador de pó, arrastando o fio e a tomada, o incontrolável tubo plástico enfiado debaixo de um braço, as peças e acessórios bem firmes debaixo do outro.
Por favor, Katrina, Eve gritou lá para baixo.
A faxineira parou. Ficou imóvel, esperando, de costas para Eve.
Será que por acaso nas suas andanças você não teria visto a amiga que está hospedada aqui conosco?, Eve perguntou. A Amber?
De costas para Eve, a faxineira sacudiu a cabeça e retomou suas atividades no hall. Mas, ao passar, disse algo que Eve não entendeu de todo.
O que ela disse soou mais ou menos como: *o nome dela é um martelo.*
?
Isso não queria dizer nada reconhecível. A faxineira prosseguira, carregada de máquinas, na direção da sala de estar.
Não era que Eve tivesse ficado com medo de pedir à faxineira que repetisse o que tinha dito. De jeito nenhum. Não que Eve se sentisse intimidada pela mulher da limpeza, que parecia pobre, que parecia velha antes do tempo, que parecia simplória, que baixava os olhos ou desviava a vista o tempo todo, que na verdade nunca havia olhado Eve nos olhos, que tinha a mania de falar com ela de costas, ou desviando a vista, fato que, sem sombra de dúvida, indicava falta de propensão para aceitar responsabilidades e, também, que as cortinas no quarto

principal jamais seriam trocadas ou lavadas, não obstante o número de vezes que Eve pedisse, alguém que era igual a uma versão caricatural de uma faxineira ressentida em algum programa cômico de televisão, mas que, de algum jeito (agora, como é que ela conseguia fazer isso?), deixava em Eve a sensação de que era ela, Eve, a caricatura, que era ela, Eve, quem, neste belo dia de verão, levava uma vida de alguma forma pior que a existência acinzentada que imaginava para Katrina da Faxina nessa ou naquela sala empapelada, ou nesse ou naquele mercadinho barato onde os produtos nunca são muito bons, e que, com suas insolentes respostas dadas de costas, com ter dado uma resposta incompreensível à sua pergunta, a deixava se sentindo sem pé, como se tivesse sido desafiada e surrada por alguém que em tese deveria, que era *paga*, afinal de contas, para isso, para tornar sua vida mais fácil.

Eve ficara parada no topo da escada e o aspirador rugia lá embaixo.

Eve acordou no meio da noite. Michael estava dormindo, com o travesseiro sobre a cabeça. Estava muito claro, no quarto, por causa da lua. Havia gente reunida ao pé de sua cama.

Quem são vocês?, Eve disse.

Ela sacudiu o travesseiro de Michael. Michael não acordou.

Havia dois homens e três mulheres. Uma das mulheres estava sentada no pé da cama, segurando uma criança muito pequena, muito quieta. Outra mulher segurava algo que reluzia no escuro, feito um pequeno copo quebrado de vidro. Os homens atrás das mulheres pareciam meio abobalhados e rudes. Um deles brilhava, estava com o peito e o rosto molhados. A terceira mulher tinha um penteado antigo, como se tivesse saído de um drama histórico da BBC. Trazia na mão um pequeno bastão, uma espécie de pau tubular, com luz saindo de uma das extremidades. Ela pôs essa luz bem nos olhos de Eve. Eve cobriu o rosto com as mãos. Quando conseguiu ver de novo, as pessoas tinham ido embora. Onde a mulher com a criança se sentara, no pé da cama, havia uma mulher diferente, mais velha. Era a mãe de Eve. Usava seu roupão como se tivesse acabado de sair do banho.

    Olá, disse Eve. Por onde você andou?

    Escute, olha só, eu não posso. Estou morta, disse a mãe de Eve.

    Eve sacudiu o travesseiro de Michael de novo. Michael acordou.

    Sim, disse ele, como se fosse uma afirmação.

    Minha mãe esteve aqui, disse Eve.

    Esteve?, disse Michael, um pouco mais lacrimejante. Onde? Onde ela estava? Onde ela está?

    Ela não está mais aqui, disse Eve.

    Quer que eu vá pegar algo para você?, disse Michael. Um chá?

    Quero, disse Eve. Seria bom.

    Michael levantou e desceu. Eve sentou-se na cama, no quarto vazio, escutando os barulhinhos nada misteriosos da casa. Por fim, escutou Michael na escada de novo. Ele entrou com duas xícaras de chá e lhe entregou uma delas com a alça virada para ela, para que não se queimasse.

    Obrigada, disse Eve. Foi muita bondade sua.

    Não exatamente bondade minha. Foi um sonho ruim?, disse ele.

    Não, disse Eve. Acho que foi um sonho bem bom.

    Tomaram seu chá, conversaram por alguns instantes, depois ambos voltaram a dormir.

Seria o sonho uma realidade? Seria a realidade um sonho? Eve foi a pé até o vilarejo, onde sabia haver uma igreja. Perguntava-se se uma igreja ajudaria.

A porta da igreja, entretanto, estava trancada. Um recado nela dava instruções sobre como entrar.

Eve achou a casa do homem que tinha a chave. Uma mulher atendeu, presumivelmente a mulher dele.

A senhora está fazendo uma visita genuína a nossa cidade?, perguntou ela.

Era uma mulher atarracada, de avental. Tinha o mesmo queixo nativo de Katrina da Faxina, devia ser um traço local. Na olhada que deu a Eve estava contida a possibilidade de malevolência.

Estou, Eve disse. Estou hospedada na casa dos Orris; meu marido e eu alugamos o lugar para passar o verão.

Não, o que eu quero saber é se a senhora é uma turista de verdade. Tem acomodações permanentes em outro lugar qualquer?, disse a mulher.

Claro, Eve disse.

Tem uma conta de luz como prova?, disse a mulher. Ou de gás, ou algo parecido, com seu nome e endereço?

Bem, não, não no momento, Eve disse, não aqui comigo. Não sabia que iria precisar de uma conta para entrar na igreja.

Pois precisa, disse a mulher.

Mas a senhora poderia ligar para a senhora Orris e eu tenho certeza de que ela me abonaria, disse Eve. A senhora conhece a senhora Orris?

Se eu conheço os Orris?, disse a mulher. Então a senhora é aquela da família, certo?

Imagino que sim, disse Eve.

Ela pediu o nome de Eve e seu endereço residencial.

Fechou a porta. Três minutos mais tarde, apareceu de volta com uma chave antiga, de encaixe, presa num barbante.

É para rezar ou é só para ir dar uma espiada lá dentro?, disse ela.

Provavelmente as duas coisas, disse Eve.

Veja só, a senhora pode pegar a chave, mas não a dê a ninguém que apareça lhe pedindo, disse a mulher, porque tem uns ciganos por aí ameaçando acampar na frente da igreja, e se a senhora der a chave para quem quer que seja e algum cigano conseguir entrar na igreja e a gente não conseguir botar eles para fora, a culpada por isso vai ser a senhora, e é a senhora que vai ter de pagar para resolver o assunto e por qualquer dano que possa haver.

Certo, Eve disse. Entendi. Vou guardar a chave como se fosse a minha própria vida.

E traga de volta quando tiver terminado, gritou a mulher para Eve, que já ia atravessando o jardim e estava entre as roseiras e os cravos perfilados.

Eve atravessou de novo o vilarejo mortífero e foi até a igreja.

Ao menos a vegetação em volta era interessantemente rústica e a porta, tranqüilizadora e tradicional na grossura. Mas, por dentro, a igreja decepcionava. Não tinha nada de especial. Era monótona, utilitária e moderna, apesar das paredes de pedra. Era feia. E não tinha um cheiro espiritual, fosse qual fosse esse cheiro. Exalava um bafo de desuso; cheirava um pouco a sordidez. Não acrescentava nada a respeito das possibilidades de algo depois desta vida, a não ser um pouco mais das mesmas pequenas prestações chatas de contas, mais da mesma cor marrom. Marrom, Eve chegou à conclusão, era a verdadeira cor do império, do Grã-Britanismo — a cor sépia que se entranhou feito uma mancha de umidade na era vitoriana. Marrom cerimonial. A bandeira britânica deveria ser azul, branca e marrom. A cruz de são Jorge não deveria ser vermelha. Deveria ser marrom e branca, HP Sauce num prato branco, ou então um sanduíche de pão branco temperado com HP. Todas as pequenas cidades e vilarejos haviam hasteado essa bandeira. No caminho até lá, tinham passado por repetecos de repetecos de casas vitorianas geminadas e semigeminadas, feitas de tijolinho marrom, casas e lojas agindo como figurantes num daqueles dramas do pós-guerra com temas operários, casas marrons feito cães decrépitos e tão esbodegadas que alguém na verdade deveria pegá-las pela mão e levá-las para ser sacrificadas com o máximo de humanidade. Era o fim de uma era. Era o fim marrom de uma era.

Eve acomodou-se no último banco sentindo-se um tanto ilegal por pensar tais coisas. Tentou refletir sobre as grandes questões, mas não conseguia tirar uma música da cabeça, música de quando era pequena, de um grupo cujo nome tinha esquecido e que insistia que o concreto e o barro onde estavam pisando podia desabar que o amor deles nunca iria acabar, que veriam montanhas a despencar antes de se separarem. Meu amor e eu seremos. Apaixonados eternamente. E é assim. É assim que deveria ser. Deveria ser como era em todas as séries americanas para a televisão, em que os Waltons tinham sua serraria bem na frente de casa, as meninas se casavam todas, os meninos trabalhavam no negócio da família ou iam para a guerra e voltavam, e o mais velho acabou crescendo e virando a voz do narrador, que manteve registro solene da vida no monte Walton, o morro que recebeu o nome da família, onde as irmãs Laura e Mary, junto com Ma e Pa, construíram uma cidade inteira com as próprias mãos e a bondade dos familiares, e onde, aos domingos, todos iam à igreja que tinham ajudado a erguer. Se a linda Mary ficasse cega, alguns episódios adiante recuperaria a visão, claro que iria recuperá-la, com belos e enormes olhos azuis como aqueles, como é que olhos como aqueles poderiam não enxergar nunca mais? Pa e Ma trocaram olhares de cumplicidade quando Laura salvou um pomar inteiro de algo — teria sido da seca ou de um madeireiro malvado? Eve não se lembrava mais. Ma ajudava as filhas (e a si própria) a entender a gravidez fazendo com que todas participassem dos partos da vaca; Ma e aquela vaca se entendiam às maravilhas. Laura descia o morro correndo, de puro prazer, os braços abertos como um pássaro, várias e várias vezes, durante os créditos de encerramento. Depois ficou sabendo da verdade, aos dezessete anos, como naquela música da Janis Ian; porque presumivelmente aquela atriz mirim não conseguiu mais nenhum papel em nada, depois que a série *Os pioneiros* terminou. Eve não se lembrava de tê-la visto em nada, depois disso, e sem dúvida seria muito fácil reconhecê-la, a menos que tivesse dado um jeito nos dentes.

    Pôs os pés no assento do banco da frente, depois os tirou de cima da madeira e espanou com a mão a poeira que havia deixado. Tentou se lembrar da letra de "At seventeen": inventando amantes no telefone que murmuravam vagas indecências porque a garota da música era feia demais para arranjar namorado e fazer outra coisa que não inventar amantes. E depois aquela música da Marianne Faithfull sobre a mulher de trinta e sete anos que estava cansada da vida e que nunca iria passear por Paris num carro esporte, com o vento desmanchando seus cabelos. Tinha acabado tudo aos dezessete anos. Depois acabou tudo aos trinta e sete. Quarenta e dois, pensou Eve. Ela estava até as tampas, de verdade. E havia ainda a fita, aquela que a professora-assistente de alemão, na escola, uma loira *mignon* que devia ter no máximo seus vinte e dois anos, levou para eles traduzirem em classe, uma música de um roqueiro alemão. *Sie ist vierzig*, ele dizia, *und sie fragt sich, war es nun schon alles?*

Porque ela nunca mais iria à Califórnia, agora, não é mesmo, essa mulher quarentona, uma velha, já. Nunca mais teria a chance de farrear no mar com Jimmy Dean e todos aqueles outros astros de cinema com quem sonhava. Abandonai toda esperança, vós que aqui entrais. Eve (15) ergueu a vista da carteira, na aula de alemão, olhou para Eve (42) todos aqueles anos desertos mais tarde e piscou. Eve (42), sentada na igreja com tantos mortos enterrados lá fora, debaixo da grama e das pedras do calçamento, se perguntou como seus livros estariam se saindo no site da Amazon. Perguntou-se também se haveria algum lugar no vilarejo onde pudesse entrar na internet para saber.

Depois se perguntou como seus livros se sairiam no verdadeiro Amazonas, se por acaso ela os jogasse na água do rio.

A visão de si mesma num barco, e de seus livros afundando na água, pegou-a de surpresa e a fez rir em voz alta. A igreja ressoou com aquela sua risada solitária. Não era respeitoso. Quando parou, o riso continuou ecoando em seus ouvidos.

Trancou a igreja de novo. Devolveu a chave para seu guardião de direito.

Qual é o problema com o seu joelho?, Amber perguntou a Eve, sem mais nem menos, uma noite.

Meu joelho? Nada, disse Eve. Por quê?

Você sempre mantém a perna direita assim, nesse ângulo, quando senta, disse Amber.

Não, disse Eve. Bom, é gozado você dizer isso, porém, porque eu machuquei feio o joelho, mas isso foi anos atrás, agora não dói mais. Que engraçado. Eu nunca notei que sempre fico assim. Provavelmente faço isso por proteção.

Mas não sarou completamente, se você continua mantendo a mesma posição sempre, disse Amber.

Não sinto nada, disse Eve.

Mas parece machucado, disse Amber.

Ela tinha atravessado a sala e se ajoelhado diante de Eve. No momento, segurava o joelho de Eve com as duas mãos e apertava os músculos em volta com os polegares. Eve sentiu o pânico saltar do nariz e viajar pelo seu corpo todo.

Não, sério, está perfeito agora, disse ela.

Amber não parou. Estava apertando com força. Tinha mãos muito quentes.

Está sensível, disse Eve.

Pois é, disse Amber.

Ela começou a fazer círculos com a mão, em volta do joelho de Eve, e Eve teve aquela mesma sensação muito peculiar que sentia quando estava num avião, durante a decolagem, com o coração na boca, o corpo retesado, temerosa, os pés agarrados ao chão, e os braços grudados nos braços da poltrona.

Eve começou a falar. Disse a primeira coisa que lhe veio à cabeça.

Mais tarde, quando estavam se preparando para ir dormir, Michael se mostrou curiosamente ressentido.

Você nunca me falou que tinha problemas no joelho, ele disse. Todos esses anos e você nunca nem mencionou, pelo menos não para mim. Por que não?

Você nunca perguntou, Eve disse, e deitou-se na cama.

Michael: O que você fez, pra machucar o joelho?

Eve: Caí de um cavalo.

Michael: Um cavalo? E quando foi que você saiu para andar a cavalo?

Eve: Foi antes de a gente se conhecer.

Michael não estava escutando e no fundo estava pouco ligando para o quando. Perambulava pelo quarto feito um garoto petulante, à procura de seu travesseiro especial. Eve ergueu o lençol e mostrou-lhe o travesseiro, enfiado debaixo do vão de seu joelho.

Eve: Preciso dele emprestado esta noite.

Michael: Você sabe que eu não posso. Você sabe que eu preciso dele.

Eve: E não pode usar um outro qualquer? Este aqui me ajudaria a dormir um pouco, preciso pôr algo debaixo do joelho, depois de tanto ser mexido, este aqui tem o formato certo.

A bem da verdade, não estava sentindo nada no joelho, mas não queria dizer isso a Michael. A bem da verdade, o joelho estava ótimo, muito melhor do que estivera em muitos e muitos anos. A bem da verdade, estava brava, embora soubesse que era irracional, por Michael jamais ter reparado, em momento algum durante o relacionamento deles de mais de dez anos, que ela pudesse quem sabe talvez ter um problema no joelho. Em vez disso, foi preciso uma moça que nem sequer a conhecia para notar o fato. Em quantas outras coisas ele não reparava? Para quantas outras coisas ela própria fechava os olhos, diante das deficiências dele?

Devolveu o travesseiro a Michael, ele apagou a luz e colocou o travesseiro sobre a orelha.

Eve permaneceu no escuro, com as mãos bem cruzadas sobre o estômago. E, ali deitada, foi ficando cada vez mais furiosa.

Sem fazer barulho, levantou e vestiu o penhoar. Sem fazer barulho, desceu a escada.

Amber estava deitada no assento traseiro do carro. Quando viu Eve pela janela aberta, abriu uma das portas traseiras com um chute. Recolheu as pernas para perto do peito, para que Eve pudesse sentar na beirada do banco.

Não consegue dormir?, ela disse.

Eve balançou a cabeça.

Quer dar uma volta de carro?, Amber disse.
Se não estiver muito ocupada.
Amber riu e deu de ombros. Até o nariz de trabalho.
Quer dizer, claro que ocupada não, eu quis dizer cansada. Se não estiver muito cansada.
Não estou nem um pouco cansada, disse Amber. Abotoou o short. Passou por cima do banco para sentar ao volante e abriu a outra porta para Eve.
Setenta quilômetros por hora nas estradas secundárias de Norfolk, os faróis do carro iluminando insetos zonzos e as laterais sem cor das sebes; Eve e Amber estavam com os cotovelos para fora da janela, tomando o ar morno e fresco da noite. Eve acendeu um cigarro e passou-o, aceso, para Amber.
Eu me sinto uma verdadeira renegada, disse Eve.
Eu gosto de rodar sem destino, Eve disse. É muito melhor que ter um lugar determinado para ir.
Nós estamos iguaizinhas a Thelma e Louise, Eve disse.
Oba, disse Eve.
Eu tinha vinte e três anos, disse Eve, e estava no metrô, em Londres, e na minha frente havia um rapaz muito bonito. Estava lendo um livro. O livro até que tinha jeito de ser um livro bom, mas ele usava um crachá que dizia que trabalhava para a Curry's. Estava escrito Curry's e, embaixo, o nome dele: Adam. Então esperei até ele erguer os olhos e me ver olhando para ele, e disse você não vai acreditar nisso, mas eu me chamo Eve. E ele falou, na verdade, você não vai acreditar no número de pessoas que chegam para mim e me dizem que se chamam Eve, e ele então sorriu, depois baixou a vista e continuou lendo o livro como se eu não estivesse ali. Eu nunca tinha feito nada parecido, em toda a minha vida, eu nunca tinha dado um pio com um estranho, nunca tinha passado uma cantada tão direta em alguém que eu tivesse conhecido trinta segundos antes.

Então me levantei para descer, mas antes de descer me debrucei por cima do livro dele, era um livro sobre um cineasta polonês, Adam estava sempre achando coisas pelas quais se interessar antes que virassem moda e todo mundo se interessasse por elas também. Eu me debrucei sobre o livro e disse, certo, mas o que você não percebeu é que eu sou a Eve real, a Eve original, e depois desci do trem, não era a minha estação, mas eu queria sair dali. Peguei a escada rolante, saí na rua e fiquei ali parada, tomando ar, eu estava de fato muito brava comigo mesma, mas, ao mesmo tempo, satisfeitíssima também, eu estava as duas coisas. Não parava de dizer a mim mesma que ele não teria valido a pena porque trabalhava, você sabe, para a Curry's, e eu estava certa, porque, no fim das contas, como acabei descobrindo, ele não tinha ambição quase nenhuma, o Adam, na verdade acho que poderíamos dizer que tinha ambição negativa. Mas lá estava eu, parada num lugar completamente errado, não fazia idéia de onde estava, na cidade, e ia ter de comprar outro bilhete de metrô porque já tinha saído da estação, então virei para descer de novo a escada e — lá estava ele, parado bem atrás de mim, foi coisa de filme, mesmo, e eu disse, olá, estava até chovendo, como teria acontecido num filme, e eu disse olá, e ele disse olá, e eu disse, você me seguiu até aqui, do trem até aqui? E ele falou, não, na verdade a minha estação é esta, e apontou, eu moro ali, bem na esquina. Depois ele disse, Você é mesmo a Eve? Eu disse, sou. E ele disse, bem, você aceita um café, ou algo assim? E eu disse, aceito.

Eve recostou-se, ao terminar, no encosto do banco.

Não é assombroso, isso? Ele disse exatamente *você é mesmo a Eve*?

Minha nossa, como você é chata, disse Amber.

Eu sou — sou o quê?, disse Eve.

Então é só isso?, disse Amber. Então é esse o ponto alto, o supra-sumo, o segredo-que-não-pode-ser-dito, o tudo-ou-nada, o grande lance da sua história? Gente do céu, você vai ter de me contar alguma coisa um pouco mais interessante que isso, caso contrário vou pegar num puta sono aqui mesmo, dirigindo.

Vai mesmo?, disse Eve, rindo.

Puta merda, agora só falta você começar a me contar a "história" dos seus partos, e como foi difícil, como foi fácil, blá, blá, blá.

Bem, o Magnus, como você sabe, foi complicado, na hora de nascer, mas ele não teve problemas, nem eu. Para ser sincera, foi só depois de ter a Astrid que fui me sentir assim tão totalmente fragmentada. Ainda me sinto, sob certos aspectos. Mas os recém-nascidos têm um cheiro tão gostoso. Acho que trocaria qualquer coisa para sentir de novo o cheiro dos meus bebês novinhos, disse Eve.

Amber tinha atirado o que restava do cigarro pela janela com um certo grau de violência. Talvez não estivesse brincando. O carro acelerou. Ela parecia estar usando o corpo inteiro para pisar com mais força no acelerador. Com cada palavra que dizia, imprimia mais velocidade ao motor.

Puta que o pariu, até Jesus chorou com essa porra dessa história interminável que não acaba nunca, com essa porra dessa história egoísta sua, ela dizia.

Por favor, vá mais devagar. Por favor, pare de dizer palavrão, disse Eve.

Eu devia era dar um puta murro nesse seu estômago, puta que o pariu, Amber disse. Aí sim você teria uma porrada de histórias pra contar.

Ergueu as mãos e bateu no volante com a palma das duas mãos. O carro deu uma guinada e um tranco.

Não, disse Eve.

O motor roncou e foi muito para a direita, quando Amber fez uma curva à esquerda em velocidade excessiva. Eve começou a recear por sua vida.

Eve foi a Londres, ver sua editora. Depois de Norfolk, Londres era inacreditavelmente barulhenta e movimentada. Amanda, sua editora, levou-a almoçar no Alastair Little, no Soho, agora que a Jupiter tinha condições para tanto. No caminho, Eve parou e deu uma moeda de uma libra a um pedinte. Amanda fuçou na bolsa, atrás de uma moeda, para fazer o mesmo. Entre a sede da editora e o restaurante, Eve parou e deu uma moeda de uma libra a todos que lhe pediram, só para ver se Amanda faria o mesmo.

Olha aqui, disse Eve, estendendo uma nota de cinco libras a um homem marcado pelas intempéries.

O homem olhou atônito para o dinheiro. Depois pareceu ter ficado encantado. Em seguida, apertou a mão de Eve. Amanda olhou com ar duvidoso, depois procurou no compartimento de notas da carteira. Tirou uma de dez, bonita, nova e marrom.

Porra! rá rá rá, pensou Eve.

O sujeito ensaiou alguns passos de dança.

Muito obrigado, minhas senhoras, disse ele. Tenham um bom dia.

O restaurante estava cheio de gente olhando para ver quem eram as outras pessoas que estavam no restaurante.

Amanda sempre falava com Eve como se levasse a lista das coisas para lhe dizer guardadas de cor na cabeça e fosse mentalmente eliminando uma a uma, enquanto conversavam para todos os efeitos de forma espontânea. Sessenta e sete mil e ainda aumentando, disse ela, depois de ticar os itens família e férias. Fantástico, disse ela. A demanda pelos cinco primeiros também está sendo absolutamente fantástica. Claro que a pergunta que todo mundo com quem eu converso me faz é: Como vai o próximo Autêntico?

Chegando lá, disse Eve.

Que você me diz de abril? Amanda olhava a agenda.

Abril é bom, disse Eve.

Ótimo, disse Amanda.

Pensei em desta vez escrever sobre uma pessoa que morre, disse Eve.

Bem, mas é claro, disse Amanda.

Não, eu quis dizer morrer mesmo, e pronto, disse Eve. Bater as botas. Ir pro beleléu. Kaput. Fim da história. Quem quiser que conte outra.

Bem, sim, é uma idéia interessante, essa, disse Amanda. Se bem que os Autênticos em geral não são assim, não é verdade? Quer dizer, a fórmula dos Autênticos é positiva, certo, porque eles afirmam a vida, certo?

Um menino palestino, eu estava pensando, como aquele garoto de doze anos morto pelos soldados, disse Eve.

Quando?, disse Amanda. Quer dizer, em que ano, mais ou menos?

Amanda parecia confusa.

No mês passado, disse Eve.

No mês passado?, disse Amanda. Bem, isso reduz de maneira drástica o apelo de mercado.

Por ter apedrejado o tanque deles, disse Eve. Ou que tal se eu escrever sobre alguém que ainda está vivo agora, mas que vai estar morto amanhã de manhã? Digamos que no Iraque?

No...?, disse Amanda. Ela parecia ainda mais atônita.

Iraque, disse Eve. Você *sabe*.

Bem, isso é, isso é mais escancaradamente político e

contemporâneo do que estamos acostumados, disse Amanda. Se bem que não vejo por que mudar o enfoque histórico, que aliás é o grande lance dos Autênticos, ou, em outras palavras, se você me perguntasse, e acho que se você perguntasse também aos leitores, por que eles funcionam tão bem, por que são tão populares, por que os leitores sacaram tão bem a fórmula, eu diria que é devido ao enfoque histórico especial —

Ainda não resolvi nada, disse Eve. Posso até decidir não escrever livro nenhum.

Claro que, se for uma questão de adiantamento..., disse Amanda.

Começo a achar que já escrevi livros demais, disse Eve.

Mas você acabou de dizer, você acabou de dizer que abril seria bom, disse Amanda Farley-Brown, da Editora Jupiter, com um semblante infeliz, largando a taça de vinho.

Tudo depende, claro, da corrente do Golfo, e do comportamento das frentes climáticas pertinentes, disse Eve.

O quê?, Amanda perguntou, com voz fraca.

Se abril vai ser bom ou não, disse Eve.

Amanda parecia acalorada e meio perdida. O que fez com que Eve se sentisse mal. Não conhecia Amanda muito bem. Não sabia que tipo de vida levava, que pressões havia em sua vida, que motivos havia para ser o tipo de pessoa que era. Quais seriam as pressões sobre uma moça de vinte e sete anos com um cargo de editora numa empresa de pequeno porte recentemente adquirida por uma companhia muito maior? Amanda estava com cara de alguém que tivesse recebido o aviso de que seria fuzilada ao amanhecer.

Não leve tão a sério, disse Eve. Estou só, você sabe, provocando.

Só isso?, disse Amanda.

O livro já está bem adiantado. E abril está ótimo para mim.

Amanda parecia visivelmente aliviada.
Ah, disse ela. Ótimo. Excelente. Perfeito.
Sacudiu a cabeça, depois ticou qualquer coisa na agenda.
Desta vez será uma escocesa, disse Eve. Acho que vai fazer sucesso. Sem revelar muita coisa, é uma moça do interior. Numa fazenda.
Uma moça do interior, perfeito, disse Amanda, meneando a cabeça para a frente e para trás e escrevendo na agenda.

No trem, saindo de Londres, Eve viu o próprio reflexo se mover, mudar e reverter para ela nos rápidos flashes de campos, árvores e pequenas cidades que passavam pela janela e acabou levando um choque; se bem que se alguém, um entrevistador sentado no banco da frente, ou até mesmo Deus, equipado com minigravador e microfone, tivesse lhe perguntado, não teria sido capaz de articular o porquê.

Desviou a vista de si mesma. Tentou imaginar que Amber não existia. Quando eu chegar em casa, disse consigo mesma, será verão. Eu estarei trabalhando no projeto da moça do interior, para o próximo Autêntico. Estarei já na metade do livro.

Mas era como tentar imaginar que não havia coisas como um ponto de interrogação, ou como tentar esquecer de uma música depois de aprendê-la de cor. Ou, melhor dizendo, de aprendê-la de cabeça; novas pesquisas indicavam, Eve havia lido em algum lugar, que as músicas gravam a si próprias, como se com uma pequena lâmina, em nosso cérebro.

Michael pegou Eve na estação.
Falou sobre Petrarca e Sidney, sobre estruturas e desvios. Era óbvio que também estava apaixonado por Amber, só que dessa vez não se tratava daquela proverbial água no rabo do pato. Não. Agora o pato, ferido por um caçador e atordoado porque metade da cabeça lhe fora arrancada, bamboleava sobre os pés palmados na beira do lago. De um dos lados,

parecia igualzinho ao pato que sempre fora. Do outro, a história era bem diferente.

Ao chegar em casa, a primeira coisa com que deparou foi Amber com uma das mãos no que parecia ser a virilha de Magnus. Magnus se levantou.

Tudo bem, disse Amber. Ele é legalmente maior de idade.

A Amber estava só me ajudando com o zíper, disse Magnus.

Astrid entrou correndo do jardim e a primeira coisa que fez foi se atirar sobre Amber no sofá e lhe dar um enorme abraço.

Amber grunhiu.

Oi, Astrid disse a Eve, olhando lá de dentro do abraço. Nós tivemos um dia e tanto. A Amber e eu fomos pescar.

Pescar, disse Eve. Que ótimo.

Pois é, disse Amber.

Fomos até o rio e fizemos o possível, de propósito, para não pegar nada, disse Astrid. Jogamos linhas sem anzol na ponta.

Não é meio sem sentido isso? disse Eve.

É, totalmente, disse Astrid.

Literalmente, disse Amber.

Ela e Astrid caíram na risada e Amber, levantando, pegou a filha de Eve nos braços, girou nos calcanhares e balançou-a no ar.

Enquanto isso, os dias iam passando. Passavam de forma irrevogável e como se debaixo de uma massa de calor despejada lá do alto que tornava tudo enevoado, indistinto e submerso, dia subaquático após noite após dia.

Como é que você se sente agora, quando lembra do que aconteceu com a menina?, Eve perguntou a Amber, já bem perto do começo do fim.

Que menina?

A menina, disse Eve. A menina. A menina que você. Você sabe. O acidente.

Que menina?, Amber disse. Que acidente?

Então o que você poderia querer saber a respeito de si mesma, afinal? Sonho ou realidade? War es nun schon alles? Você é mesmo a Eve? Como vai o próximo Autêntico? Que menina? Que acidente?

Amber, parada tão linda na soleira da porta do barracão, estava escura por causa do sol que batia por trás. Avançou para Eve, sentada diante do laptop, atrás da mesa, e ficou na frente dela, com as mãos nos ombros de Eve, como se pronta para lhe dar uma boa chacoalhada.

Depois beijou Eve na boca.

A comoção que o beijo provocou em Eve foi além de tudo quanto poderia ter imaginado. O lugar para além de tudo quanto poderia ter imaginado era aterrador. Ali, era tudo diferente, como se tivesse recebido um novo tipo de visão, como se mãos desgarradas do corpo tivessem amarrado alguma espécie de fone de ouvido nela, um aparelho que revelava todas as cores invisíveis sem nome que existem para além do espectro humano básico, e como se o mundo para além de seus olhos tivesse desacelerado só para revelar os espaços entre aquilo que de hábito via e o jeito como as coisas estavam temporariamente grudadas por um fio muito fino que passava por esses espaços.

Amber já ia voltando para a casa, pelo jardim. Assobiava. Estava com as suas belas mãos nos bolsos, de punho cerrado no escuro.

Eve desligou o laptop e baixou a tampa.

Michael se achava na cozinha, picando comida em cubos de igual tamanho, com uma faca. Astrid entrou correndo, vindo da sala. Magnus tinha aberto a porta do quarto e logo mais iria descer a escada. Eve esperou até que estivessem todos ao alcance do que tinha a dizer. Parou Amber no hall.

Adeus, disse ela.

Hein?, Amber disse.

Já é hora, disse Eve. Adeus.

Aonde você vai?, disse Amber.

Eu não vou a parte alguma, disse Eve.

Mãe, disse Astrid.

Astrid parou, como se tivesse travado. Magnus travou na escada. O barulho da faca na cozinha parou; Michael estava lá dentro, com a faca travada a meio caminho do corte, suspensa no ar.

Ao menos isso é verdade. Você não vai a parte alguma, disse Amber.

E isso significa?, disse Eve.

Que você está morta, disse Amber.

Saia da minha casa, disse Eve.

Esta não é sua casa. Você é apenas uma inquilina.

Saia da casa que estou alugando, disse Eve.

Eu vim à luz pouco mais de um século depois do nascimento do francês cujo nome, traduzido, é Luz, e que lá pelos trinta anos, já no final de 1894, teve uma noite ruim, não conseguiu dormir, sentindo-se inquieto, sentou na beira da cama, levantou, deu umas voltas pela casa e — eureca! Mas é claro! O mecanismo do "pedal intermitente". Da mesma forma que uma máquina de costura faz para impelir o tecido adiante! Encarregou então o engenheiro-chefe da fábrica de executar o projeto. Sentou ele mesmo para abrir pequenos furos em seu papel fotográfico. E, junto com o irmão, desenhou a máquina: um caixote de madeira com um olho. Esse caixote registra tudo o que vê em tons de preto, branco e cinza durante cinqüenta e dois segundos por vez.

    O Paris Express entra na estação. A platéia nas primeiras filas baixa a cabeça! Operários saem da fábrica. A platéia fica extasiada! Um menino engana um jardineiro e leva embora a mangueira. A platéia cai da cadeira de tanto dar risada! Um grupo de pessoas joga cartas. A platéia exclama ao ver as folhas das árvores atrás das pessoas jogando cartas se mexerem com o vento!

Centenas de trens chegam a centenas de estações. Centenas de operários saem de centenas de fábricas. Centenas de jardineiros são enganados por centenas de meninos. Centenas de folhas balouçam em centenas de segundos planos. *Aviso especial para trabalhadores e trabalhadoras. Por que ficar parado no frio, debaixo de chuva, se o senhor e a senhora podem passar uma hora agradável mediante 1 centavo, entre 12 e 14 horas, exceto aos sábados? Venham ver os acontecimentos do dia retratados em imagens vivas.* Homem atacado por leão. Um casal se beijando. Os funerais de Vitória, o campeonato de futebol, a corrida de cavalos Grand National. Famosas Aeronaves do Mundo, Acompanhadas do Famoso Cinefone de Warwick. O teatro Music Hall se torna o cine Central Hall, sob a administração dos MacKenzies das feiras de diversão. Eles contratam uma pianista para impor respeito ao lugar. Aladim e a Lâmpada Maravilhosa. What Women Will Do. A Caixa do Rajá. Uma mulher surge de dentro de uma caixa, numa caverna, e invoca dançarinas que aparecem à volta toda. Um censor cobriu os corpos com tinta vermelha, quadro por quadro. O vermelho vibra das pernas e dos pescoços excessivamente nus das dançarinas.

Vermelho significa paixão, ou algo pegando fogo. Verde significa idílio. Azul significa noite e escuridão. Âmbar significa uma lâmpada acesa no escuro.

Rescued From An Eagle's Nest. O Poeta Suicida. *Bombastus Shakespeare tenta doze novos métodos para se suicidar. Nenhum dá resultado, mas ele morre assim mesmo. Uma pândega do começo ao fim.* Um homem sobe ao palco e conta a história ao público, enquanto ela passa. Uma menina pequena é raptada por ciganos e levada embora num tonel. O tonel cai no rio. Está indo para as corredeiras. Um cerealista faz um negócio lucrativo, o que significa que suas centenas de trabalhadores vão continuar pobres. Ele cai acidentalmente no próprio silo de trigo e a tela se tinge de dourado, à medida que vai morrendo sufocado debaixo do trigo que está sendo despejado. O Central Hall muda o nome para cine Alhambra. *Esta sala foi especialmente projetada segundo todas as normas da Lei do Cinematógrafo, de 1910, para propiciar conforto e segurança, e não fica nada a dever a nenhum dos modernos cinemas de primeira classe de Londres ou Glasgow.* O Alhambra ganha um salão de chá. Com uma orquestra completa: pianista, celista, violinista, percussão. Tem capacidade para mil lugares. Tem um palco de mais de dez metros, cujas laterais são decoradas com figuras orientais. Seu gerente residente, sr. Burnette C. MacDonald, chacoalha correntes dentro de um barril atrás da tela, acompanhando a corrida de bigas de Ben Hur. Toda quinta à noite, dois irmãos de Black Isle pegam a balsa junto com seus cachorros para assistir aos filmes, e toda semana sentam-se nos mesmos lugares. Um belo dia, os irmãos não aparecem, mas o cachorro de um deles, um lebréu cinza, chamado Hector, é visto sentado no banco de sempre. O animal assiste ao filme inteiro.

Lutas, incêndios, distúrbios, tempestades: Beethoven, Guilherme Tell, Wagner. Intriga, ladrões etc.: Grieg, Liszt, Beethoven. Amor ou sentimento: Dear Old Pal of Mine, Sunshine of Your Smile, O Dry Those Tears. Beijos: todo mundo sentado nos lugares mais baratos assobiando para a tela. Você sabe se um filme é bom mesmo quando sua superfície está coberta de arranhões, feito chuva forte. Chaplin é o rei do país chuvoso. Sua bengala tem pequenos gomos de cima a baixo, como os nós da coluna vertebral. Ele saúda com o chapéu qualquer coisa em que tropece na rua. Pára a fim de examinar um furo no sapato. Passa um carro e o derruba no chão, ele fica coberto de pó. Vem outro carro da direção contrária e o derruba de novo. Ele se põe de pé. Espana as roupas com uma pequena escova. Senta debaixo de uma árvore. Dá um polimento nas unhas antes de comer um naco de pão preto amanhecido. *Vários gerentes de cinema comunicaram que, após duas semanas de exibição das comédias de Chaplin, foi preciso apertar os parafusos dos assentos do cinema, já que a platéia ri tanto que acaba soltando as ferragens.* Boa noite, Carlitos, os meninos da platéia gritam, no fim de um curta de Chaplin. Em seguida vem uma heroína amarrada a uma esteira rolante que se dirige de modo implacável rumo a uma serra. *Os homens nada mais são que meninos crescidos.* O passado surge bem ali na sala, a clareira na floresta, o morto bem ali na sala. *Seu covarde. Você fugiu, mesmo sabendo a verdade! Seu filho jamais saberá se seria possível evitar.* Jesus salva a criança cega. Ah — ó, sim — acho que estou vendo luz. The Love Light. Mary Pickford diz para a freira que quer a criança de volta. A freira sacode a cabeça. *Eu sei, irmã Lúcia, que a senhora vai me achar louca. Mas eu não sou.* A polícia mata os mineiros em greve. *O china pagão experimenta o gostinho do resultado de dois mil anos de civilização.* Lillian Gish está prestes a ter sua cabeça decepada na Revolução Francesa. *Quando a mulher ama, perdoa.* Constance Talmadge vive nas montanhas e não quer saber de casar. Blue Blood and Red. Os Dez Mandamentos. The Campbells Are Coming. The Pride of the Clan. Uma mulher toma banho num filme de Cecil B. De Mille. O estilo de decoração dos banheiros muda no mundo todo. Puritan Passions. Enticement. Playing with Souls. Don Juan. As Aventuras de Dorothy Dare. Ruth of the Rockies. Pearl of the Army. O arquiduque salta de seu carro oficial. O chofer do arquiduque dá a volta até a frente para conferir os estragos causados pela bomba. *Uma Nação Se Esvai, Fronteiras Exterminadas, Uma Terra Fértil Transformada em Deserto, Um Rei no Exílio — e os Cinegrafistas da Pathé News Estão Lá.* Sete ou oito homens saem de uma trincheira. Um escorrega de novo e cai morto. O cine Alhambra, Sala de Almoço, Salão de Chá e Estacionamento. Se *Eu Tivesse uma Imagem Falada — De Você*. No final do filme, os espectadores permanecem sentados, em silêncio, atordoados. A orquestra não tem mais trabalho. Diminui o número de filmes europeus. O de americanos triplica. São seis cinemas. E é apenas uma cidade de pequeno porte. A espera, nas filas de todos os seis cinemas, é de duas horas. O Empire o Palace o Playhouse o Queens o Plaza o Alhambra. As poltronas têm o assento acolchoado e o encosto de madeira. Têm paredes art-déco. Têm pilares. Têm as letras A P H em letras floridas no topo das colunas, inscritas em ouro. Têm cortinas douradas cujos rufos de curvas voluptuosas se levantam em repetições inimaginavelmente sensuais. Têm luzes tão lá no alto do teto abobadado que ninguém, a não ser Deus, consegue trocar uma lâmpada. Um sargento aposentado da Grande Guerra borrifa as fileiras entre os assentos com o líquido sob pressão que há dentro da lata prateada de Scentinel Germspray para *manter o ar limpo e cheiroso anti-septicamente em todas as sessões, dia após dia. Dê a sua casa um ar moderno. Use o frescor de Scentinel em todos os cantos.* Scentinel Sales New Hygiene Ltd., 266-268 Holloway Rd., Londres N7.

 Em cima é mais caro. Embaixo, eles gritam para a tela com sotaques norte-americanos. Em cima e embaixo gritam juntos para os filmes britânicos, com gente em roupa de noite dizendo coisas com voz estrangulada umas para as outras. Desenho animado, seriado, cinejornal, próximas atrações, filme B, filme principal, hino nacional. As pessoas levam sanduíches. *Volta ao Mundo em Som e Imagem no Tapete Mágico do Movietone.* Quatro pence para entrar e ver Terra dos Deuses, o mesmo preço de um filão de pão. A Humanidade Marcha. Ladrões Internacionais. Lady from Nowhere. Woman Against Woman.

Let's Get Married, em exibição junto com Uma Aventura Perigosa. Todos os seis cinemas resolvem fechar durante quinze dias, para o caso de haver uma invasão. Reabrem uma semana depois. Todos os seis apagam seus néons. O Grande Ditador. Comprando Barulho. O gerente do Alhambra, o sr. O. H. Campbell, sobe ao palco no meio de um filme de Frank Sinatra. Vitória na Europa. Todo mundo aplaude. Vitória no Japão. Grandes Esperanças. ... E o Vento Levou. Crianças aos prantos são levadas para fora de Bambi no meio de um incêndio florestal. As pessoas compram suas próprias televisões e assistem a sua própria coroação. A tela fica três vezes maior. Cinerama. Cinemascope. Widescreen. NaturalVision. Um leão salta em direção aos espectadores. O Maior Espetáculo da Terra. Ben-Hur, de novo. Os Dez Mandamentos, de novo.

Uma formiga sobe num talo de capim que cresce numa fresta do túmulo de Cecil B. De Mille. O Plaza pára de exibir filmes. O Queens pega fogo. O Empire fecha. O Playhouse vira bingo. Descalços no Parque. Longe Deste Insensato Mundo. Natalie Wood e Robert Redford riem a caminho de casa, depois do cinema, em Esta Mulher É Proibida. Casa de bingo. Demolido. Casa de bingo. Igreja dos Adventistas do Sétimo Dia. Demolido. Demolido. Revendedora de carros usados. Demolido. Supermercado. Demolido. Loja de móveis. Demolido. Igreja. Demolido. Boate. Demolido. Demolido. Boate. Demolido. Restaurante. Fachada tombada. Casa de bingo. Demolido. Demolido. Demolido. Demolido. O Porsche de Steve McQueen se acidenta na pista de corrida. Será que ele se machucou? O Empire de Bradford. O Empire de Plumstead. O Empire de Willesden. O Empire de Penge. O Hippodrome de Colchester. O New Savoy de Glasgow. O Rivoli de Aigburth. O Picturedrome de Dingle. O Phoenix de Kirkwall. O Scala de Harrogate. O Scala de South Shields. O Coliseum de Leeds. O

Rialto de Kirkcaldy. O Majestic de Clapham. O Alhambra de Darlington. O Alhambra de Perth. O Palace de Luton. O Palace de Largs. O Palace de Stroud. O Palace de Bristol. O Palace de Maida Vale. Fade em círculo. Fade para o negro. Eles derrubam as paredes e todos os filmes se erguem do seu eu morto, tão transparentes quanto as almas superpostas dos mortos se levantando de seus cadáveres.

Burt Lancaster beija Gina Lollobrigida lá no alto do trapézio, muito acima da multidão.

Uma sala cheia de gente da sociedade inala um gás anestésico bombeado pelo sistema de ventilação de uma antiga mansão. Todos desmaiam.

Um homem abastecendo com bombas um avião da Grande Guerra segura uma delas para nós vermos. As bombas se curvam, no bico pesado, como os seios nus das mulheres.

Os mortos em todos os campos de batalha se levantam e andam. Andam e andam, transformam-se numa imensa multidão. Mancando, cobertos de ataduras, pálidos, sustentando-se uns aos outros, não como se fossem zumbis — como se fossem pessoas destroçadas de verdade, andam até a casa dos viventes e espiam pelas janelas.

Uma mulher rege uma orquestra minúscula cujos músicos têm o tamanho da mão dela.

Uma moça do interior recebe uma chuva de moedas de ouro. Um minuto antes, ela não tinha dinheiro nem para comprar comida. Uma porta se abre diante dela. Leva a uma terra mágica.

Os agentes aparecem do nada no meio da sala. Os donos da casa informam a eles o que desejam — mudar tudo para uma outra casa, do outro lado da cidade. Eles balançam a cabeça, indicando que entenderam — e somem de repente, sem deixar rastro, como se num passe de mágica. Os donos da casa estão atônitos. Balançam e coçam a cabeça. Mas aí os livros descem sozinhos das prateleiras. Saltam para o parapeito. Atiram-se da janela. E marcham galhardamente pela rua, acenando as páginas. Os pratos descem do guarda-comida. Em fila, seguem até a janela e saltam. Em seguida vêm as xícaras. Elas se atiram para fora. Nenhuma se quebra. Os talheres se levantam e andam. As cadeiras saltam pela janela. As roupas saem flutuando dos armários. Os sapatos, primeiro os maiores, por ordem de tamanho, até as botinhas minúsculas das crianças, caminham sozinhos para fora de casa. Os tapetes se enrolam e saem. A casa se esvazia sozinha.

 Palácio de luxo, o Alhambra, lugar onde fui concebida, do qual recebi meu nome.

 Os operários atravessam os portões da fábrica, estão indo para casa. É o fim de um longo dia.

O fim

do mundo. Mesmo que tenha apenas um quilômetro de largura, o que não parece muito grande, e que viaje apenas a vinte quilômetros por segundo, o que não parece muito rápido, ainda assim, no fim, será o fim absoluto. Digamos que atinja algum lugar como os Estados Unidos, e que as pessoas que moram em outros lugares não dêem a mínima porque estão bem longe dos Estados Unidos. Digamos que atinja os Estados Unidos e que, depois, os pedaços em chamas do imenso buraco que será aberto sejam lançados ao céu e caiam como uma chuva de fogo sobre, entre outros lugares, a Inglaterra. E a Inglaterra inteira, não só Londres, não só Islington, vai queimar. Norfolk vai queimar. Stratford vai queimar. Richmond e Kew, e aquele lugar perto de Bedford aonde às vezes eles têm de ir porque os pais de Michael moram lá, vão todos queimar, e Hebden e os outros lugares todos onde Astrid nunca esteve vão queimar. Astrid tem três vogais a menos que asteróide. Asterid, o asteróide. O Cinturão de Asteróides fica entre Júpiter e Marte. Um asteróide é uma pilha de rochas espaciais soldadas num único imenso rochedo pela própria gravidade, em geral com um quilômetro ou mais de largura. Um asteróide é uma estrela com esteróide na cuca. Foi o que aconteceu com os dinossauros. Provavelmente bastou um só, de dez quilômetros de largura, não precisou mais, para transformá-los exatamente nisso, em dinossauros. Mas em tempos bem mais recentes, noventa e cinco anos atrás, para ser exata, o que não é muito tempo, em relação à história, e representa apenas uma porcentagem relativamente pequena do antigamente, um asteróide de tamanho superpequeno, quase desprezível, atingiu a Sibéria, se bem que, milagrosamente, apenas seis pessoas morreram com o impacto, ainda que ele tenha tido a mesma potência que a detonação de mil ADM completas. Foi uma sorte muito louca, para os seres humanos, ele ter caído na Sibéria.

Astrid não tem medo de imaginar o fim. Haverá esquilos e gambás ardentes voando pelos ares, riscando o escuro de vermelho, carvão em brasa em forma de esquilo, bombas incendiárias de gambás, pedaços incendiados da ponte de San Francisco, pedaços de estúdios de cinema, aquele castelo e os brinquedos fajutas da Disneylândia, o edifício Empire State, tudo fulgurando em brasas imensas, subindo milhares de quilômetros céu acima e despencando de novo por outros tantos quilômetros, ganhando velocidade e se espatifando sobre o mostrador do Big Ben, se espatifando em cima do Parlamento, e da ponte de Waterloo, e a Roda do Milênio tombando de lado e todo mundo chacoalhando dentro das cápsulas em queda, como se estivessem dentro de pesos de papel de vidro, e todos os prédios incendiados, a Tate Modern incendiada, as obras de arte queimando, o restaurante queimando, a loja queimando.

Astrid boceja.

Acordou cedíssimo.

É manhã, mas ainda está escuro lá fora. Pela janela, observa o céu acima das casas. O céu está da cor da iluminação da rua, mas escurece mais no alto. O aquecimento ainda não ficou pronto. Faz frio. Ela está usando um dos três novos casacos vermelhos de pijama. Também veste duas das malhas vermelhas novas e o novo cardigã vermelho, um sobre o outro, por cima do casaco do pijama, o cardigã abotoado de cima a baixo.

Não é possível ter tudo vermelho, a mãe disse. Você não pode ter tudo da mesma cor.

São tons diferentes de vermelho, Astrid respondeu.

De todo modo, não tenho muita certeza se você fica mesmo bem de vermelho, Astrid, disse a mãe.

Astrid fungou e estendeu o cardigã vermelho. A mãe suspirou e levou a malha até o caixa.

Michael, no entanto, não repara nas cores, ou não liga para as que Astrid escolhe, e é ele o encarregado de pagar as contas, até que a mãe dela volte, quando quase tudo em seu armário será vermelho.

Ela escondeu os pés dentro das pernas da calça do pijama, que, por sorte, é um pouco grande. Astrid vai crescer junto com ele.

Muita gente já está de pé e com as luzes acesas em casa; embora ainda seja cedo e esteja escuro, as pessoas estão se aprontando para o trabalho ou coisa parecida. São 6h35 da manhã, no novo rádio-relógio digital, que envia um sinal para Greenwich e recebe a hora exata de volta. O quarto cheira a cama nova e a todas as outras coisas novas que há dentro dele. O cheiro de coisa nova é bom, no começo, depois irrita um pouco. Tudo tem esse cheiro. Praticamente é tudo novo, agora, literalmente quase tudo ali no quarto e quase tudo em todas as outras partes da casa.

Foi fantástico ver as tábuas do assoalho. Foi fantástico ver as paredes. Ainda é fantástico pensar nesse assunto. Voltar para casa, atravessar a porta da frente e ver tudo pelado foi como ouvir a própria respiração pela primeira vez na vida. Foi como se alguém tivesse mexido lá dentro e aumentado até o máximo o volume da respiração de Astrid.

Na verdade ela não sente a menor falta das coisas antigas, só de uma ou outra. Gostava mais quando a casa ainda estava totalmente vazia, como no dia em que eles voltaram das três noites passadas num hotel e dormiram em sacos de dormir emprestados, estendidos no chão, até as camas chegarem. Foi fantástico ver que, em vez de alguma outra coisa um pouco maior ou mais óbvia, como por exemplo o fogão Aga, o computador, as primeiras edições ou os manuscritos, foi o sumiço dos puxadores das portas que acabou fazendo a mãe cair no choro. A mãe tinha ido viajar havia já três semanas e três dias. Não está determinada a data do regresso. É uma espécie de volta ao mundo. Pelo visto ultranecessária. Astrid acha uma tremenda irresponsabilidade.

Eles chegaram das férias, entraram numa casa pelada e a mãe parou, atônita, como todos eles, primeiro no hall e, depois, de aposento em aposento. Tanto a mãe como Michael de início deram risada, meio que parados um ao lado do outro ou se cruzando no caminho, de olhos arregalados como se não estivessem acreditando, como se tudo fosse uma enorme piada. Aí a mãe tentou abrir a porta para descer e ver o que tinha acontecido lá embaixo, mas não conseguiu porque não havia maçaneta.

Foi quando começou a chorar.

Elas eram do movimento *arts & crafts*, ela disse. E continuou repetindo isso, feito uma louca. As maçanetas eram *arts & crafts*.

As maçanetas, para ela, foram o fim. O fim, presume-se, é diferente para cada um. Astrid acha agora que foi um fim de dar nojo, esse das maçanetas. Isso é o fim, a mãe repetiu mil vezes, depois disso. O fim absoluto.

As camas, as poltronas, os armários, as portas dos gabinetes, os guarda-roupas, tudo que havia dentro dos armários, dos guarda-roupas e dos gabinetes. Até as fotos do Busted que ela tinha recortado de revistas, e coisa e tal, sumiram das paredes do quarto de Astrid. Até o *blu-tack* com que tinham sido grudadas. A cômoda, coisas como tesoura, elásticos e coisa e tal, até os pedacinhos de barbante que havia nas gavetas. Não sobrou nada. Nem mesmo um botão perdido. Era como se o chão tivesse sido cuidadosamente varrido. Nem mesmo um clipe perdido numa fenda do assoalho. A única coisa que os ladrões não levaram foi a secretária eletrônica. Ela continuava emitindo seus bipes no chão, junto à parede da sala de jantar, com a luzinha vermelha acendendo e apagando. Eles escutaram a secretária assim que abriram a porta da frente, em geral dava para escutar o barulho que ela fazia, sempre dava, quando você chegava em casa e abria a porta da frente, de modo que não foi uma grande surpresa escutar os bipes, a não ser pelo fato de que o barulho parecia do outro mundo de tão alto. E parecia tão mais alto por causa de tudo que tinha sumido. Mas, como eles levaram o telefone, Michael ligou para a polícia do celular. A casa inteira, disse Michael. Literalmente pelada. Depois ele ligou para um hotel. A voz dele estava esquisita porque tinham levado os tapetes, inclusive a passadeira da escada, e os sons dentro da casa ficaram completamente diferentes. Só de alguém dizer alguma coisa, qualquer coisa, em voz alta, já soava esquisito.

Foi assim. Primeiro eles chegaram de Norfolk e estacionaram o carro. Depois a mãe dela abriu a porta. Assim que entraram, Astrid registrou o barulho da secretária eletrônica. Em seguida registrou que algo estava diferente. Aí registrou que o lugar onde costumava ficar o porta-casacos estava estranho.

Era porque o porta-casacos tinha sumido. Então percebeu que uma outra coisa também havia sumido e logo se lembrou do quê, era uma estante de livros, porque se lembrava do volume da estante no hall. Depois viu que os lugares na parede que pareciam estranhos eram os lugares onde antes ficavam os quadros. É gozado, Astrid pensa, que no fundo leve alguns momentos para a gente lembrar, e às vezes chega a ser bem difícil recriar a imagem do que era que existia no espaço que alguma coisa deixou depois de ter sido levada embora.

Depois eles passaram para a sala da frente, a sala de estar, o salão de jogos, a cozinha, olhando para todas as coisas que tinham desaparecido dali.

E assim por diante.

O fato é que as únicas coisas que sobraram, tirando obviamente a secretária eletrônica, são as que ela, Magnus, a mãe e Michael tinham no corpo e dentro do carro, coisas que eles haviam levado consigo para a casa alugada em Norfolk. Os ladrões levaram as torneiras das pias. Tiraram a parte de cima dos reguladores de temperatura dos radiadores da casa inteira, o que tem causado um certo problema porque, sendo já quase novembro, sem que as substituições tenham sido feitas, às vezes faz um frio danado, mas, às vezes, o tempo está quente demais para que o aquecimento fique no máximo o tempo todo, e não há quem consiga mudar a temperatura dos radiadores da casa toda, a não ser munido de um alicate.

Tem também o lado bom, porque Astrid não vai se ver mais em apuros devido ao celular, já que ela disse que tinha ficado na mesinha-de-cabeceira e, claro, sido levado como tudo o mais.

A mãe falou com todos os vizinhos, mas ninguém havia visto nem escutado nada de anormal. Os Moors tinham visto um caminhão de mudança chegar e partir, duas semanas antes. Nós achamos o fato normal, disseram para sua mãe e para Michael. Achamos que vocês estivessem mudando. Estávamos curiosos para ver aparecer a placa da imobiliária, anunciando o imóvel, porque andamos pensando em mandar avaliar nossa casa.

As cartas do pai dela, e as fotografias, tudo tinha sido levado. Estavam na sacola, debaixo da cama, junto com os sapatos, os sacos plásticos e os pôsteres que também estavam ali e que foram levados.

Astrid olha um lado da rua. Depois o outro. Já tem algumas pessoas andando, entrando nos carros e coisa e tal, mas ninguém que ela conheça. Não que esteja esperando ver alguém que conheça. Mas é o que os olhos da gente fazem. Olham para pessoas que são estranhas para ver se não são estranhas.

Uma folha iluminada pela luz do poste cai de uma árvore. Ela vê a folha caindo no chão. Olha para a tira de céu por cima das casas de novo. Existem mais de um milhão de asteróides, e esses são só os que chegaram ao conhecimento de cientistas e astrônomos. Pode haver muito mais que isso. Id est.

Ela praticamente parou de falar coisas como id est em voz alta. É meio bobo. Vai completar treze anos daqui a três meses. E estaria, daqui a três meses, tirando e separando os velhos brinquedos, bonecas, casas de boneca e coisa e tal dos dois armários de brinquedos, e dando todos eles para crianças mais novas como os Powells, os Packenhams e para filhos de famílias diferentes da família de Astrid, crianças que acabam no hospital, da mesma forma que Magnus fora obrigado a fazer com os dele, não fosse o fato de que os brinquedos de Astrid já foram, por assim dizer, tirados, separados e distribuídos em seu nome. Se bem que ela se pergunta que fim teriam levado o coelho Harry, a coleção de pônies forrados de veludo e todos aqueles ursos de pelúcia em todos os seus diversos estados de conservação ou velhice.

No céu, Magnus respondeu, quando ela se perguntou em voz alta.

Escute, Astrid disse para Magnus, umas duas semanas antes, quando estavam ambos no jardim, porque a casa estava cheia de gente da loja de tapetes, instalando de volta uma passadeira na escada e novos carpetes nos quartos que tinham, originalmente, carpete. Tem uma coisa, eu ando me perguntando isso, por que eu iria querer fazer uma coisa assim?

Que coisa?, disse Magnus.

Magnus tem ficado um bocado em casa, à toa, sem fazer nada. Ainda restam dois meses de suspensão, até sair o resultado da investigação. Esse era um dos recados na secretária, quando eles chegaram das férias. Magnus e Michael ficam sentados em lugares diferentes da casa o dia todo. Se fosse ela que tivesse sido suspensa da escola, que tivesse sido despedida ou coisa parecida, iria ao menos até a biblioteca pública, a uma livraria ou à piscina coberta, em vez de gastar o dia todo só ali sentada, sem fazer nada, porque isso dá um certo nojo.

Digamos que eu veja um bicho que parece morto, diz Astrid. Por que eu iria querer cutucar o bicho com um pau?

Para ver se estava vivo, disse Magnus.

Mas por que, disse Astrid, eu iria querer fazer uma coisa que podia ser cruel para o bicho, se ele não estivesse morto, se ainda estivesse vivo e apenas com aspecto de morto?

Para ver se estava vivo, Magnus repetiu.

Astrid havia desfeito as malas das férias e encontrado as duas fitas. Tinha pegado o ônibus até a Dixons, onde tem um modelo igual de câmera acoplado a um monitor. O aparelho estava ligado. Astrid abriu o compartimento, enfiou a primeira fita, que calhava de ser a fita com o bicho morto na estrada, e ficou ali, vendo o bicho morto de antes. Lá estava ele, morto. Astrid aumentou o volume. O som era de campo, zumbidos, ar, passarinhos. Depois viu a mão de alguém, com certeza a dela mesmo, erguendo um tipo de trinco numa porta. Em seguida o topo da cabeça da mulher que fazia a faxina, o barulho do aspirador, aí a voz de Astrid perguntando algo para ela e a faxineira respondendo. Depois ela descendo a escada, mas não ficou uma filmagem muito boa, era daquele tipo que não se pode olhar sem sentir uma certa tontura, depois um pouco de chão, em seguida direto na direção da luz ofuscante refletida nas lentes. Aí mais nada na fita, depois disso, apenas ruído branco. Isso era muitissimamente irritante, porque Astrid esperava ter algum registro de Amber nesse dia, que foi um dos primeiros.

Ela não tem permissão de falar sobre Amber. Está proibida até de mencionar o nome dela.

Agora acabou, disse a mãe dela. Aquele tempo acabou. Não se prenda a ele, Astrid. Estou avisando. Já chega.

O que havia levado Astrid a recitar, toda vez que o carro parava num semáforo, durante todo o restante do tempo que ficaram em Norfolk, e no caminho todo de volta para casa: vermelho, amarelo-âmbar, verde; ou: verde, amarelo-âmbar, vermelho (dependendo de qual fosse a mudança do semáforo, claro). Quando a mãe percebeu por que ela estava fazendo isso, ficou uma fera e fez a maior gritaria, com várias exigências. De modo que Astrid passou a agir na surdina. Começou a dizer: e âmb, é às dez mesmo que eu tenho que entrar? ou coisa parecida. Fez perguntas a Magnus, na frente da mãe, sobre a música chamada ambiente. Teceu comentários em voz alta, no carro, sobre uma vaca ambulando no pasto, ou uma pessoa de idade ambulando na estrada. Conversou com a balconista da Heals sobre as diferenças de amberagem entre as lâmpadas. Segundo a mulher, era uma questão de mais luz.

 Astrid, disse a mãe.
 O quê?, respondeu Astrid.

Não abuse, disse a mãe.

Você me dá nojo, disse Astrid, entre dentes. Mentalmente, transformou a palavra âmbar na palavra vermelho. Sempre que passava um carro vermelho por elas, dizia, em voz alta, que carro vermelho mais bonito. Quando via um outro, dizia, eu gosto do vermelho daquele carro.

Agora as roupas que tem são vermelhas, a colcha é vermelha, a escova de dentes no porta-escovas do banheiro de sua suíte é vermelha, seu carpete é avermelhado. E coisa e tal.

Astrid Vermelha.

Sua mãe sabia que havia algo no ar, mas não o quê.

Só agora que a mãe se foi, Astrid parou de dizer âmb isso e âmb aquilo, não fala mais ambular nem vermelho nem coisa parecida. Não tem mais sentido fazer o jogo do vermelho com Michael. Astrid tem planos de trocar idéias com Magnus a respeito de Amber, mas as duas vezes em que esteve prestes a abrir a boca, por algum motivo achou melhor ficar de boca fechada. Ainda não entendeu por quê. Mas parece meio mesquinho, ou meio esquisito, parecido com cutucar o bicho morto com o pau. De todo modo, planeja comentar o assunto com Michael, em algum momento, para ver o que acontece quando fizer isso.

Ejetou a fita e enfiou a outra no aparelho da loja porque, com um pouco de sorte, essa seria a das alvoradas, a dos começos. Apertou o botão para voltar a fita, depois pressionou o Play.

O garoto que trabalhava ali parou atrás dela e lhe deu uma cutucada nas costas.

Ei, você, disse ele. Não sabe ler, não?

Havia um aviso ao lado da câmera em exposição que dizia Pede-se aos Clientes que Não Toquem no Equipamento. Por Favor Peça a um Vendedor, Se Precisar de Ajuda.

Astrid apertou o Pause.

Me dê três bons motivos para fazer o que está escrito aí, disse ela.

Porque está escrito, disse o vendedor.

Muito fraco, disse Astrid.

Porque eu estou dizendo. E porque não é sua. Está à venda. Se você comprar, pode fazer o que quiser com ela.

Não precisa ser tão ditatorial, disse Astrid.

Como é que é?, disse o garoto.

Um: as razões que você me ofereceu até agora são bem bobas, disse Astrid. Dois: esta aqui é só para mostruário, não é verdade? O que significa que é uma das filmadoras que a empresa não espera vender. Por isso você poderia ser um pouco mais simpático comigo e me deixar ver meu filme nela. E até parece que eu não sei o que estou fazendo. Até parece que estou causando algum prejuízo. E três: se você me cutucar mais uma vez nas costas, eu vou dar queixa de você ao gerente, por ter maltratado uma cliente de treze anos de idade, empurrando-a pelas costas, o que constitui maus-tratos físicos, e eu não quero ter de dar queixa de ninguém nem nada porque isso também é meio bobo.

Você o quê?, disse o vendedor. O garoto parecia totalmente atônito. Depois deu risada.

Você é rápida, para alguém com treze anos. E é jovem demais, se só tem mesmo treze anos, para eu convidá-la para sair.

Como se eu fosse aceitar, mesmo que você convidasse, disse Astrid, examinando a câmera.

Ele era legal. Deixou que ela assistisse à outra fita no aparelho da loja sem amolá-la. Mas não havia nada na fita, só uma série de céus escuros avançando em *fast-forward* até clarear, um atrás do outro. A cada edição para um outro dia, o negro tomava conta de novo da tela. Depois empalidecia para algo esbranquiçado, embora Astrid se lembrasse dos dias começando com um profundo azul distante.

Não havia nenhuma filmagem de Amber ao amanhecer. Não havia nada. Era como se Amber tivesse apagado a si própria, ou nunca tivesse estado lá, era como se Astrid tivesse imaginado tudo.

Ela conferiu mais duas vezes. Depois ejetou a fita, fechou a lateral da câmera e já ia saindo da loja.

Já terminou, assim tão cedo?, disse o garoto.

Ele era muito mais velho que Astrid, mais ou menos da idade de Magnus.

Você esqueceu suas fitas, disse ele. Não quer mais?

Já vi o que tinha de ver, disse ela.

Tem o que nelas?, perguntou ele. Você aparece?

Não.

Se você me der o número do seu celular, disse o garoto, eu lhe dou três fitas novas de graça. Vamos lá.

Eu não preciso de fitas, disse ela.

Todo mundo precisa de fitas, disse ele.

Eu não tenho mais câmera, disse ela.

Então que tal alguma outra coisa? Bateria. Fones de ouvido para o seu walkman. Seu iPod. O que você tem? Um walkman ou um iPod?

Não, obrigada, disse Astrid.

Bom, então me dá só o seu número, disse o garoto. Vamos lá. Eu não ligo até você fazer quinze anos. Prometo. Daqui a dois anos, em setembro, seu celular vai tocar e alguém vai dizer alô, quem fala, é a garota dos olhos muito azuis? Está lembrada de mim? Quer ir ao multiplex ver um filme comigo hoje à noite?

Não posso lhe dar o meu número, disse ela.

Por que não?, o garoto ainda teve tempo de gritar para a porta aberta da loja. O que tem de errado comigo?

Eu não tenho celular, Astrid gritou de volta.

O garoto berrou por cima da cabeça das pessoas na rua. Ei, eu tenho umas ofertas excelentes de celular.

E assim foi que, até Astrid se lembrar de ficar decepcionada por não ter grande coisa nas fitas, até parar diante de uma vitrine, um pouco mais adiante na rua, e tentar conferir no seu reflexo o quão azuis eram seus olhos de fato, a decepção já não era tão forte quanto poderia ter sido se toda aquela coisarada não tivesse acontecido quando entrou na loja.

De todo modo, lembra-se de um bocado de coisas, mesmo sem a ajuda das fitas. Outro dia, i. e., assim, sem mais nem menos, lembrou-se de repente do momento em que ela e Amber estavam passando por uma fazenda, ou algo assim, e um cachorrão imenso saiu correndo, latindo para elas, rosnando como se fosse avançar, e Amber gritou com ele, partiu com tudo para cima do cachorro, aos berros, e o cachorro recuou, na verdade parou de latir, como se espantado com Amber, ali parada na estrada, e recuou.

Astrid nem sequer imaginava que isso ainda estivesse guardado em sua cabeça.

É difícil lembrar de como era a fisionomia dela. Coisa mais irritante haver imagens da faxineira, e nenhuma de Amber.

Lembra-se de que Amber fez algo muito engraçado, uma coisa que a fez rir a mais não poder, rolar no chão de tanto rir, mas não consegue se lembrar do que era, assim de pronto. Lembra-se da sensação de rir. Lembra-se do que sentiu, por exemplo, quando elas pararam bem na frente daqueles saidinhos, e eles ficaram constrangidos porque havia alguém de olho neles, e isso é o que deve ser lembrado, não que cara tinham, que roupa, onde estavam ou quantos eram. Ninguém jamais vai pedir para que ela prove que eles eram quem eram; isso é responsabilidade de outra pessoa, isso é para outra pessoa fazer. A responsabilidade dela é diferente. A responsabilidade dela é ver, estar ali.

Astrid não consegue acreditar, por exemplo, que a mãe tenha simplesmente partido numa viagem de volta ao mundo, e coisa e tal, da forma como fez. Isso é o exato oposto de estar ali. É maternidade padrão popular. Haverá conseqüências. É responsabilidade padrão popular. Esse é o tipo de coisa, junto com separação de pai e mãe, e de avós que morrem, ou então que ficam com Alzheimer e vão viver com algum filho e é tudo muito trágico, eles não reconhecem mais ninguém, não conseguem comer direito sozinhos e coisa e tal, isso é que faz o pessoal da escola sofrer de transtornos alimentares ou se cortar, algo que Astrid nunca vai fazer — não tem a mínima originalidade; sem nem precisar pensar muito, ela se lembra de pelo menos três meninas da escola que está na cara que se cortam, e só uma é razoavelmente inteligente, além de, quem sabe, mais umas duas ou três que também se cortam, mas guardam um pouco melhor o segredo, e tem ainda três meninas com transtornos alimentares, e essas todo mundo sabe quem são. De modo que todos têm muita sorte, nesta casa e nesta família, de Astrid não ser daquelas com tendência a fazer esse tipo de coisa.

    Zelda Howe é uma das meninas que sofrem de transtorno alimentar.

    É fantástica a rapidez com que a gente esquece, até mesmo coisas que você acha que sabe, até mesmo coisas que você quer muito guardar. É fantástico como a memória funciona e se recusa a funcionar. Um rosto pode ser uma página em branco. Mas assim como ela lembrou do que aconteceu com aquele cachorro, de vez em quando há coisas, como rostos e memórias, que surgem sozinhos e com tanta clareza que, mesmo querendo, seria impossível não ver. É muito louco. Astrid não consegue de fato lembrar-se de como ela era. Já procurou nas fotos das férias, mas, antes de ir viajar, a mãe deve ter censurado todas as fotos em que Amber aparecia. Astrid está com uma no bolso do pijama, aquela em que ela, Magnus, a mãe e Michael estão parados na porta da frente da casa padrão popular, porque foi tirada por Amber.

Interessante o jeito como a gente fala sobre fotografia, que uma fotografia foi *tirada*. É interessante que se possa dizer que Amber tirou a foto, mas é Astrid quem continua com ela. Aqui está a foto, no bolso.

Astrid consegue ver Amber tirando a foto, quando pensa a respeito. Ela parou sobre o calçamento de pedra da entrada para carros, com os pés afastados, a máquina no olho, e disse: pronto? e todos eles pararam, prontos.

Na verdade é uma foto até que razoável de Astrid, coisa rara, porque ela não é muito fotogênica e em geral odeia fotos de si mesma. Seus olhos estão superazuis nela, é verdade. São uma espécie de raio de sol azul em seu rosto.

Tira a foto do bolso e se curva para vê-la com mais clareza à luz do poste da rua. Faz questão deliberada de não olhar para a mãe na foto, só olha para Magnus, Michael e ela própria, e dá para ver também o formato da porta da casa e um pedacinho da entrada para carros. É um instante daquilo que Amber viu, literalmente, pelo minúsculo visor da máquina fotográfica. É fantástico pensar nisso dessa forma, todos eles fixos desse jeito, parados na frente da casa como se para sempre, mas na verdade tudo não teve mais que uma fração de segundo de duração dentro da cabeça de Amber. O fantástico é que uma fotografia é para sempre, mas, no fundo, é uma espécie de prova de que nada dura mais que uma fração de segundo no tempo.

Naquele momento para sempre da fotografia, estão todos olhando para Amber e Amber está olhando para eles.

Quando Astrid pensa dessa maneira, como algo que não está sendo visto através dos próprios olhos, então sim, tudo bem olhar para a mãe.

A mãe está bonita na foto. Sorridente. Um sorriso feliz de verdade. O sorriso irrita Astrid cada vez mais. Torna a pôr a foto no bolso. Impede a chegada da sensação de estar com vontade de chorar. Não é muito difícil, isso.

Quando a mãe chegar, Astrid vai voltar até aquela filial da Dixons para ver se o garoto continua lá e se ainda se lembra dela, como disse que se lembraria. Vai dizer que foi para dar uma olhada nos celulares. Se ele a convidar de novo para sair, ela vai dizer sim e sair com ele. Isso vai irritar muito a mãe, que tem um troço esquisito de não querer que Astrid cresça e se case com um vendedor de loja. Uma noite, eis o que Amber disse no ouvido de Astrid, no escuro, na cama da casa alugada, nas férias em Norfolk.

Ela não gostava dele porque, quando se conheceram, ele trabalhava numa loja, disse Amber.

Nem vem que não tem, disse Astrid.

Venho, sim, disse Amber.

E deu um puxão no cabelo de Astrid, uma vez, com força.

Isso doeu, disse Astrid.

Você merece pior, disse Amber. Você me dá tanto nojo quanto eles. O que você preferia? Já sei. Que tivesse largado uma promissora carreira de neurocirurgião, e de médico já renomado, embora fosse tão jovem. Não, já sei. Ele era um gênio da informática que pulou de uma empresa para outra, ganhando rios de dinheiro com o efeito impressionante provocado na forma como as pessoas se comunicavam eletronicamente. Por exemplo, primeiro ele ganhou uma fortuna inventando o spam por e-mail. E depois ganhou mais outra fortuna inventando um jeito de os spams via e-mail serem bloqueados antes de chegar à caixa postal das pessoas. Mas não demorou para se entediar com a futilidade de tudo isso e arrumou um emprego de vendedor numa loja.

Que tipo de loja?, disse Astrid.
Uma loja chamada Hebden que se preocupa com questões ambientais e vende produtos naturais por preços justos a consumidores alternativos em algum lugar do norte, Amber disse.
Astrid meneou a cabeça.
Ele gosta do norte, disse Amber. É por isso que você e Magnus têm nomes que vêm do norte.
Astrid deu de ombros, tímida, aquecida sob os braços de Amber.
Não, não foi isso. Na verdade ele nasceu com um dom. O talento dele era para limpar as coisas. Desde bem pequeno, sempre foi excepcionalmente dotado para tornar as coisas brilhantes. Limpar as coisas dava-lhe uma sensação boa. Quando cresceu, arrumou emprego de faxineiro, que era tudo que ele sempre quis ser na vida. Agora, limpa casas pelo país afora, indo de um lugar para outro. Não ganha quase nada. Só o suficiente para o gasto. Mas limpa as coisas tão bem que torna a vida melhor. Ele faz as coisas e a vida brilhantes.
(Astrid Berenski.)
Não acreditem numa única palavra do que aquela mulher disse para vocês, a mãe dela falou logo depois, repetiu uma vez no carro e de vez em quando dizia de novo, na casa vazia, à medida que ela se enchia de coisas novas.
Sua mãe tem razão, disse Michael. Eu receio que seja verdade. Ela era uma vigarista, uma embusteira e uma mentirosa. Era igual àqueles charlatães que, da traseira de uma carroça, vendiam remédios inócuos para gente doente. Ela era uma flibusteira.
Magnus concordou com a cabeça, ar tristonho.
Apenas Astrid ficou uma fera, como se a vista estivesse turva de vermelho. Confundiu flibusteira com mosqueteira, viu

Amber montada num corcel, de chapéu e jaqueta vermelha. Amber, fazendo patrulhamento, meneou a cabeça quando seu cavalo passou trotando por Astrid. É bom que a cor vermelha também indique raiva. Imagine a gente vendo tudo vermelho, como se fosse em infravermelho. Quando voltou às aulas, em setembro, na primeira vez em que Lorna Rose ousou lhe dar aquele olhar de você é esquisita, no meio de uma aula de inglês, Astrid, em vez de ignorá-la, ou de pirar a respeito, levantou-se da carteira e a velha professora Himmel ergueu os olhos do livro de poesia, era um poema sobre o último coelho existente na Inglaterra, e todo mundo fazendo excursões especiais para ir vê-lo, e a professora Himmel disse Astrid, o que você está fazendo, vá sentar, mas Astrid continuou em frente, andou até a carteira onde Lorna estava sentada, parou bem na frente da carteira dela, olhando para ela, e Lorna estava rindo, como se estivesse com medo, com ar de quem não estava acreditando, e Astrid, ali parada na frente da carteira dela disse, em voz baixa, entre os dentes, para que só Lorna escutasse, eu estou de olho em você. A professora Himmel disse Astrid, sente-se agora mesmo, e Astrid disse eu só estou falando para a Lorna uma coisa que ela precisa saber, e a professora Himmel disse diga seja lá o que for para Lorna no intervalo, e não na hora da minha aula, atrapalhando todo mundo, a menos que você queira contar para a classe inteira o que tem de tão importante assim para dizer a Lorna. Astrid disse eu não me importo de contar para todo mundo, agora mesmo, professora, a menos que a Lorna prefira manter sigilo sobre o assunto, e a professora Himmel disse, bem? Lorna? O que vem a ser isso tudo? e Lorna disse é sigilo, professora, e a professora Himmel disse Astrid, pela última vez, sente-se. Astrid olhou Lorna bem nos olhos uma última vez. Depois voltou para sua carteira, sentou-se e todos tornaram a se ocupar do poema, e desde então elas não fizeram mais nenhum desaforo para ela, na verdade Lorna Rose, Zelda e Rebecca têm todas feito um esforço quase constrangedor para ser simpáticas, e Zelda não pára de ligar para a casa de Astrid e lhe contar como estão as coisas, agora que o avô foi morar com elas, e como é difícil conviver com ele, e como o jeito do avô comer a deixa com um supernojo e como ela se sente culpada por isso.

Mas o negócio é que, quando Astrid se lembra daquela manhã, na aula, tudo transcorre dentro de sua cabeça como se numa espécie de filme muito estranho, com cores muito estranhas, tudo claro e distorcido, como se as cores também tivessem tido seu volume aumentado ao máximo.

Além disso, coisa fantástica, é que não precisa mais das cartas do pai. Elas não eram prova de nada, no fundo. Não importa que tenham sumido. No fundo, é um alívio não ter de ficar pensando o tempo inteiro nelas ou se perguntando qual era ou é a história. O pai dela podia ser qualquer coisa, e estar em qualquer parte, foi isso que Amber falou.

Medo ou imaginação.

É estranho pensar em Amber como se ela estivesse no passado.

Mas está.

No entanto não foi Amber que acabou, Astrid pensa, olhando para a foto de Michael com a mão no ombro de Magnus e ambos rindo, a mãe sorrindo daquele jeito, com o braço em volta de Astrid, Astrid com o braço em volta da mãe.

Agora acabou, disse a mãe dela. Aquele tempo acabou. Estou avisando.

(O carro de Amber está na frente da casa, Amber deu a partida. O corpo da mãe tapa a soleira da porta. O barulho do carro dando ré sobre as pedras, o som das rodas do carro saindo das pedras para o asfalto da rua, o som do carro sumindo. A mãe se afastando da porta e entrando de novo. O lugar vazio, na frente da casa, onde, momentos antes, estava o carro de Amber.)

    7h31 da manhã no novo rádio-relógio digital, preciso até o nanossegundo.
    O dia está amanhecendo vermelho. Anoitecer avermelhado, pastor sossegado. Incêndio na aurora, pastor caipora. Se à noitinha o céu fica avermelhado, significa que o dia seguinte vai ser ensolarado. Se o céu amanhece avermelhado, significa tempestade, é um jeito antigo, folclórico, de prever o que está para acontecer. Eis aí mais uma coisa surpreendente para Astrid, que os pastores sejam por tradição os responsáveis pelas ovelhas, eles lá deitados debaixo das árvores, durante o verão, com as ovelhas todas pastando em volta, tocando flauta e escolhendo quem do rebanho vai ser abatido e quem não, e, na escola, que eles cantem "O Senhor é meu pastor" e os textos girem todos em torno de Deus cuidando de seus filhinhos e de suas ovelhas, mas não de todas, só de algumas, só das que acreditam Nele, e seja como for as pessoas comem carne de carneiro o tempo todo e leva apenas uns poucos meses para uma ovelha se tornar carneiro e ser abatida.
    Bi-bi para o bé-bé. Michael e sua mãe sendo bondosos, fazendo brincadeiras no banco da frente do quatro por quatro.
    Havia carneiros no pasto à volta toda da casa de férias deles. Deviam ser carneiros novos, trazidos de algum outro lugar, após todas as piras da aftosa.
    Quando Astrid se lembra de lá, lhe vêm à mente os detalhes mais esdrúxulos, como o poste de iluminação próximo do pasto, no caminho da casa para a cidadezinha, e todo aquele capim alto, crescendo em volta da base. Por que a memória de alguém iria querer se lembrar apenas de ter visto um poste como aquele?

Astrid não sabe. É fato, e é oficial, segundo o jornal, que o mundo está ficando mais escuro, que a maioria dos lugares está dez por cento mais escura do que trinta anos atrás, por exemplo, e alguns estão quase trinta por cento mais escuros. Tem a ver com poluição, possivelmente. Ninguém sabe. É como o amanhecer indo de trás para a frente, como as alvoradas em sua fita dos começos, só que fazendo um retrocesso muito longo e em câmera muito lenta, o escuro baixando sobre a luz em diminutas porcentagens todos os dias, tão devagar que ninguém nem repara. É como uma cortina descendo num teatro. Só que não é o fim. Como pode ser o fim? É apenas o começo. É o começo de tudo, o começo do século e este é sem dúvida o século de Astrid, o século vinte e um, e lá está ela, lá vem ela na direção dele, em desabalada corrida, com a responsabilidade de localizar, pela temperatura, tudo quanto dê nojo ou seja muito louco, Asterid Smart, o Asteróide Esperto, atirado, em desabalada corrida rumo à Terra, se aproximando cada vez mais do momento do impacto, e onde quer que a mãe esteja, neste mundo, vai acordar, olhar pela janela do hotel, do mesmo jeito que Astrid olha agora pela sua janela, e ver algo vindo de lá do céu, como uma superchuva do outro mundo. Ela vai olhar pela janela e ver, talvez, o momento que antecede o instante em que o asteróide, atirado, rasga um imenso buraco de dez quilômetros de largura na sua frente, e joga longe todas as maçanetas das portas, joga longe toda a mobília, e tal e coisa, de seu quarto e de todos os quartos e casas das proximidades, o asteróide pode cair em qualquer lugar, e terá consequências em todas as partes, não apenas nos Estados Unidos ou na Inglaterra, e, então, sua mãe vai pensar consigo mesma que o que está fazendo é besteira, que deveria ter ficado alerta o tempo todo, e que o tempo todo deveria estar num outro lugar, não ali.

Atirado se parece com baleado, com aterrado, com o nome que alienígenas, recém-chegados de um outro planeta, dariam a um terráqueo meio aterrorizado.

Leve-nos a seu líder, aterrado.

O céu está vermelho, há uma tempestade a caminho, e todos os esquilos gracinha deste mundo podem acabar sendo bombas incendiárias. Mas por enquanto o Big Ben continua de pé, como se fosse uma torre que diz que horas são, assim como o Parlamento Britânico, a Tate Modern e a Roda do Milênio, e o rio continua sendo aquela mesma velha água cinzenta, com o céu amanhecendo vermelho por cima dele, vermelho por sobre toda a cidade de Londres, vermelho através da janela do quarto de Astrid

fim da história = Magnus foi convidado a voltar às aulas no início do novo período escolar, no dia 5. As cartas afirmando isso chegaram ontem. Elas chamam o que houve de "a questão". Nenhuma das cartas faz menção ao nome dela ou especifica qual seja "a questão". Uma carta estava endereçada a Eve e Michael, a outra era para Magnus. A que Michael abriu dizia quase a mesma coisa que a de Magnus. Pedimos sua consideração e confidencialidade na questão. Temos o prazer de informar. A questão está oficialmente encerrada.
Fim da história = eles escaparam impunemente.
Fim da história = no fundo, ninguém quer saber.
É uma quarta-feira, hoje. É o último dia do ano. Já está ficando escuro, lá fora, e não é nem hora do almoço ainda. Magnus esteve perambulando sob a luz ofuscante do shopping. Agora está na platéia, as luzes diminuíram, a publicidade acabou e o filme começou. Na tela, um ator que finge ser o primeiro-ministro finge se apaixonar pela atriz que finge ser a

moça do chá. O filme estava para começar, por isso é que ele tinha comprado um ingresso. É sobre o Natal. Está cheio de pessoas e casas reluzentes, é como assistir a um longuíssimo anúncio de banco, ou um anúncio qualquer, Magnus não sabe dizer muito bem. Assistir àquilo é como estar com fome e não ter nada para comer, exceto, na verdade, o tipo de comida que se vende nos cinemas. O ar nesse cinema cheira a comida de cinema, cachorro-quente e pipoca. Claro que cheira. Qualquer um com um pingo de inteligência sabe que eles bombeiam esse cheiro para obrigar você a comprar comida no quiosque. Funciona. A maioria das pessoas em volta de Magnus está enfiando comida na boca sem tirar os olhos da tela.

Lá fora, as escadas rolantes continuarão girando sem parar nas ranhuras. Magnus havia reparado nelas e depois se viu incapaz de deixar de reparar. Parou para olhar as pessoas descendo pela escada rolante e para observar como cada degrau desaparecia certinho na ranhura existente ao pé da escada, como se o degrau estivesse se dobrando em nada à medida que as pessoas saltavam e rumavam para seus futuros, e então o degrau seguinte fazia a mesma coisa e o outro que vinha depois também. Havia um degrau com um decalque ou um pedaço de papel grudado no metal, bem na frente. Fato que destacava esse degrau dos demais, que não tinham nenhuma marca. Ele ficou esperando que esse degrau voltasse e sumisse algumas vezes. Subiu a escada rolante de olho nos degraus a sua frente, que sumiram dentro da fenda no topo do mecanismo, até chegar a vez daquele em que estava, que também sumiu. Estava prestando tanta atenção nisso que acabou sendo atirado para cima das pessoas na sua frente e, como perdeu o equilíbrio, as pessoas que vinham atrás também tropeçaram nele.

Sinto muito, disse Magnus.

E era verdade. Ele sentia muito mesmo.

Esperou no topo da escada rolante descendente até ver surgir de novo o degrau com o pedaço de papel grudado. Era o rótulo de uma água, todo rasgado de tanto seguir naquele ramerrame, debaixo dos pés do pessoal. Mas acabou tendo de esperar até o degrau dar nova volta, porque um senhor de idade havia entrado na frente dele. Quando o degrau tornou a aparecer, Magnus pegou a escada e desceu até o pavimento inferior. Tornou a subir pela escada rolante, para fazer isso de novo. Mas, no topo da escada descendente, começou a achar que o que estava fazendo era meio maluco, de modo que, quando se virou e viu que estava no andar onde ficava o cinema, e o filme estava literalmente para começar, comprou um ingresso.

Vai ver que o filme é até muito bom, mas como no momento ele é o Garoto Lobotomizado da Escada Rolante, não consegue discernir se é ou não.

Fim da história = ele deveria estar se sentindo aliviado. Michael acenou para Magnus, com a carta que fora endereçada a ele e a Eve na mão. Tudo certo, agora, disse ele. Acabou. Tão simples quanto abecê. Vou ligar para sua mãe, contar a ela o final feliz.

As escadas rolantes continuam dando voltas e voltas em seu circuito de direção fixa, dobrando-se mecanicamente para dentro de si mesmas e tornando a se desdobrar, levando pessoas para cima e para baixo até terminar o dia e o shopping ser fechado, a eletricidade desligada até a manhã seguinte, quando tornam a ligar a luz, e começa tudo de novo. Quando fecha o shopping, este cinema fica vazio, no escuro total, com todas as poltronas vazias, fileira por fileira, e o lugar todo tão escuro quanto uma caverna, escuro como as entranhas de uma pedra na lua, escuro como o interior de um cérebro humano dentro de um crânio.

Você agora já pode dar o assunto por encerrado, disse Michael, segurando a carta na mão. Pode largar mão. Tão simples quanto abecê, 1, 2, 3. Poder largar mão, agora que o ano velho está terminando e o novo ano começando, porque o assunto vai pertencer ao velho e coisas novas vão acontecer no novo. Poder largar mão, como se o que houve fosse uma bexiga cheia de hélio que ele estivesse segurando por um pedaço de barbante com aquela teimosia que só uma criança pequena tem, poder largar mão e deixá-la sair flutuando pelo céu, poder ficar vendo o balão diminuir cada vez mais de tamanho, cada vez mais distante, até quase não dar mais para enxergá-lo. Poder dar o assunto por encerrado. Uma simples questão de subtração. Ele menos isso. Poder ter a memória apagada mediante um laser especial, como em *Homens de preto*. Magnus gosta de *Homens de preto*. Ele gosta de todos os tipos e gêneros de filme, em geral. Pelo menos antes ele gostava, quando sabia quem era, e do que gostava. Defendia em classe, durante os debates sobre arte, que o cinema era uma forma artística muitíssimo mal interpretada e que *Cidadão Kane* era provavelmente o melhor filme de todos os tempos, por causa da genialidade com que fora fotografado e enquadrado de diferentes ângulos (embora não fosse esse seu favorito absoluto, e sim *Blade Runner*, na versão do diretor). O filme que está vendo agora tem algo a ver com a indústria britânica de cinema. Outro ator na tela acabou de fingir que se apaixonou por uma atriz que finge ser sua faxineira portuguesa por ele ter visto a moça tirar a roupa para mergulhar num lago e depois sair da água, descabelada e molhada, muito mais bonita do que estava na primeira vez em que se encontraram. Magnus olha para as beiradas da tela, onde a beirada da luz do filme se encontra com a escuridão. Pergunta-se por que a coisa sobre a qual os filmes são projetados se chama tela. Cinema por acaso é pintura?

Quando a luz acende, é só um branco total. Ele pensa nos olhos humanos, que captam o mundo exterior e levam a imagem, como um filme de cabeça para baixo, para dentro, para a tela da retina, no fundo dos olhos, onde ela é instantaneamente posta de cabeça para cima pelo cérebro. Tem duas meninas sentadas a algumas poltronas de distância e elas parecem estar prestando a maior atenção, parecem estar gostando bastante. A bem da verdade, o filme é para mulheres, de modo que é melhor Magnus não esperar muita coisa dele, é compreensível não sentir nem mesmo um certo interesse pelo que se passa. É o tipo de filme para ser visto junto com uma garota. Imagina Astrid ali do lado, com ele. Astrid não se limitaria apenas a achar o filme uma bosta, ela diria isso alto e bom som. Ela soltaria exclamações de tédio, as pessoas olhariam para trás e pediriam silêncio. Ela ainda não tem idade suficiente para fingir que gosta de filmes assim. Magnus sorri no escuro. Pouco antes do Natal, ela pôs fogo num monte de folhas, perto do barracão do quintal, e o barracão pegou fogo. Fato que levou Michael a reagir; ele saiu, quase correndo, com um extintor de incêndio na mão. Depois parou e riu junto com eles, ao ver o barracão todo chamuscado. O Michael é legal. Depois sentaram em volta da mesa da cozinha e tomaram um café, todos juntos, algo que nunca tinham feito antes, pelo menos não em volta daquela mesa. Ela tem um formato diferente da antiga, é redonda, não retangular. Fez diferença, nesse dia, que a mesa fosse redonda. Magnus se pergunta se Eve vai gostar da mesa nova, quando voltar para casa. Astrid continua se recusando a falar com a mãe, quando ela liga. Não quis falar com ela nem mesmo quando ligou no dia de Natal. Magnus, contudo, já flagrou a irmã, mais de uma vez, na cozinha, folheando a pilha (agora já bem gorda) de cartões-postais.

Eu achava que você não lia esses cartões por princípio, disse ele, na segunda vez.
Não estou lendo nada, disse Astrid. Eu tive de tirá-los de cima da geladeira para poder abrir a porta e pegar o leite, e eles calharam de estar na minha mão e eu calhei de olhar para eles, só isso. Não é o mesmo que ler o que está escrito.
As cartas do fim da história chegaram ontem. Ontem à tarde Astrid estava assistindo a um programa chamado *As vespas assassinas do inferno*. Magnus tinha sentado ao lado dela, no sofá, e Astrid lhe contara que as vespas assassinas, que são dez vezes maiores que as abelhas e de algum lugar na América do Sul, enviam batedores na frente, para descobrir onde estão as colméias e depois dar a localização delas. Aí as vespas atacam a colméia, matam as abelhas e comem o mel. Só que algumas abelhas ficaram espertas e perceberam que as tais vespas morriam a uma determinada temperatura, que é de 46,5 graus. Só que as abelhas também morrem a uma certa temperatura. 47,5 graus. Daí que, da próxima vez que um batedor de vespa foi avistado pelas abelhas, as abelhas, sabe-se lá como, já sabiam que deveriam rodear o batedor e vibrar todas juntas, como uma grande abelha unificada, até que atingissem — presta atenção nisso — exatamente 47 graus. Puta merda, não é brilhante?, disse Astrid.
Astrid, você não quer me chamar de babaca?, disse Magnus.
O quê?, pergunta Astrid.
Você se importa de me chamar de babaca?
Você é um babaca.
Se importa de me xingar de novo, algumas vezes mais?
Você é um babaca, você é um babaca, você é um babaca, diz Astrid, sem tirar os olhos da televisão.
Existe um cálculo para a tristeza? Cálculo permite que você chegue à resposta correta sem necessariamente saber por quê. Haverá um cálculo que o faça compreender por que e

como você chegou à resposta errada? As cartas tinham chegado. Eram o fim da história. Havia alguma coisa errada ali.

Mas isso é ótimo, querido, Eve tinha dito, quando ligou de volta, a voz indo e vindo, a toda hora interrompida. É (alguma coisa) ótima. Uma notícia maravilhosa. Graças a Deus. Nós (branco) confiança em você. (branco) escola foi muito sensata. Agora você já pode pôr isso tudo (alguma coisa) e levar a vida adiante. A sua verdadeira vida. Estudar (alguma coisa) exames. É (branco) próximo ano (branco) repercussões (alguma coisa) resto da vida.

Não tem nada pior pra você me chamar, não?, disse Magnus para Astrid, enquanto assistiam às abelhas roendo o cadáver da vespa espiã.

Nadinha, disse Astrid. Babaca é o pior que eu conheço.

(Não é para contar nada para Astrid do que houve na escola etc. e tal. Não é para contar a ninguém. Como parte do acordo para a não-expulsão, Magnus concordou em não mencionar os nomes ou o caso em público, e foi aconselhado a evitar falar no assunto em família. Sua consideração e confidencialidade na questão.)

Você é uma vespa assassina do inferno, disse Astrid.

Gostei, disse Magnus, meneando a cabeça para si mesmo, porque isso sugeria um alívio. Sugeria que, por ter feito a coisa errada, ele poderia ser aquecido até a morte pelos cálculos corretos e justos de abelhas inocentes.

Você é uma lesma assassina do inferno, diz Astrid.

Magnus, no cinema, ri alto. As duas meninas na sua fileira viram-se para olhá-lo no escuro porque é a hora errada de rir, não há nada engraçado acontecendo na tela, não há mais ninguém rindo no cinema. O ator que finge ser o primeiro-ministro finge estar fazendo um discurso sobre o quanto discorda da política norte-americana. Faz isso porque, momentos antes, no filme, pegou o ator que finge ser o presidente norte-americano beijando a orelha da atriz que finge ser a moça do chá.

Ele vê as pessoas na tela fazendo piadas sobre a gordura da atriz que faz o papel da moça que serve o chá, embora Magnus não a considere especialmente avantajada, na verdade não é gorda, não de modo visível.

Pascal apostou consigo mesmo que era muito provável que existisse um Deus e, portanto, um céu e um inferno. Achava que, se apostasse a vida nisso, se vivesse a vida como se existisse, então ele iria para o céu. Mas se morresse e não houvesse nada, então não teria a menor importância não haver nada. Não fazia o menor sentido, segundo Pascal, apostar o destino no nada, em vez de apostá-lo em algo. Era um desperdício de aposta.

Eu aposto com você como tem algo que você nunca vai conseguir adivinhar, nem em um milhão de anos, a meu respeito, Magnus disse para Astrid.

Você acha que é gay, disse Astrid.

Não, é sério, ele disse. É uma coisa, eu aposto, que, se você soubesse, nunca mais iria querer falar comigo ou me ter como irmão. Você não conseguiria não me odiar.

Ele disse isso como se estivesse brincando, como se fosse uma piada.

Você acha que eu sou gay, disse Astrid.

O programa sobre as abelhas acabou.

Eu já odeio você, de qualquer maneira, disse Astrid. Não há nada que você pudesse me dizer para me fazer odiá-lo ainda mais do que eu já odeio.

E deu-lhe um doce sorriso. Magnus sorriu de volta. Ele estava a ponto de chorar. Um programa sobre os acontecimentos de 2003, agora que 2003 estava quase acabando, tinha começado. O time de rúgbi da Inglaterra estava parado, de punhos erguidos, diante de uma imensa multidão ululante. Depois soldados norte-americanos sentaram-se em cadeiras de aspecto majestoso perdidas nas ruínas poeirentas da suíte de um palácio estraçalhado. Depois veio uma foto aérea de um cordão policial de isolamento em volta de um pequeno bosque. Era verão ainda. Em seguida, em letras bem grandes, granulosas, pegando a tela toda, a palavra sensual e a palavra demais.

Tem a ver com a sua suspensão e aquela coisarada toda que acabou?, disse Astrid.

Acabou. Fácil como o abecê.

a) Magnus, apertando o botão da secretária eletrônica, sentado ali, como se à espera, feito um cão fiel, um cão que acabou encontrando o caminho de casa, depois de viagens inacreditáveis, bem no meio do assoalho numa sala sob todos os outros aspectos vazia.

Três recados. Um para Michael (da faculdade, sobre a moça que ameaçava mover processo). Um para Eve (do jurídico da editora, sobre as famílias). O outro, ecoando em volta de Magnus pela sala vazia. Milton pedindo que Eve e Michael entrassem urgentemente em contato com a escola.

Magnus, se revirando na cama.

Tinha sido visto saindo da sala de informática, na data certa etc. e tal, pelo olho das câmeras de monitoramento do circuito interno da escola. Tinha sido rastreado por algo que deixou uma pista no disco rígido. Tinha sido visto depois do horário de aula pelos faxineiros que limpavam o corredor de cima.

Para além das janelas do gabinete de Milton, o recreio, deserto nas férias. Michael com o olhar distante — foi na mesma semana em que soube do seu emprego — e Eve obviamente preocupada com o jeito desconfiado de Milton olhar para ela, como se ele não conseguisse desviar a vista dos poucos vestígios que haviam sobrado do olho roxo que ela ganhara de Amber, quando falou para ela ir embora, ao que Amber recolhera o braço, levara o punho fechado até a altura da própria cabeça e, depois, sentara um murro no olho de Eve, com toda a força. Milton dizendo a Eve e a Michael: investigação na escola, suicídio trágico ocorrido recentemente, imprensa local, o filho deles, Magnus, implicado, suspensão necessária enquanto todas as investigações de praxe.

Eve e Michael concordando de cabeça, atônitos. O braço de Eve em volta de Magnus. Milton contando a eles. Jake Strothers, sentado, chorando na calçada, em frente à casa dela. A mãe dela abrindo a porta, levando o garoto para dentro e, depois, ligando para Milton.

(Quer dizer então que, no fim, não foram câmeras de monitoramento nem disco rígido ou faxineiros. Foi Jake Strothers. Foi o amor.)

Milton enfatizando o alívio. O caso tinha tido pouca repercussão na mídia. (Nenhuma menção a Anton. Anton, safando-se completamente da culpa.) Em todo caso, Milton acreditava que a família não daria queixa. O caso em todo caso o caso o caso em todo caso.

Todo mundo de repente calado, olhando para Magnus.

Mas é verdade, disse Magnus.

Fui eu.

b) Magnus, na volta para casa, na traseira do carro, os braços em volta de si mesmo, dentro dele os próprios ossos, dentro dos ossos nada, concavidade; um menino feito de nada. Eve e Michael na frente, meneando um bocado a cabeça. As palavras publicidade, prevenção, necessidade. Eve e Michael lhe dando um abraço, quando desceram do carro. Magnus na cama às seis da tarde, dormindo. Uma imensa mão tirando a laje de pedra de suas costas. Uma imensa mão descendo por fim do alto para tirá-lo do meio da multidão, pesá-lo, revirá-lo na palma, prestes, a qualquer momento agora, a erguê-lo até um olho gigante que irá dar uma boa olhada nele.

c) Magnus indo prestar esclarecimentos, no fim de novembro. A secretária pondo Magnus sentado no gabinete de Milton e Milton lhe passando um sermão. Como Milton tinha ficado surpreso ao ver o nome de Magnus envolvido. Como tinha custado a acreditar. Como, nesse caso, a "verdade" era "relativa". Como Milton entendia que Magnus obviamente não fizera por querer. Como a escola havia se esforçado para exonerar Magnus. A importância de estudar com afinco neste ano tão importante de exames finais. Más influências e como se manter longe delas. Contato com Jake Strothers, penalidade expulsão. Para sorte de Magnus, o desinteresse da polícia em se envolver com um óbvio caso de suicídio. Para sorte de Magnus, a muito sábia relutância da família da menina de levar a questão adiante. Imperativo para Magnus, um temperamento forjado na retidão e na decência de saber quando deixar as pedras sossegadas, de tal modo que 1. a terrível consternação sentida pela escola por causa desse infeliz acidente possa começar a ceder de forma natural. E 2. a família enlutada possa dar continuidade à sua existência cotidiana sem ter de passar por mais consternações advindas de especulações e interrupções incômodas. Magnus entendera tudo? sendo esta a pergunta solitária que lhe foi feita, durante a entrevista.

Magnus, entendendo tudo, meneando a cabeça e aceitando. 1. 2.
$$(a + b)$$
$$+ c$$
= fim da história
= a questão oficialmente encerrada.

Simples, abecê. Matemática. Encontrar o simples no complexo, o finito no infinito.

Tem, disse Magnus, tem a ver com a suspensão e aquela coisarada toda que acabou.

E o que tem ela?, disse Astrid. O que aconteceu?

Na tela, Bob Hope contava uma piada a um grupo de soldados da Segunda Guerra Mundial. Estavam mostrando isso na televisão porque Bob Hope tinha morrido. Ele tinha morrido em 2003.

Esquece, disse Magnus, sacudindo a cabeça.

Astrid girou os olhos.

Como se eu quisesse saber, disse ela.

Os soldados da Segunda Guerra Mundial caíram na gargalhada.

Na verdade, tem um troço pior que babaca, disse Astrid.

O quê?, disse Magnus.

Você, disse Astrid.

Obrigado, disse Magnus.

Não tem de quê, disse Astrid, trocando de canal. 2003 arrasado num mero apertar de botão. Isso o fez se sentir um tiquinho melhor. Afundou-se ainda mais no sofá.

Agora, no cinema, Magnus imagina Jake na calçada, a porta se abrindo atrás dele e a bondosa senhora saindo na rua e puxando o colega do chão. Ela devia ter conduzido Jake até a sala de estar, colocado Jake no sofá e saído para lhe preparar uma xícara de chocolate quente, ou de chá, alguma coisa quente e reconfortante, de todo modo, e levado para ele, colocado a xícara nas mãos dele, que devia estar chorando tanto que caíram lágrimas dentro da bebida, e ela então tira a xícara da mão dele, põe na mesinha, depois pega nas mãos dele e diz, ora, ora, calma, agora não tem mais conserto, tudo bem, acabou. Só então teria se levantado, ido até o telefone, ligado para Milton e dito, senhor Milton, está aqui um dos meninos que.

Ou talvez ela não tivesse nada de bondosa. Talvez estivesse enlouquecida, magoada e com raiva, o rosto ainda todo marcado de lágrimas e pela falta de sono; talvez tivesse pegado e arrastado Jake pelas mãos até a sala, atirado o menino no chão, gritado e xingado, jogado a xícara que segurava na mão em cima dele, e mais tudo que houvesse ao alcance, pratos, quadros, um vaso, uma mesa, tudo — até ficarem os dois exaustos com a gritaria, a tristeza e os cacos de tudo quebrado em volta, e tivessem ambos simplesmente sentado, ambos esgotados, fitando o nada até que ela levantou, foi até o telefone e ligou para o sr. Milton. E disse — o quê? Alô, senhor Milton, aqui é a senhora ******, a mãe de ********* ******, cujo nome não pode ser mencionado, a menina que morreu, está lembrado?, e está aqui um dos meninos que.

Foi a mãe ou o irmão que a descobriu, no banheiro. Magnus sabe quem é o irmãozinho dela. Ele está na Deans. Todo mundo na Deans sabe quem ele é, e agora vai saber quem é Magnus; todo mundo sabe quais meninos foram suspensos.

Eles vão passar um pelo outro nos corredores da escola.

Aquele barulho que Magnus escuta por trás da música do filme e das falas dos atores não pode ser das escadas rolantes. Isso é uma impossibilidade. Ele não poderia jamais escutá-lo numa sala de cinema à prova de som. Deve ser o ruído do projetor o que está ouvindo. O filme está quase no fim, já, porque está tudo entrando nos eixos. Os atores de todos os diferentes segmentos da história já cruzaram uns com os outros, ou durante a apresentação de Natal da escola ou no aeroporto, e sorriram e acenaram entre si, como se vivessem no mesmo mundo e se conhecessem desde sempre. A atriz fingindo que é uma faxineira portuguesa aceitou se casar com o ator que é mais famoso por ter participado de uma adaptação de Jane Austen para o cinema. Todo mundo riu da atriz gorda que finge ser a irmã gorda da faxineira portuguesa. O filme é supostamente sobre o amor. Mas sua única mensagem, até onde Magnus teve a oportunidade de perceber, é a de que, se você for mulher, não deve ser muito gorda, caso contrário será motivo de riso e ninguém vai querer se casar com você.

    Ao lado dele, a algumas poltronas de distância, uma das meninas chora. Magnus não sabe se ela chora porque se emocionou com o filme ou porque se acha gorda demais. A menina não pára mais de chorar. Ela não é nem um pouco gorda. A amiga põe o braço em volta dela. Magnus se pega pensando que seria muito bom se Astrid tivesse uma amiga assim, que pusesse o braço em volta do ombro da irmã se por acaso algum dia ela começasse a chorar no cinema. Mas só de pensar em Astrid chorando por um filme, sobretudo um como esse, a Astrid que Magnus imagina mostra o dedo médio para ele e para o filme.

    Mas e se por acaso Astrid viesse ver um filme como esse e acabasse derretida, como a menina do lado? E se Astrid não for nem um pouco parecida com a Astrid que ele tem na cabeça, quando está no mundo, na vida real? Talvez a irmã seja diferente do que ele imagina. As meninas têm de se comportar de certo jeito, entre si, da mesma maneira que os meninos.

    Dentro de um minuto, Magnus terá de sair do cinema. Os créditos já estão quase no fim. Terá de sair deste lugar, como se este lugar fosse uma caverna segura, com suas sombras bruxuleantes na parede, onde fica fácil fingir que não há nada, a não ser sombras. Lá fora, tem as escadas rolantes indo e vindo em suas direções fixas. As coisas que você deveria comprar o tempo inteiro. O fim do ano. As pessoas olhando as pessoas e não olhando as pessoas. O que fará, quando vir o irmãozinho dela no corredor, no novo período letivo, no novo ano? Vai fingir não tê-lo visto? Vai olhar sem vê-lo? E o irmãozinho dela, vai fingir não ter visto Magnus? Pior. Vai olhar sem vê-lo?

Alguns homens foram acorrentados dentro de uma caverna e tudo que viam, tudo que conseguiam ver e tudo que jamais veriam do mundo eram as sombras que sua própria fogueira fazia nas paredes. Eles observavam as sombras o tempo inteiro. Passavam seus dias olhando as sombras. Acreditavam que a vida fosse aquilo. Mas um dia um deles foi obrigado a sair da caverna e entrar no mundo real. Quando voltou para a caverna e contou aos outros sobre a luz do sol, eles não acreditaram. Acharam que tivesse enlouquecido. Magnus não se lembra do fim dessa história. Será que o homem que viu o mundo exterior ficou louco? Será que deixou a caverna, a única coisa que conhecia, e foi para algum outro lugar, exilado dos velhos amigos e da única vida que conhecia antes disso, dentro da caverna? Será que os homens acorrentados ao chão da caverna, de tão perturbados que ficaram com o que ouviram, acabaram com ele?

 A menina chorosa e a amiga estão esperando para sair. Ele se levanta, para deixá-las passar, depois sai também, direto do cinema para o brilho ofuscante do shopping. Sente-se protetor. Caminha atrás delas, cuidando de ambas sem que elas saibam, durante todo o trajeto até as escadas rolantes, desce com elas, concentrando-se nas costas da que chorava e que agora já parou e olha em volta com a vista congestionada. A amiga diz qualquer coisa. Ela balança a cabeça e responde. As duas riem. Assim é melhor. Além do que, com isso, chegou ao fim da escada rolante sem ter de pensar na escada rolante.

 Ele segue as duas por uns tempos.

 Pára na porta da Accessorize, que está para fechar, e espera por elas. Quando as duas tornam a sair, de braço dado, ele dá um tempo, depois começa a segui-las, passando por outras lojas que já estão fechando. Elas saem do shopping, atravessam a rua com o resto da multidão e desaparecem entre as pessoas que viram a esquina, rumo à estação do metrô, e Magnus é abandonado, sozinho, numa rua de inverno cujos prédios parecem se elevar do chão tão bidimensionalmente quanto uma rua falsa num estúdio de cinema. Um vento forte o suficiente derrubaria todos eles.

Ela tinha um irmão, do mesmo jeito que Magnus é irmão de Astrid.

Ela mandava o irmão para aquele lugar, xingava o irmão, tratava o irmão como se ele não fosse porra nenhuma, via televisão toda largada no sofá e ele fazia o mesmo com ela, exatamente do mesmo jeito que ele e Astrid.

Ela fechou a porta do banheiro. Subiu na banheira, talvez. Estava cheia da vida. Subiu na beirada da banheira, olhou para baixo e, èm vez de ver alguém ali embaixo, não viu ninguém.

Fim da história.

=.

O sinal de igual, Magnus se lembra de ter dito a Amber, numa tarde em que fazia um calor tão inacreditável que estava quente até mesmo dentro daquela igreja de pedra, foi inventado por Leibniz.

Foi, é?, disse Amber. Tem certeza?

Ela estava com a mão, aquela sua mão tão suave, em volta do pinto dele, que por sua vez estava para fora do short, sem fazer nada, só segurando mesmo. Ele estava com a mão, suave, meio dentro dela, dentro do short dela, igual. Foi logo depois do sexo, e foi logo antes do sexo.

Como assim, se eu tenho certeza?, disse Magnus.

Estou querendo saber como você sabe, disse Amber.

Sei e pronto, disse Magnus. É uma daquelas coisas que eu sei.

Ele estava com uma semi-ereção. Ela costumava ser assim meio irritante, entre uma transa e outra, para provocá-lo. No fim, em outras ocasiões na igreja, aprendeu a não entrar nesse

tipo de conversa. Mas, naquela altura, ele ainda era meio fácil de ser provocado.
Mas como é que você sabe que é verdade?, disse Amber.
Bem, disse Magnus. Presumindo-se que eu tenha lido isso num livro, porque não me lembro exatamente quando ou como eu fiquei sabendo do fato, mas presumindo-se que eu tenha lido num livro, bom, então foi num livro, o que, supõe-se, torna o fato verdadeiro.
E por que estar num livro torna tudo verdadeiro?, disse Amber.
Porque, se estava num livro, supõe-se que esse livro fosse de escola, que fosse um livro didático, disse Magnus, e os livros didáticos costumam ser escritos por quem estudou o assunto durante um tempo suficiente, e bem o bastante, para poder ensinar aqueles que sabem menos a respeito do assunto. Além do mais. Os livros são editados por editores que conferem os fatos antes de publicá-los. E mesmo presumindo-se que eu não tenha aprendido num livro didático, e sim com um professor, o mesmo se aplica.
Quer dizer então, disse Amber, que os professores são editados por editores que conferem os fatos antes que sejam ensinados?
Magnus rilhou os dentes.
Você sabe o que estou querendo dizer, disse ele. Agora chega. Uma pausa, por favor. Me dê.
Eu só estou aventando uma hipótese. E se não foi Leibniz?, disse Amber. Eu só estou aventando a hipótese de que pode ter sido outra pessoa.
Foi Leibniz, disse Magnus.
Mas e se não foi?, disse Amber.
Mas foi, disse Magnus.
Já tinha uma ereção plena.

271

E se você estiver errado?, disse Amber, enquanto corria a mão semifechada para cima, na direção da ponta, e para baixo, na direção das bolas, e para cima de novo, na direção da ponta.

Eu, hã, eu simplesmente, hã, não estou, disse Magnus.

O quê?, disse Amber.

Errado nesse particular, disse Magnus.

Ah, disse Amber.

Ela se mexeu e com isso a mão dele saiu de dentro dela. Ela se contorceu, baixou o short e o largou no velho assoalho de madeira.

Tem certeza?, disse ela, montando em cima dele.

Cem por cento, Magnus disse, afundado no doce calor do momento. Cem por cento certo no calor do verão, inimaginável agora que é agora e é inverno, cem por cento certo na doce viagem do interminável tempo terminado que passou naquela casa, naquela igreja, em Amber. Eu não estou apaixonada, Amber tinha dito a ele. De modo que não se esqueça. É só que homens da sua idade são muito apropriados para mulheres da minha idade, já que eu estou chegando a meu número áureo e você já está no seu.

Será que ela falou mesmo número áureo, como uma daquelas suas piadas típicas, ou será que ela disse período áureo e ele substituiu por número, depois? À toa em casa, passando o tempo na internet, num dos novos computadores recentemente comprados, num dos muitos dias de suspensão, perguntando a Jeeves na Ask.com o que lhe desse na telha, coisas como quem matou Kennedy, quem é Osama bin Laden, como Platão morreu, se Shakespeare existiu de fato, quem foi Zenão de Eléia, e quando Leibniz inventou o sinal de igual, Magnus descobriu que na verdade não foi Leibniz, no fim das contas, e sim um galês chamado Robert Recorde o possível, talvez, inventor do sinal, por volta de 1550. O único outro fato sobre Robert Recorde existente no site é que ele havia morrido num presídio para inadimplentes.

Depois disso, Magnus tinha digitado a frase: Que fim levou Amber? e depois clicara em pesquisar.

Nuke Cops™ — Equipe Amber Levou a Melhor na Limpeza Nuclear
Ligue-se a nós. Equipe Amber Levou a Melhor na Limpeza Nuclear... msnx escreve "Nosso site passou por grande reestruturação desde os primórdios como McCop. Levou Amber
POETVILLE. Fim, por Amber Lynn Faust copyright 23 de setembro, 2003.
É o fim de tudo, Ninguém para me apoiar. Abandonada, áspera feito pedra.
Fenton — Lâmpada "... E o Vento Levou" em Collectibles:Glass,
Esta linda lâmpada Amber "... E o Vento Levou" tem 55 centímetros de altura e foi posta à venda em 1971. A iluminação pode ser feita de duas maneiras, acendendo-se apenas o globo ou a base...
Abajures e Luminárias Victoria Amber
Antigüidades fabulosas. Peça única, esta resistente luminária E-o-Vento-Levou tem pedras incrustadas em sua estrutura, alternando...
Fim na Cão Maior — Amber
Amber... O nome da minha cachorra era Amber, era uma chow-chow vermelha. Ela morreu de câncer no estômago, aos oito anos de idade.
Segurança em Sellafield foi para alerta amarelo-âmbar
Sellafield está com alerta amarelo-âmbar como medida de precaução, de acordo com a ordem do governo para que haja uma vigilância extra e mais proteção em áreas sensíveis...
Amarillo Globe-News: Negócios: Amber Waves: Que fim levou toda a correspondência... domingo, 15 de junho, 2003... 5h34 horário central.
Amber Waves: Que fim levaram os caubóis todos? Por Kay Ledbetter...
Jogo Amber — Amber Review & Walkthrough
Quando o contorno da unidade PeeK começar a piscar, clique para confirmar que o recurso AMBER está on-line.

Ask Jeeves. Saudações, por favor digite sua pesquisa abaixo. Magnus digitou ********* ******
Sua pesquisa — ********* ****** — não encontrou nenhum documento correspondente. Por favor tente de novo.
Magnus digitou C******** M*****. Contou os asteriscos para ver se não tinha se enganado. Depois clicou no botão de busca. Jeeves encontrou para ele um dicionário de acordes de guitarra com uma lista de acordes de jazz, um link para um museu de arte em Los Angeles e um link para fontes e tipos cômicos.

Depois disso, Magnus tinha acessado as galerias gratuitas, pela primeira vez desde antes. O barulho que fazia seu coração era na verdade audível, quando clicou na primeira e o site se abriu na frente dele.

Até que não era mau. Era apenas um site pornográfico. Pegava leve. Tudo bem.

Lezzie lambe cu numa jacuzzi. Petra mostra a linda perseguida. Site Preimum Hardcore. Vovó tesuda quer gozar. Ruivinha assanhada com peitos inríveis e atitude. A vaca engole tudo. Jandira e seu urso de pelúcia no jardim. Mocinha dourada toma banho em mijo. Gostosa abre seu canal rosado do amor. Onde estão os pentelhos ruivos de Rosa? Puta peituda peita a câmera. Boneca com a boca queimada de tanto chupar pau.

Preimum. Inrível.

Esvaziou o histórico na lixeira e desligou o computador. Não que fosse tão mau assim, ou fizesse dele uma má pessoa, olhar para os corpos. Eram apenas corpos. Não que fosse como um thriller psicológico, em que todos os corpos de repente adquirem as feições dela, nem nada disso. Todas elas tinham o próprio rosto. Nenhuma delas tinha as feições da outra. Foi só que ele lembrou do rosto dela e sentiu vergonha, e o que mais lhe deu vergonha foi como era ruim a linguagem, como era burra.

Magnus, encostado na parede da Superdrug, no último e sombrio dia do ano, pensa sobre o Paradoxo da Semente de Painço, de Zenão de Eléia. Se uma semente de painço cai e não faz barulho, então o ruído definitivo que fazem mil sementes de painço caindo juntas significa que mil nadas fazem um algo? As moças dos sites pornográficos se esparramam em milhares de milhares de outros milhares de links. Para ver, mesmo que fosse uma pequena fração deles, seria necessária uma persistência de visão. As moças dos sites se esparramam e mostram até as trompas para as trombetas do juízo final. Shakespeare.

Será que Shakespeare existiu de fato?

O que era o amor, na verdade?

Que fim teria levado Amber?

A partida de Amber foi um caso de já ir tarde e com os diabos, segundo Eve. Amber era menos do que eles haviam imaginado, segundo Michael. Ela tinha dado em todos o beijo de Judas (Eve). Tinha passado o conto-do-vigário (Michael). Tinha mostrado a que viera (Eve). Só tinha sugado e sugado de todo mundo, e de forma insidiosa (Michael). Magnus lembra de Amber, sugando e sugando dele, no sótão, no jardim, na igreja. São Magnus. Lembra dela tirando as roupas da mão dele, naquela primeira noite, depois de lhe dar um banho. Lembra de si mesmo, perdido depois que Amber se foi, vagando pelo vilarejo, e do homem do restaurante saindo na porta e lhe oferecendo algo para comer e, depois, lhe contando a história do lugar. Lembra de si mesmo passando mal na frente daquele mesmo restaurante, pouco antes de Amber aparecer, e do mesmo homem saindo na porta, bravo com ele. Aquele restaurante, antes de ser um restaurante, já fora um cinema; depois, quando ir ao cinema saiu de moda, tinha virado um salão

de bilhar, em seguida uma ruína e, agora, um restaurante indiano, e o homem disse que, pelo andar da carruagem, logo mais seria uma outra coisa, se bem que ele não sabia o quê.
Amber havia claramente feito amizade com ele, assim como fizera amizade com quase todo o *pessoar*.
Senta aqui, tinha dito o homem, dando um tapinha no muro em frente a seu restaurante vazio. Está com fome? Não? Hein? É pena. Tem muita comida aí dentro. Muita comida boa. E ninguém para comer. Sabe o que alguém escreveu na parede do banheiro masculino? Judeu muçulmano filho-da-puta. Eu não sou muçulmano. Não sou judeu. Minha mãe era uma mulher decente. Bem, assim é a vida. Assim são as coisas. A sua amiga. Aquela senhora. Que fim levou ela? Hein? Você não sabe? Hein? Não sabe? É pena. Pena mesmo.
O homem abanou a cabeça.
Uma senhora de muita classe, disse ele. Uma verdadeira dama. De verdade.
31 de dezembro de 2003, já bem de tardezinha. Ele deveria ir para casa. Olha o relógio. Seu relógio parou. Os ponteiros marcam dez para a meia-noite, ou meio-dia. Não é. São só umas quatro da tarde. Todas as lojas estão fechando. Todas as escadas rolantes em todos os shoppings do país estão com certeza parando. É tempo de férias para as escadas rolantes. Todo mundo em volta já está bêbado ou a caminho de se embebedar, a caminho da região central de Londres, como se atraídos magneticamente. Ele deveria ir para casa.
O que significa andar contra o fluxo de gente.
Na agora finda luz do verão, o homem cutucou Magnus, na porta do restaurante vazio.
Tem certeza de que não está com fome?
Magnus abanou a cabeça. O homem sorriu para ele. De verdade. Hein?

* * *

Magnus sobe a escada de um em um, um pé, depois o outro, depois o outro. Pára no hall, diante da porta do quarto de Astrid. Respira fundo. Bate.

Sai daqui, Astrid grita lá de dentro.

Sou eu, diz Magnus.

Não me diga, diz Astrid.

Ela abre a porta só o suficiente para dar uma espiada. Magnus só consegue ver um dos olhos dela.

Que você quer?, ela diz.

Ele senta bem na frente da porta, sobre o carpete do hall. O carpete é tão novo que ainda há fiapos dele, nos cantos.

Fui ver um filme superporcaria hoje, ele diz.

E eu com isso?, diz Astrid.

Ela está prestes a fechar a porta de novo.

Não, espere, diz Magnus.

Ela espera. Parada, desconfiada, observando o irmão através dos poucos centímetros de abertura. Em um instante, a qualquer instante, ela vai bater a porta.

Foi bom, não foi?, ele diz.

Você acabou de dizer que foi uma porcaria.

Não, eu quis dizer, foi bom quando a gente estava de férias, este ano, diz ele.

Astrid olha fixo para ele. Abre a porta direito.

Foi muito bom também, diz ele, quando a gente voltou para cá e não havia tipo mais nada aqui dentro.

Astrid senta na soleira. Cutuca o carpete também.

Foi fantástico, ela diz. Muito bom mesmo.

Acho que eu gostava mais quando não havia nada de nada aqui dentro, diz Magnus. Quando você entrava num quarto e não tinha nada de nada lá dentro.

E todos nós soávamos diferentes quando a gente andava ou falava, até o barulho da respiração era diferente, diz Astrid.

Pois é, diz Magnus.

E quando a gente falava, parecia que tinha eco, ressoava em volta, como se a gente morasse numa mansão histórica, diz Astrid, ou como se estivéssemos no palco, ou algo parecido, porque não tinha mais carpete em lugar nenhum, não tinha carpete onde a gente espera ver carpete. E era como se a gente estivesse entrando num palco de madeira, toda vez de atravessar um cômodo.

Hã, hã, diz Magnus.

Só que a gente não mora num casarão histórico, diz ela, nem estava no palco, a gente estava em casa, na nossa própria casa.

Magnus concorda com um gesto de cabeça.

Catherine Masson, diz ele.

O quê?, diz Astrid.

É o nome dela, diz Magnus.

Nome de quem?, pergunta Astrid.

Magnus repete.

Catherine Masson.

E então ele conta tudo para Astrid, que está sentada na soleira da porta do quarto, ou tanto quanto sabe e tanto quanto consegue, começando pelo começo o fim do pária entre pares — e se ele próprio não conseguia deixar de fazer esses joguinhos de palavras, imagine os demais, todo mundo enfiando oral em tutorial, seminal em seminário, sacanagem em abordagem, àquela altura já devia pertencer ao repertório cômico dos discentes, e não só deles como dos maledicentes colegas cheios de malícia da sala dos professores, Michael tinha certeza disso, caso não fosse egolatria demais de sua parte imaginar jogos de palavras como esses funcionando como sussurros sublinhados do departamento, sendo espargidos no corredor em frente à porta trancada a sete chaves de sua sala (se é que ainda era dele e não de outro qualquer, com todos os livros e papéis encaixotados e guardados no porão do prédio, sem que ninguém o tivesse avisado de nada), tão disseminados quanto o cheiro institucional e levemente bolorento que permeava o corredor todo, um cheiro no qual aos poucos as pessoas não prestavam mais atenção, mas que continuava ali, de todo modo, para fazer saber em que departamento estavam, exatamente. A história tinha acabado de vir à tona e algum gaiato pusera um recado na sua porta, em papel timbrado do departamento, junto com as listas de inscrição para os seminários e a fotocópia do poema de Blake, os rudimentos do desejo gratificado, tenha a santa paciência. Ele havia voltado a sua sala para pegar o casaco, essa fora a última vez que estivera na faculdade, isso em outubro, e lá estava, ao lado do Blake, ao lado do memorando oficial do departamento dizendo aos alunos que procurassem a professora Dint para receber um novo tutor na ausência temporária de. *Aviso Departamental de Saúde. Garotas: vocês andam se sentindo meio qualquer nota? Precisando de um classe dois superior pra levantar a bola? Assine aqui para receber injeções do dr. Love (Rapazes: a negociar).* De. Parta. Mental. Pelo menos alguém tinha achado que ele era moderninho: rapazes a negociar. Dint já devia ter mandado retirar o aviso, a esta altura (como teve o próprio senso de humor retirado, anos atrás). Ou talvez o aviso continuasse na porta, Michael não sabia, não voltara mais lá. Espantoso como estar de novo numa livraria trazia de volta à lembrança justamente isso — a faculdade, com cheiro e tudo. Talvez o dr. Love fosse agora a única coisa restante na porta, além da placa com seu nome, se a placa ainda estivesse lá. Prof. dr. Michael Smart, clichê oficial do campus.

Inacreditável que naquela outra vida, uma vida inteira atrás, apenas há meio ano, houvesse planejado uma nova série de aulas sobre o assunto, e se imaginado dando essas aulas neste novo período, o período que estava transcorrendo bem neste momento, com gente entrando e saindo das salas de aula, dos seminários, como se nada mais importasse no mundo. Clichê, além de seu significado chavão de frase batida ou estereotipada, também significava uma impressão fixa feita por um molde em qualquer metal mole. Michael Smart, gravado. Mordido pelos dentes do clichê. Um metal mole. Um homem marcado.

Não, mas era bom. Era mesmo. Liberava. Significava, por exemplo, que podia perambular por uma livraria como essa, já no fim do dia, e fazer exatamente o que tinha acabado de fazer, passar direto pelas prateleiras de literatura de ficção crítica literária teoria da literatura sem nem virar a cabeça e rumar direto para a boa e singular seção de *esportes*. Michael Smart, um homem de verdade, finalmente. Nunca na vida — na sua antiga vida irreal — havia deixado de parar na seção de ficção para ver o que estava vendendo, o que havia em catálogo, quais as novidades, que livros tinham sido destacados e que exemplares de seu próprio cânone privado se encontravam disponíveis nas prateleiras, prova conclusiva para determinar se a livraria era ou não decente.

Mas durante meses não conseguira nem chegar perto da porta de uma livraria sem sentir náuseas. Não conseguira nem mesmo pegar num livro sem sentir o estômago embrulhado. De modo que era bom, isso. Lá estava ele. De volta. Havia mais de um tipo de livro dentro de uma livraria.

Michael havia decidido, algumas horas antes, que iria começar a praticar escalada em rocha e montanhismo. Tinha decidido isso pela manhã, rodando pela M25, com todo o trânsito e o monótono porém inegável céu de primavera a sua frente, escutando a Rádio 4, na qual um sujeito cujo nome não conseguira entender descrevia o puro maravilhamento despovoado de estar no topo do mundo, escalando algo intransponível, indo mais longe do que o lixo de todas as demais criaturas. O homem tinha visto cadáveres nas encostas das montanhas que escalara. Pelo visto, corpos desenterrados de gente que caíra pelo caminho, adoecera por causa do ar rarefeito, que desmaiara ou que, por algum motivo qualquer, não conseguira sobreviver, havia em abundância nas montanhas de verdade, nas montanhas que ofereciam os verdadeiros desafios. O sujeito no rádio tinha descrito o ato de se elevar acima de um cadáver, no caminho, como uma espécie de renascimento.

Era fevereiro. Fevereiro não podia evitar de ser promissor. Fevereiro era praticamente primavera! Tudo quanto é tipo de coisa era possível na primavera. O aroma de café na livraria estava bom. Encontraria o livro certo, depois iria tomar um café e dar uma folheada nele, para ver se deveria comprá-lo ou não. O hábito o avisava para não tomar café assim tão tarde. Foda-se o hábito. O hábito estava velho, gasto, pertencia ao antes. Michael gostava de ficar acordado até tarde. Por acaso tinha de ir deitar a uma hora específica? Não. Ele era um espírito livre. *Esportes*. Corridas Automobilísticas Futebol Hipismo Hóquei Montanhismo. Tirou um livro da prateleira de volumes lustrosos. Tinha uma bússola na capa. Deu uma folheada. *Orientar-se é divertido! É uma atividade que você não pode e não deve deixar de aprender.* Tinha títulos de capítulos no índice que pareciam corretos. Clima na montanha. Técnica na neve e no gelo. Segurança em terreno íngreme. Como lidar com a altitude. Não deixe rastros a não ser suas pegadas. O que levar na mochila.

Isso mesmo. Era com isso que Michael Smart iria lidar, dali em diante, nada além do definitivo, do concreto, dos campos pedregosos e cascalhentos descritos ali, dos diferentes tipos de rocha, rochas desgarradas, rochas molhadas.

Desgarrada.

Molhada.

Por que todas as palavras tinham de ser tão carregadas de duplo sentido? Por que elas se envenenavam imediatamente a si mesmas e se tornavam palavras que poderiam ser usadas contra ele, mesmo por ele? Seria tudo uma grande piada? Contra ele? Um bom classe dois superior. Essa é boa. Essa é muito boa mesmo. Eis aí. Veja só. O problema dele era ser tão aberto, era sua própria generosidade, sua predisposição para parabenizar até mesmo o alunozinho de merda que fez essa piada a seu respeito. Encontrados mortos na encosta nevada de uma rota difícil, um punhado de estudantes metidos a gaiato e de saciadas garotas ingratas, mais Marjory, e Tom, e também aquela lésbica bruaca do Departamento Pessoal, cujo nome ele não conseguia lembrar, que parecia saída de um presídio feminino, não, pior, de uma série de televisão sobre um presídio feminino, sentada ali de cara amarrada, olhando para ele de trás da mesa comprida do gabinete. Ou do boquete. Viu só? Ele também sabia fazer piada da própria derrocada, das próprias atividades escusas. Não era exatamente o fim do mundo. Mais adiante, acima disso, havia as belezas naturais impressionantes da natureza nas alturas. Morta na encosta de um desfiladeiro, Emma-Louise Sackville, não em pessoa, claro, apenas em forma de arquivo. Em forma de carta e e-mail. De todo modo, fora uma droga, ela tinha ficado ali deitada, imóvel, como se já estivesse morta na encosta de um desfiladeiro de montanha.

Michael levou três livros lá para cima, para o café. *Técnicas de escalada em rocha*, *Montanhismo e liderança* e *O guia da montanha*. Pediu um expresso duplo à mocinha. Nem mesmo olhou para ela. Seria bonita? Não a achou atraente. Era irônico, isso. Fazia meses que não achava uma única moça atraente. Segurava os livros debaixo do braço, com a capa para o lado de fora, para que qualquer um que calhasse de olhar para ele visse a foto estampada na frente, a foto de um homem escalando uma fenda na rocha, muito acima do topo de várias árvores. Esse era o tipo de cara que ele era. O tipo de cara que ele logo mais seria. Pegou seu café e foi sentar numa das poltronas. Mas, assim que sentou, sentiu-se logrado. Nos Estados Unidos, por exemplo, em viagens que tinha feito aos

Estados Unidos, sentar numa poltrona numa imensa livraria parecia uma agradável ousadia, quase um triunfo, como se você passasse a fazer parte daquilo tudo por ter conseguido conquistar o território de uma das poltronas antes de alguém mais nativo. Mas ali, no momento, nas três outras poltronas estavam sentados homens que pareciam solitários, sem chance de arrumar emprego, ou drogados, e a poltrona em que Michael estava exalava um cheiro enjoativo de leite azedo.

Abriu o primeiro livro. Estava cheio de novas e maravilhosas palavras. Transpasseal, por exemplo. Eis aí uma palavra que cumpre o que está escrito na lata. Havia mais; havia as palavras e os nomes para variações nos tipos de neve e de flocos de neve: planos e estelares, colunas e agulhas, dendritos espaciais, colunas capeadas e granizo mole. Granizo mole! Maravilhoso. Era bem isso que Michael andava buscando, uma linguagem toda nova. Uma linguagem de barracas — barraca oval, barraca balão, barraca com trave. Você vai precisar de um anoraque, dizia o livro. De uma balaclava ou de um gorro de esqui. O corpo perde um terço de seu calor pela cabeça. Um fato espantoso! Michael sabia disso, mas nunca parara para pensar na cabeça liberando energia como se fosse uma lâmpada acesa, quente. Vai precisar comprar um par de sobrecalças com zíper, assim não terá de tirar os sapatos para vesti-las. Tão simples que chegava a ser genial, na verdade. Bolhas eram coisa muito séria. Uma corda podia significar vida ou morte. Ali estava uma linguagem viva com sua própria e absoluta utilidade — mais que isso, viva e cheia de uma esperança real, atingível. *Existem muito poucas montanhas nas ilhas Britânicas que requerem mais que uma caminhada até o topo.* Era promissor. Era prático. Dizia como evitar precipícios invisíveis. Michael tomou um gole do café. Estava um pavor. A xícara chacoalhou e fez barulho no pires quando ele a pôs de volta na mesinha baixa

demais. Iria primeiro para o Peak District, ou então para Snowdonia, talvez para os Brecon Beacons, ou para os Yorkshire Dales. Iria de carro. Deixaria o carro no estacionamento, no sopé da montanha, ou em frente a um bom albergue cujo café-da-manhã pendesse para o reforçado. Folheou o livro mais um pouco. Raios, pelo visto, eram responsáveis por tirar a vida de um pequeno número de montanhistas, todos os anos. O livro dizia que os montanhistas viam isso como um Ato Divino e instruía os leitores a não descartar uma picareta de gelo atingida por raio, mesmo chiando ou soltando faíscas, porque mais tarde era muito provável que voltasse a ser necessária. Michael gostaria de saber se a menção a Ato Divino estava na seara humana ou era coisa da seguradora. Virou a página. Havia uma lista com os nomes dos nós. Nó montanhês, nó borboleta, nó duplo de pescador. Na hora Philippa Knott lhe veio à cabeça. Quem estaria ensinando Roth a Philippa Knott, agora? Quem a estaria pescando duplamente? *Nó górdio.*
 Michael fechou o livro.
 Só Deus sabia.
 Seria humanamente impossível para Michael Smart, na idade em que estava, subir a encosta de uma montanha.
 Você abusou da sorte, Mike, disse Marjory Dint, de maneira informal (*Mike* para parecer descontraída). Tentou assobiar e chupar cana ao mesmo tempo, e sem sofrer as conseqüências. (Clichê!) Uma aluna, nós poderíamos ter passado por cima. Uma aluna, daria para fazer algo a respeito. Não pense que não tentamos. E não diga que não foi avisado, porque eu lhe disse cinco anos atrás, quatro anos atrás, três anos atrás, dois anos atrás e no ano passado. A Sackville é apenas a bola de neve, antes da avalanche. (Terrível, Marjory.) Ela está mais que disposta a botar os podres na mesa. (Terrível.) No total, agora, estamos com sete queixas para investigar, nenhuma delas,

e isso eu digo a seu favor, tão bem corroboradas quanto a queixa da Sackville, mas, e atenção ao que vou lhe dizer agora, Michael (ou seja, não tão descontraída assim, no fim das contas, Marjory), esse assunto não vai desaparecer da noite para o dia.
Marjory Dint, dizendo sua fala como se tivesse decorado o papel de um roteiro da BBC para alguma série banal de polícia.
E daí que Michael gostava de dormir com as garotas? Por acaso isso era crime? Elas também gostavam dele. Por acaso era crime? Eram todas maiores de idade e haviam consentido. Ele era bonitão. Elas eram bonitas, a maioria, pelo menos. Por acaso era crime? De maneira formal, na frente de Tom e da lésbica do Departamento Pessoal, Marjory Dint o advertiu. De maneira formal, era o fim da garantia de emprego vitalício, metade do salário, acredite-me-nós-mexemos-todos-os-pauzinhos-pra-você-não-ficar-sem-receber-alguma-coisa, traduzindo, *licença oficial*.
O cerne do corpo. A fachada do corpo. O livro estava aberto na página que falava dos sintomas de hipotermia. Nem dava para acreditar no número de sintomas parecidos que ele apresentava. Decididamente se sentia cansado, com frio, e isso o tempo inteiro. Decididamente tivera, vez por outra, durante o inverno, períodos de dormência nas mãos e nos pés. Sim, decididamente houve horas em que ele até tremeu. Sim, ele sentira letargia física e mental e às vezes não conseguira responder a perguntas e perdera a noção de direção. Isso era verdade. Era assim que se sentia por dentro, o tempo inteiro. Sim, tinha tido explosões violentas e um bocado de energia inesperada. Sim, ainda continuava muito trêmulo. Veja esta xícara, ao largar o café na mesinha, momentos atrás, por exemplo, e ele vivia derrubando xícaras de café e coisas parecidas em casa, deixando cair coisas na cozinha e por aí afora. Ele era muito propenso a acidentes. Seria um sintoma? Sim. Sim, ele tinha dificuldade em se concentrar. Tinha

achado especialmente difícil ver televisão com as luzes apagadas, como Astrid insistia em fazer. Sim, muitas vezes ficava bastante disperso. Sim, tinha cãibra muscular. Sem dúvida andava pálido. Mal acreditava na própria palidez, ao acordar de manhã. Ele tinha uma *extrema palidez acinzentada*. Não era só ele; era como se tudo em volta no mundo também apresentasse uma extrema palidez acinzentada. Será que todo o seu mundo estava com hipotermia? As causas: *exaustão, frio, desidratação, moral baixa, apreensão, medo, sensação de estar perdido, muitas vezes o episódio final de um capítulo de erros, esforço insuportável, tempo ruim, ao fim de um longo dia difícil, lutando para alcançar um objetivo que não temos certeza se poderá ser alcançado*. Ele conferiu todas, uma por uma. Suas causas eram quase todas iguais.

Michael se levantou. Estava tremendo. Estava sofrendo os efeitos da exposição ao frio extremo. Largou os livros. Atravessou a livraria, afastando-se dos outros não-sobreviventes. Parou atrás de uma das prateleiras de livros New Age e tirou o celular do bolso. Pegou o número de Eve e apertou o botão.

Ela provavelmente não iria atender.

Caiu na caixa de mensagens.

Desligou e chamou Charis Brownlee. A secretária eletrônica do escritório atendeu, com a voz e o sotaque galês dela. Michael desligou e digitou o número da casa. Atendeu a secretária eletrônica, galesmente.

Aqui é o Michael, disse. Michael Smart. Quanto tempo. Espero que esteja tudo bem com você. Estou numa livraria e tive vontade, hum, de lhe pedir conselho numa coisa. Estou com o celular. Se por acaso receber este recado na próxima hora, por aí, será que daria para me ligar de volta?

Devia estar viajando. Estava sempre viajando, indo a Roma ou Nova York. O marido também era psicoterapeuta.

Formavam uma equipe. Entre os dois, ganhavam aquele tipo de bolada que significava viagens constantes, que por sua vez os tornava proibitivamente caros. Michael tinha parado de ir vê-la na última primavera, quase um ano antes, portanto, porque um dia os dois haviam gastado aqueles sessenta minutos proibitivamente caros escutando as dez músicas prediletas de um e de outro. Tinha deixado de ser paciente de Charis Brownlee logo depois que contou isso a Eve e ela quase morreu de tanto dar risada.

Michael, tremendo numa livraria, não conseguiu pensar em mais ninguém para ligar.

Ligou para casa. Astrid atendeu.

Sou eu, disse Michael.

Sei, disse Astrid.

Estarei em casa dentro de uma hora, mais ou menos, disse ele. Só preciso entregar umas coisas para alguns, hum, alunos.

Sei, disse Astrid.

Você já comeu, Michael perguntou, ou quer que eu leve alguma coisa?

E *você*, já comeu?, Astrid perguntou. É você que está emagrecendo.

O Magnus está em casa?, Michael perguntou.

Está, disse Astrid.

Certo, disse Michael. Chego daqui a pouco. Sua mãe ligou?

Não, disse Astrid.

Ela desligou antes dele.

Ele se sentia arrasado.

Desceu para procurar os livros de Eve. Não estavam em história. Não estavam em biografia. Estavam em ficção, que ridículo, e a livraria só tinha o mais recente, mas pelo menos havia uns dez exemplares em estoque. Artigo Autêntico, Ilse Silber. Tirou um da prateleira e virou para olhar a foto de Eve, na capa. Eve, mais jovem, sorrindo. Ele respirou fundo algumas vezes. Inalou pela boca e soltou pelo nariz.

Agora me diga, qual era a sua lista de músicas, qual era a dela, e o quão terapêutico foi essa sessão, exatamente?, Eve tinha perguntado, quando conseguiu parar de rir. Estava sentada na cama. Michael se sentia meio tolo, mas tolo de um jeito agradável. Sentou-se na beira da cama, com ela, um pouco envergonhado, dando risada também. "Misty", de Ray Stevens. Four Seasons, dezembro de 1963 ("Oh what a night!"). "The more I see you", Chris Montez. "Oliver's Army", Elvis Costello. "Romeo & Juliet", Dire Straits. A número um da Charis Brownlee tinha sido "Afternoon delight", com a Starland Vocal Band. Isso fez Eve rir ainda mais.

Pensar em você está me abrindo o apetite, cantou Eve. *Esfregar paus e pedras traz faíscas. Foguetes disparam no céu.*

Michael riu, sentindo-se acanhado.

E por acaso "Bohemian Rhapsody" estava na lista das dez mais dela?, Eve perguntou.

Michael fez uma careta e assentiu com a cabeça.

Eve deu outra gargalhada.

E "Imagine"?, disse ela.

Ele ergueu uma sobrancelha e deu de ombros. Eve riu tanto que literalmente chorou de tanto rir. Ele nunca tinha visto Eve rir tanto nem achar nada tão engraçado. Continuou sentado ao lado dela na cama, sorrindo. Ela ficava linda, rindo, e também um pouco odiosa.

(Sua escolha de músicas reforça o que eu considero ser uma necessidade quase psicótica sua, quando o assunto é crença em si mesmo, de rejeitar toda e qualquer culpa, deve ter sido mais ou menos o que Charis Brownlee disse. E você sabe como Oscar Wilde punha a questão, Michael?, perguntou ela. Somos todos inocentes, até sermos descobertos.)

Michael e Eve, voltando das férias, parados diante da casa assaltada, sem olhar um para o outro. No chão, entre eles, a secretária eletrônica, a única coisa que restara na sala completamente vazia. As vozes tinham dado seus recados. A secretária voltava a fita para se desligar sozinha. Tinha um recado da escola de Magnus, um recado para Eve e um recado, por fim, para Michael.

Marjory Dint. *As cartas estão na mesa, Michael. Aqui é a Marjory. Me ligue. Cuidado com quem fala. O Departamento Jurídico está envolvido.*

Seja lá o que for isso, eu juro que não sei de nada, disse Michael.

Tudo bem, disse Eve. Eu sei.

Ela balançou a cabeça. Pegou na mão dele.

Michael, olhando para a fotografia de Eve, na livraria, compreendeu de novo, como já havia compreendido todos os dias, desde então; e todos os dias o entendimento lhe vinha de forma incompreensivelmente nova, como se estivesse sofrendo de uma doença no cérebro que o impedia de lembrar-se de qualquer coisa durante mais de vinte e quatro horas.

Espantoso.

Ele se deu conta de que Eve sabia. Percebeu que ela sempre soubera, soubera o tempo inteiro, e que não fizera a menor diferença para ela. Percebeu ainda que fazia tempo que ambos esperavam receber exatamente aquele recado.

Sentou-se no chão, no canto feito pela junção das prateleiras da seção de ficção, com livros da letra S à letra T à vista, e a bondade de Eve se abriu acima dele, tão ampla quanto um céu.

O céu se fechou, todo branco. Transformou-se no teto azulejado de branco de uma livraria. Ele estava no chão dela. Havia ali um potencial para constrangimento. Como se à

procura de algo, o prof. Michael Smart, em licença oficial, apanhou um livro da prateleira próxima, como se estivesse procurando justamente por ele. *Journey by moonlight*. Antal Szerb. Nunca ouvira falar dele. Traduzido do húngaro. Década de 1930. Michael gostava de traduções. Parecia um livro que conseguiria ler. Abriu. *Nunca mais senti outra alegria, depois disso, que penetrasse tão fundo quanto a dor e a humilhação exultante de saber que estava perdido de amor por ela e que ela não ligava para mim.*
Michael fechou o livro e pôs de volta na estante. Tudo doía. Ele estava doente, morrendo. Devia ir para casa.
Pense da seguinte maneira. Uma bela moça bate em sua porta. Está esfarrapada, faminta, perdida. Está batendo em todas as portas de todas as casas para ver quem será generoso; é um teste. A família inocente, por pura bondade, a acolhe, lhe dá de comer e lhe oferece hospitalidade. Aí então, na manhã seguinte, a família acorda dormindo literalmente no chão porque ela roubou tudo que eles tinham sob o corpo. Camas, tigelas, cafés-da-manhã. Tudo.
O pai levanta. Olha no espelho. Parece o mesmo de sempre. Mas o peito dói. As costas doem. Coloca a mão num ponto, mais ou menos na metade da espinha, e descobre um buraco em si mesmo, nas costas. O buraco é do tamanho de uma pequena mão fechada. Não resta dúvida de que seu peito parece curiosamente vazio. E então compreende. A bela moça o abrira ao meio, enquanto ele dormia, enfiara a mão lá dentro e roubara seu coração.
Ele olha para a mulher. Ela parece a mesma de sempre. Olha para a menina, para o menino. Eles parecem os mesmos de sempre. Ele não faz idéia de para onde foi que levaram o coração deles também, junto com o seu, e não faz idéia de como descobrir seu paradeiro. Falar seja o que for sobre o assunto pode

quebrar o encanto e fazer com que todos despenquem a seus pés, mera fachada de família. E aí também ele despencaria, mera fachada de homem.

Ele sabe que terá de reaver seu coração de onde quer que tenha sido levado, de quem quer que o tenha levado, caso contrário morrerá. Lembra da bela moça e de como ela floreteou e flertou com ele, de como foi difícil para ele negá-la, quando ela o encostou na parede da casa e o desafiou a lhe dar um beijo, de como havia ficado orgulhoso de si mesmo por ter dito não, não faça isso, não posso, não ouso. Clichê. Será que floretear era uma palavra, mesmo? Parecia mais coisa de história de capa e espada, mas era possível que Michael tivesse inventado para fazer aliteração com flertar.

Ergueu-se do chão, endireitou as pernas da calça junto aos pés. Iria até a frente da loja para ver onde ficava o andar dos livros de referência. Iria conferir a palavra. Depois iria até o caixa para pagar pelo livro de Eve. Era mais barato que os livros de montanhismo e agradava-lhe pensar que seria o primeiro dos livros dela a voltar para casa, desde que aquela mulher Amber tinha roubado tudo deles.

Mas não havia seção de livros de referência, na livraria.

Não tem seção de referência?, perguntou Michael.

Nós não lidamos com dicionários, o rapaz atrás do balcão disse. Antes sim, mas paramos. Substituímos a seção de referência por uma seção de livros de frases em língua estrangeira. A seção de livros de frases em língua estrangeira fica no segundo andar, junto com os guias de viagem.

Certo, disse Michael. Obrigado.

Que tipo de livraria não lida com dicionários? O velho Michael teria feito um pequeno escândalo, no mínimo um comentário curto. O novo Michael tirou a carteira do bolso e deixou escapar em voz alta a preocupação por ter largado alguns livros de montanhismo que estivera folheando fora da prateleira, lá em cima, no café, sobre uma das mesas.

Tudo bem, disse o rapaz. Alguém há de encontrá-los e devolvê-los ao lugar certo. Nós somos pagos para fazer esse tipo de coisa. Oito e noventa e nove, por favor.

Que tipo de livraria era aquela, que não tinha uma seção de livros de referência? Inacreditável. Clichê. Do arco-da-velha. O que, exatamente, ele se perguntou, enquanto pagava pelo livro de Eve e se dirigia para a saída da frente, o arco teria a ver com a velha? Ah. Viu só? Você pode tirar o homem das palavras, mas não pode tirar as palavras do homem. Parou e tossiu na rua molhada. Era fevereiro. Um mês traiçoeiro. Tossiu outra vez. Tossiu como um homem de idade tossiria. Isso era novidade para ele, essa tosse lá do fundo, essa tosse que sugeria a existência de uma velha e úmida passagem de fundos, da qual ele nada sabia, direto para os pulmões. A sensação era de tuberculose. Talvez fosse. A tuberculose estava de volta, todos os folhetos diziam isso; tinha desenvolvido uma variante de si mesma que os antibióticos não conseguiam matar. Pense em Keats, morto aos vinte e seis anos, um velho tossindo aos vinte e seis anos. Keats também amava sua Fanny.* Epa. Golpe baixo, esse, chegou quase a doer, como se tivesse levado um soco. Precisava mesmo ir ver um médico. Precisava ir até uma clínica e fazer um check-up completo. Podia quem sabe ir até a faculdade e marcar uma hora com o dr. Love. *E qual é o problema, então?* Bem, doutor, eu acordei na semana passada todo roxo, hematomas por todo o corpo, nos braços, nas pernas, no peito, e não havia absolutamente razão nenhuma para eu estar coberto de hematomas, não participei de nenhuma prova de resistência, não fui espancado nem nada. Além disso, não paro de

* Além de nome próprio, *fanny* também designa o órgão genital feminino. (N. T.)

293

compreender coisas. *Compreender coisas?* Isso mesmo, como se fosse a primeira vez. Também não consigo parar com os trocadilhos idiotas, eles continuam a ser feitos, e estão começando a machucar, fisicamente. *Infinitivo flexionado erroneamente. Enfermeira, anote isso.* Além do mais, não sinto motivação nenhuma. Eu me sinto mal a maior parte do tempo. *Mal? Sim, mal. Hum. E como está seu padrão de sono?* Não consigo dormir. Tudo que eu quero fazer é andar de carro, noite e dia, a qualquer hora do dia ou da noite, sem parar em lugar nenhum, se bem que costumo evitar a barra-pesada, claro, não perdi totalmente o juízo. Além disso, hoje eu estava numa livraria e reparei que parece que estou com todos os sintomas clássicos de exposição ao frio extremo. E agora não consigo parar de tossir. *Como tem estado seu apetite?* Bem, não ando sentindo muita fome. Não faço idéia do porquê. *Muito bem, então. Vamos escutar seu peito.*

Mas e se por acaso o médico pusesse o estetoscópio em seu peito e erguesse os olhos, atônito, porque não havia batida nenhuma ali dentro?

Sob seus pés, havia um retângulo de vidro embutido na calçada, fechando algum subsolo, e, embaixo dele, uma profusão de plantas, ervas daninhas ou coisa que o valha, comprimindo-se de encontro ao vidro. Irritou-se com a maneira como aquilo tudo simplesmente crescia. Aquilo o deixava muito abatido de fato, ver mato por trás de tijolos de vidro de quinze centímetros de espessura. Várias outras coisas do tipo o deixavam indignado, sem saber como agir, agora. A imagem do rosto de uma mulher, num cartaz de rua de três metros de altura, parecia um pouco com ela. Uma garota numa propaganda de Imodium, na televisão, rindo ao lado do pai e comentando que eles tinham resolvido o problema da diarréia, era zombeteiramente parecida com ela, e, no entanto, não era ela; uma mulher risonha no anúncio que veio em seguida, numa cama, vendo televisão num hospital particular impecável, pareceu, por alguns momentos, ser igual a ela, depois nem um pouco igual a ela. Pelas costas, um rapaz de cabelo comprido, entrando no metrô, fez Michael parar a fim de recobrar o fôlego. Uma mulher que passou em alta velocidade por ele, indo em sentido contrário, na direção de Isle of Dogs, era igualzinha a ela. Mas o carro era outro. Não poderia ser ela. Aquelas plantas debaixo do vidro eram como ela. Não apenas como ela. De algum modo, *eram* ela, numa cidade onde pululava o temporário, contaminada para sempre por férias tiradas seis meses antes, nos cafundós. Por exemplo, Michael caminhava naquele momento, passava em frente às lojas da Tottenham Court Road, mas a Tottenham Court Road não era nada além de uma miragem, e as ruas que saíam dela, nada além de meros produtos de uma imaginação machucada e infectada. A rua Goodge era uma quimera. O mapa do metrô era uma ilusão de conexões e direções. A M25 era uma maldosa piada circular. O mundo real estava em outra parte, assim como ela.

Imagine só, ela esvaziando sistematicamente as coisas todas, sala por sala, quarto por quarto, transportando tudo pela porta da frente, arrastando pela calçada, até a van, na calada da noite. Ela devia estar mancomunada com alguém, com um homem, com certeza. Tinha de estar. Precisaria de ajuda para retirar as coisas mais pesadas; precisaria de alguém para fazer a limpeza depois. Talvez não fosse um homem. Talvez fosse aquela faxineira sisuda que limpava a casa de Norfolk; talvez trabalhassem juntas, em equipe; uma fazia o reconhecimento das casas de veraneio, a outra se infiltrava no meio das famílias. Talvez fossem mais que duas mulheres trabalhando em conjunto. Tinha visto as duas conversando na estrada para o vilarejo uma vez, a caminho da estação.

Possível? Sim, era. Não, não era, ela era uma solitária, trabalhava sozinha; saía pelo país afora, naquele carro branco velho, como se fosse um oposto perverso da enfermeira distrital do pós-guerra, contratada pelo governo, batendo na porta de estranhos totais, no meio do nada, para aplicar testes de saúde no cerne dos corpos e na fachada dos corpos. *Tosses e espirros espalham doenças. Sempre use o lenço.*

Por acaso vocês querem uma carona?, ele gritara da janela do carro. Vou só até a estação de trem. Posso deixar vocês em qualquer lugar da cidade.

A faxineira abrira a porta traseira do carro e pusera o aspirador no banco. Haja falta de sorte. Amber tinha acenado um adeus, dera as costas e voltara para a casa. Ele olhou aqueles belos ombros pelo espelho retrovisor, até que ela contornou a curva e sumiu. Foi-se. A faxineira ia sentada no banco de trás, como se o carro fosse um táxi; estava ao lado do aspirador, com o tubo de plástico pendurado no pescoço. O aspirador era do tipo que tinha uma cara pintada na ponta, com olhos e uma boca sorridente.

Mundo engraçado, este nosso, em que já estão antropomorfizando até o que a gente usa para limpar a casa, não é mesmo?, ele disse.

É um Henry, disse a mulher. Top de linha em aparelhos domésticos.

Não, eu falo de quando eles produzem aspiradores de pó, coisa e tal, com um aspecto mais humano, para a gente optar por eles, e não por outra marca qualquer, sabe como é, quando vamos a uma loja comprar um aspirador, disse ele.

Eu sei o que significa antropomorfizar, disse a mulher.

Eu, ah, não era minha intenção sugerir que não soubesse, de jeito nenhum, disse ele, mas a mulher se virara para a janela, desinteressada dele.

Ela era bem feia, e avermelhada. A maioria dos moradores daquele vilarejo tinha o mesmo aspecto, como se durante a vida toda não tivessem comido outra coisa que não beterrabas cruas colhidas por ali mesmo.
 Michael respirou fundo.
 E onde quer que eu deixe você, Katrina?, disse ele. E cadê seu carro?
 Ali na rotatória está ótimo. Eu não tenho carro, disse a mulher.
 Pensei que você tivesse um Cortina, disse Michael, tarde demais, antes de lembrar que o Ford Cortina era apenas uma brincadeira idiota dele e de Eve. Mas Katrina não percebeu nada. Talvez fosse meio lenta. (Porém sabia o que significava antropomorfizar.)
 Você não acha que fica um pouco difícil andar por aí afora, sem um carro?, ele perguntou.
 Por aí afora onde?, disse ela.
 Bem, por aqui, pelas redondezas, quero dizer, você sabe o que eu quero dizer, quer dizer, transportando o grosso do seu equipamento de limpeza, tudo que você usa para fazer a faxina, de um lugar a outro, de uma casa a outra, disse ele. Uma vida dura.
 Não é pesado, disse ela. E tem rodinha.
 Eu, hum, disse ele. Hum.
 Bem aqui está ótimo, senhor Smart, disse ela. Muito obrigada.
 Ela saltou do carro, puxou o aspirador e fechou a porta com delicadeza.
 Aqui está, disse Michael.
 Pegou a carteira no bolso do paletó, abriu e pegou três notas de vinte libras. Estendeu o dinheiro pela janela aberta do carro.
 Não sei se a minha mulher já pagou você esta semana, disse ele.

Não são vocês que me pagam. Eu faço parte do pacote da casa, disse a faxineira.

Qualquer pouco ajuda, disse ele.

A faxineira não sorriu. Pegou o dinheiro.

Metrô de Goodge Street. Michael estendeu a mão na sua frente. Tremia, mas só um pouquinho. Antes de passar pelas barreiras e descer até a plataforma, no elevador suspeito, pegou o celular de novo. Procurou o número de Eve e discou.

Caixa de mensagens.

Alô, disse ele. Sou eu. Como você está? Espero que bem. Só duas coisinhas. Bem, três. Primeiro, eu não ando bem. Tenho certeza de que estou sofrendo de algum tipo de exposição ao frio extremo. É engraçado, eu sei. Mas não estou brincando. Dois, o pessoal do jurídico da Jupiter não pára de ligar. É sobre as famílias. Será que você pode dar uma ligada para eles? Três, só tem mais duas mil libras na conta principal e a Astrid pediu dinheiro para uma viagem da escola e o Magnus quer ir para Lourdes. Rá rá. Eu sei. Não estou brincando. De todo modo, liguei para o seguro, sobre as coisas roubadas na casa. Eles calculam mais três meses. O mesmo que disseram três meses atrás. O que você quer fazer a respeito? Me ligue de volta. A gente se fala.

Depois desligou o celular, comprou seu bilhete, entrou no elevador e desceu rumo à escuridão como um homem que soubesse exatamente para onde estava indo.

Magnus e Astrid estavam na sala, vendo televisão. As luzes estavam apagadas. Michael acendeu a luminária do teto.

Olá, pessoal, disse ele.

Jake, o taciturno amigo de Magnus, estava por lá de novo.

Olá, Jake, disse Michael. Como vai você?

Jake resmungou qualquer coisa que soava como bem, obrigado. Michael apagou a luz de novo.

Obrigada, disse Astrid.

Michael desabou na única poltrona que sobrara.

Jake vivia por lá, nos últimos tempos; muitas vezes, passava a noite com Magnus. Michael já se perguntara se os dois meninos não estariam convivendo um pouco além do que era normal e se não deveria ter uma conversa com Eve, a respeito, ou se por acaso os dois não andariam fazendo experiências com drogas, mas depois de ficar meia hora escutando atrás da porta do quarto de Magnus, uma noite, e de ouvir a arenga dos dois sobre Pascal, Teilhard de Chardin e o que fazer com o iminente divórcio dos pais, tinha parado de dizer para Jake, à meia-noite, será que sua mãe não está preocupada com você a esta altura, Jake?

O programa a que estavam todos assistindo no escuro era sobre Goebbels.

O que estamos vendo, Astrid?, ele perguntou.

História britânica, disse Astrid.

O guia de televisão estava enterrado entre as almofadas da poltrona em que ele sentara. Michael folheou até encontrar o dia e o canal certos. Dobrou a página para trás, para poder ler com a luz da televisão.

HISTÓRIA BRITÂNICA
07h00 Os Nazistas: Uma Advertência da História 08h00 Os Nazistas: Uma Advertência da História 09h00 Os Nazistas: Uma Advertência da História 10h00 Os Nazistas: Uma Advertência da História 11h00 Os Nazistas: Uma Advertência da História 12h00 Os Nazistas: Uma Advertência da História 13h00

Guerra do Século 14h00 Guerra do Século 15h00 Guerra do Século 16h00 Guerra do Século 17h00 Horror no Leste. 18h00 Horror no Leste. 19h00 Os Nazistas: Uma Advertência da História 20h00 Os Nazistas: Uma Advertência da História 21h00 Os Nazistas: Uma Advertência da História 22h00 Os Nazistas: Uma Advertência da História 23h00 Os Nazistas: Uma Advertência da História 0h00 Os Nazistas: Uma Advertência da História 01h00 Encerramento

Imagino que nós estamos vendo Os Nazistas: Uma Advertência da História, disse Michael.

Você não precisa ver, se não quiser. Esta casa está cheia de outros quartos, disse Astrid.

Sabe de uma coisa? Você está cada dia mais parecida com a sua mãe, disse Michael.

Nem vem que não tem, disse Astrid.

Mas na mesma hora mudou de canal.

Não foi uma crítica, disse Michael. Não se esqueça de que eu gosto da sua mãe.

Na televisão, pessoas faziam uma reforma numa casa vazia. Surgiram estatísticas na tela dizendo qual seria a valorização da casa depois de terminada a reforma.

Michael gemeu.

Puta que o pariu, é só até o filme começar, disse Astrid.

Não, não estou reclamando do canal, disse Michael. É só que estou me sentindo meio mal, hoje. E Astrid, por gentileza, não fale palavrão.

Mal como?, Magnus perguntou.

Hipotermia, disse Michael. Sintomas clássicos.

Você precisa ser levado a um abrigo, disse Jake.

Preciso, é? Mas que ótimo. Bom saber. Abrigo. Eis aí uma bela palavra.

Você precisa ser mantido aquecido e, se possível, completamente fora do chão, disse Jake. Precisa tomar uma bebida quente e comer alguma coisa, e as pessoas em volta têm de lhe dar apoio moral.

Jake nunca tinha falado tanto assim, em público. Michael gostaria que Eve estivesse ali, assim poderia lhe contar tudo mais tarde, na cama.

Alguém precisa entrar dentro do seu saco de dormir, junto com você, para mantê-lo aquecido, disse Jake.

Vamos deixar esse terreno de lado por enquanto, Jake, disse Michael.

E precisamos observá-lo, para o caso de uma parada cardíaca, disse Jake.

Você nem imagina como isso é verdade, disse Michael.

E talvez ajude se você se enroscar na posição fetal, só que com a cabeça pensa para baixo, na direção do chão, disse Jake.

Magnus fora até a cozinha e pusera a chaleira no fogo. Voltou com um chá para Michael. Michael se comoveu.

Quer comer alguma coisa?, Magnus perguntou.

Não, obrigado, disse Michael. Mas muito obrigado, Magnus.

Coma um ovo, disse Astrid. Tem ovos na geladeira que precisam ser comidos.

Não, obrigado, disse Michael.

Pois devia, disse Astrid.

Devia, é?, disse Michael.

Ovos são algo belo, disse Astrid. Quando você come um ovo, está comendo a própria beleza.

É mesmo?, disse Michael. Que pensamento mais bonito.

Cozido ou mexido?, perguntou Magnus.
Ou cru?, disse Astrid.
Frito, disse Michael.
Pior pra você, disse Jake.
Muito obrigado, Jake, disse Michael.
Magnus voltou para a cozinha. Michael se encolheu na posição fetal. Deixou a cabeça cair da poltrona. Estava vendo os anúncios de cabeça para baixo. Era algo ótimo para fazer com anúncios. Devolvia-lhes o surrealismo. Magnus trouxe um sanduíche de ovo frito para Michael. O filme começou. Em branco e preto, antigo, da década de 1930. Margaret Lockwood. A *dama oculta*.

É um Hitchcock, disse Michael.

E você disse que era pra *eu* não dizer palavrão, comentou Astrid.*

Rá, rá, disse Michael.

O filme era muito bem-feito, de fato. Muito maluco e ziguezagueante até a metade, como se tudo não passasse de comédia sem sentido, depois todas as pistas se encaixavam de forma brilhante. Um punhado de ingleses ficam encalacrados num hotel nas montanhas do Leste europeu, devido ao mau tempo, e depois viajam todos no mesmo trem. Mas uma doce velhinha desaparece no trem e a jovem beldade que viajava com ela insiste em dizer que a dama era real, que ela existia, sem sombra de dúvida, ainda que todos os germânicos no trem, inclusive um sinistro neurocirurgião, conspirem para fazer a moça parecer biruta. Apenas o rapagão inglês acredita nela, e assim mesmo nem ele está plenamente convencido. O filme tem um bocado de piadas a respeito de sexo reprimido e sobre

---

* *Hitch*, entre outras coisas, significa puxar, agarrar, suspender; *cock*, além do significado literal, é termo de gíria para pênis. (N. T.)

Freud e, no fim, tudo girava em torno de uma questão de segurança nacional.

FIM.

Michael esticou os braços por cima da cabeça e rosno-bocejou.

Fantástico, disse Magnus.

Muito bom, disse Michael.

Jake resmungou algo de teor positivo.

Michael espreguiçou-se de novo. Na verdade, sentia-se muito melhor. Talvez fosse obra do sanduíche de ovo, que lhe fizera algum bem. Talvez fosse a bondade instintiva do garoto, um pouco antes. Talvez fosse o fato de o filme ter sido tão bom, e um filme que, se alguém lhe perguntasse, ele juraria já ter assistido, seria impossível não ter visto antes, um filme tão inteligente como aquele, com uma trama tão surpreendente, mas que na verdade ele nunca tinha visto, embora fosse um velho clássico que fatalmente devia ter rolado sem parar pelos bastidores de seus muitos anos de telespectador.

Ou talvez fosse apenas o fato de ver algo bom numa sala escura, junto com outras pessoas vendo a mesma coisa que ele. Fosse o que fosse, sentia-se expansivo, maior que ele próprio. E não pensara em seu mal-estar uma única vez, durante o filme todo.

Eles disseram que o filme foi feito em Islington, disse Astrid. Vocês viram? Vocês viram? No fim, eles disseram, quando apareceu escrito FIM, que o filme foi feito aqui.

Perto do canal, disse Michael. Tinha um estúdio de cinema, ali.

Nem vem, disse Astrid.

Não, sério, havia sim, disse Michael. Sério mesmo. Eles faziam dramas de época, coisas assim. Só pode ter sido lá que eles rodaram esse filme.

Nem vem, repetiu Astrid.

Ela acendeu a luz. Michael piscou, na sala clara demais. Os garotos eram pálidos, desajeitados, jovens; a mobília em que estavam sentados dava a impressão de estar meio solta no ambiente. Eles pareciam jovens demais para se comportarem com tanta gentileza. Astrid dançava em volta. Era só braços e pernas compridas. Estava usando a camiseta que dizia *Eu sou a garota que seus pais temiam*.

Astrid, disse Michael. Você não está com um pouco de frio, assim, só de camiseta?

O estúdio de cinema que fez esse filme, ela dizia. Espantoso. Bem aqui, bem aqui onde a gente mora, em Islington!

Ela saltou para o braço da poltrona de Michael como se fosse a criança que já quase não era mais. As palavras na camiseta dela estavam a poucos centímetros dos olhos e da boca de Michael. *Eu sou garota temiam*. Depois a boca aberta de Astrid, a língua, os dentes pequeninos de Astrid passaram todos a dois centímetros de seu próprio rosto, de sua própria boca, quando ela saltou para o chão de novo.

Michael fechou os olhos. Clichê.

Sério sério sério sério de verdade de verdade de verdade?, disse ela.

Michael fingiu esfregar os olhos. Recostou-se na poltrona e manteve os olhos bem fechados. Sacudiu a cabeça, firme, em assentimento.

Você acha que eu iria mentir pra você?, disse ele

no fim da via, na altura de um cruzamento com caixas de correio espetadas no chão, do tipo de caixa de correio das quais já tinha visto um número suficiente para não achá-las mais tão pitorescas, havia uma estradinha e, alguns quilômetros adiante, a entrada para uma pequena alça de ligação meio escondida, que ela não vira nas duas primeiras vezes. Por ali, chegava-se a mais um trecho de estrada que acompanhava o contorno de matas começando a enfolhar de novo e que, a todo momento, descortinava pradarias e mais pradarias repletas de cavalos insuportavelmente belos. Os cavalos eram lustrosos, perfeitos. As pastagens, ondulantes, abundantes e verdes por trás de cercas elétricas com avisos proibindo a entrada de pessoas estranhas. Mas onde a mata acabava, e entre os haras, havia casas. Casas que não tinham cercas. Algumas eram refinadas e novas, com projetos caros, onde moravam os ricos criadores de cavalos. Outras estavam mais para madeira castigada, algumas com as tábuas descascando, rachadas, os telhados empenados, curvos e instáveis devido à ação dos invernos e do vento. Deviam ser casas de férias ou de fim de semana, pelo menos a maioria delas. Da cidade até ali era um percurso de apenas duas horas. Todas elas, até mesmo as mais decrépitas, se pareciam com as casas com que sonham as crianças. Todas espaçosas. Todas com varanda e porta de tela. Todas, mesmo as que davam a impressão de estar desabitadas já havia algum tempo, com bandeiras nacionais penduradas, inertes, em pequenos mastros diante da porta de entrada.

Eve havia parado o carro em frente, mas do outro lado, no acostamento. Como todas as outras, a casa era cercada por um gramado. Mas a grama em volta não fora aparada. A cerca de trezentos metros de distância, atrás das árvores, havia outra casa e, atrás dessa, outra ainda maior e, por trás de todas elas, ainda visível no céu enluarado, o contorno negro e distante das montanhas cujo nome ela sabia do seu atlas escolar. *Cat skill. Cats kill.** Eve (15) tinha escrito essas palavras na capa de dentro do seu caderno de rascunho, durante uma aula de geografia sobre camadas e subestruturas de rocha. Eve (43) estava na estrada certa, então. Fazia mais de trinta anos que sabia o endereço desse lugar de cor e salteado.

Mas nenhuma das casas possuía um número visível. Duas delas pareciam vazias. A que estava bem a sua frente dava a impressão de já estar vazia há um certo tempo. Das outras duas, a mais próxima estava toda escura, mas a mais distante tinha carros na porta. Ela vira luz nas janelas, mais cedo. Eve escutara pessoas chamando e um cachorro latindo, ou vários.

Pelos seus cálculos, estava diante da casa que fora de seu pai, antes de ele morrer, a casa onde vivera sua outra família.

---

* Trocadilho com o nome dos montes Catskill: "habilidade de gato" e "gatos matam". (N. T.)

Mas parecia abandonada. Podia não ser a casa dele. A casa dele, na verdade, poderia ser qualquer uma daquelas. O pessoal dos carros, das luzes e dos cachorros, pelo tanto que ela sabia, podia até ser parente, embora fosse muito improvável; a casa ficava numa rua diferente. Mas era muito possível que soubessem, se ela tivesse o bom senso de bater na porta e perguntar numa hora em que ainda pudessem estar acordados, qual daquelas casas tinha pertencido a ele.

Esse era um lugar onde o luar era tão forte que daria até para ler um jornal à luz da lua, se por acaso você quisesse ler um jornal. Em instantes, Eve iria pegar seu jornal e sentar na varanda da casa vazia.

Ela saltou do carro. Sentou no capô.

Em toda a sua volta, havia o estado de Nova York. Aqueles eram os montes Catskills. Estavam no mês de maio. Ela segurava na mão o jornal que comprara mais cedo, em Nova York. Havia a foto, na primeira página, de um homem dentro de um saco. Ele estava claramente morto. Tinha aquela expressão vazia e argilosa dos recém-falecidos. O saco estava fechado até bem no alto, mas ainda assim era possível ver seus hematomas, seu nariz, seus dentes quebrados, seu olho morto revirado. Acima do saco fúnebre, havia uma moça de farda. Era bonita, sorria e fazia para o fotógrafo o sinal de positivo, com o polegar para cima, por sobre o rosto do morto. Havia uma notícia sobre uma senhora de setenta anos. Um dia eles a tiraram da cela. Atiçaram um cão para cima dela e a fizeram ficar de quatro no chão, como um cão. Um soldado sentou nas costas dela e cavalgou-a pelo pátio da prisão como um cavalo. Havia fotos de uma porção de prisioneiros de guerra que foram obrigados, na mira dos cães e das armas, a se despir. Depois os soldados cobriram a cabeça deles com sacos. Em seguida foram empilhados, nus, uns em cima dos outros, formando uma pirâmide de corpos vivos, e então os soldados tiraram fotografias sorrindo, como se estivessem numa festa de família, por cima da pilha de gente.

Eve sabia que estava acontecendo algo um tanto misterioso, quanto mais olhava para as fotos. Sabia que era assim que tinha de ser, que embora as fotos fossem um sinal, ao menos para os olhos, de que havia algo acontecendo de fato, quanto mais olhava para elas, menos era capaz de sentir ou pensar. Quanto mais fotografias via, menos elas significavam que havia ocorrido algo com gente de verdade, e mais se tornava possível empilhar de novo gente de verdade, daquele modo, em qualquer lugar que se quisesse, para depois tirar fotos sorridentes ao lado delas.

Ainda podia ver com clareza a foto do homem morto no saco fúnebre e a militar toda sorridente do lado, ainda que fosse noite fechada. Não sabia o que fazer a respeito de olhar, se continuava olhando ou se parava de olhar. Não havia resposta para isso. Isso era em si mesmo a resposta. Estava vivendo num tempo em que era historicamente admissível sorrir daquele jeito por cima do rosto de alguém morto de forma violenta.

Eve havia tirado um ano de folga de sua própria história. Estava andando numa rua de Londres, um dia, e vira um anúncio, do tamanho de um pôster, numa vitrine de uma agência de viagens para estudantes. P: *Haverá vida após a morte?* Naquele dia, estava a caminho de uma coletiva à imprensa sobre o Famílias Protegendo a Autenticidade de Parentes. Já estava até vendo as manchetes. Faproapa Para Quê? Como quer o Faproapa. As famílias tinham se unido para arrancar dinheiro da Editora Jupiter e de Eve. A cabeça de Eve estava cheia de frases ensaiadas durante a noite. *Quem pode afirmar com segurança o que é autenticidade? Quem sabe ao certo quem é o dono da imaginação? Quem é que garante que as minhas versões, as minhas histórias sobre a vida que teriam levado essas pessoas, são menos verdadeiras que as outras?* Ela iria responder a cada pergunta com outra pergunta. Isso lhe permitiria dar respostas que pareceriam abertas, que a fariam parecer, de um lado, disposta a dialogar e, de outro, astuciosa e retoricamente fechada. Havia passado pela agência de viagens, parado, voltado até a vitrine e lido de novo as palavras do cartaz. *R: Por que esperar para descobrir? Tire um ano de folga. Parta agora.* Isso a fizera entrar e apertar o botão da máquina que fornecia uma senha numerada para que as pessoas fossem atendidas por ordem de chegada. O papelzinho dizia número seis. Era meio-dia. Eram tão poucas as pessoas viajando no momento, devido à situação mundial, segundo a funcionária da agência, que estavam pensando em tirar a máquina de senhas de lá. Tem importância o fato de eu não ser estudante?, Eve tinha perguntado. Vai custar mais caro, disse a mulher, mas não, em termos de quem você é, claro que não. Qualquer um pode tirar um ano de folga. Para onde você gostaria de ir?

    Em vez da coletiva, Eve tinha ido até o consultório de seu médico e marcado consulta para tomar as injeções necessárias. Àquela altura, já havia retirado dinheiro de agências do HSBC em quase todas as principais cidades do mundo. Tivera ofertas de sexo vindas em sua maioria dos homens, mas não só deles, em praticamente todas as cidades onde havia tirado dinheiro e em número quase igual ao dos saques. Havia tomado Coca num quarto de hotel em Roma. Havia tomado Coca num bar que dava para um palácio em Granada. Havia tomado Coca num chalé-bar no alto de uma montanha suíça. Havia tomado Coca em diversos aviões. Havia tomado Coca no bar de um hotel em Nice, na Promenade des Anglais, em frente a um grupo de drogados deitados na praia coberta de cascalho. Havia tomado Coca no ar condicionado de um restaurante num bairro afluente de Colombo, e, pelas janelas da frente, vira crianças moradoras de um edifício decrépito, vestidas com farrapos, penduradas de buracos onde deveria haver janelas. Havia tomado Coca num bar indecentemente caro da Cidade do Cabo. Tinha passado por uma estrada de terra batida na Etiópia, no meio do nada, onde não havia nada a não ser um calor esturricante, nada além de moscas, nada para comer, nada para plantar, nada além de um velho caminhão sem rodas e alguns casebres ainda de pé, e o povo magro e sempre sorridente que morava ali lhe dera as boas-vindas. Essas pessoas lhe deram tudo que tinham, que era quase nada, depois a levaram para o único bar caindo aos pedaços que havia por lá, e lhe apresentaram a máquina de Coca, na frente da qual vários deles discutiram, balançaram a cabeça, confabularam, berraram chamando mais gente, até que, por fim, conseguiram dinheiro suficiente e introduziram moeda por moeda na fenda, até que a lata rolou para a boca empoeirada da máquina. *Estou mandando isto do aeroporto*, ela escreveu no postal que enviou para casa. *Só para que saibam que tomei a última Coca da minha vida.*

Tinha posto moedas nas fendas ela própria, duas semanas antes, em Las Vegas. Duas semanas antes, tinha jogado tudo que havia ganhado no jogo do alto do Grand Canyon: trocados sem sentido rolaram para a maior fenda do mundo. Qual seria o prêmio? O que sairia rolando dessa que é a máquina mais colossal do mundo? Para dar sorte, jogara o celular também, depois das moedas. Valia alguma coisa. Tinha alcance internacional. Na tela, o irado ícone vermelho, na forma de um aparelho de telefone, piscava para ela fazia dias. Você Tem Novas Mensagens. Antes de jogá-lo fora, Eve deixou um recado na secretária eletrônica de casa.

Alô, Astrid, alô, Magnus, alô, Michael, sou eu. Só para que vocês saibam que estou no Grand Canyon. E tentando imaginar um jeito de descrever isto aqui. Na verdade, isto aqui me faz pensar que toda calçada ou rua plana em que jamais pus os pés era uma espécie de absurdo. Acho que vou sentir vertigem pelo resto da vida. Estou sentada bem na beirada. Estou na margem sul. A margem norte, pelo visto, continua fechada. Está a dezesseis quilômetros de distância, ao que parece. Um homem, no posto de observação, me disse que eles costumavam ver a curvatura da Terra, de um desses locais de observação, sabe, com telescópios especiais, mas que agora não dá mais. Tem uma cerca baixa aqui onde eu estou, mas dá para pular e olhar bem lá para baixo, acabei de fazer isso, e daqui deu para ver uma faixinha minúscula de verde lá no fundo. É o rio Colorado, pelo visto. Tem um japonês na minha frente, agora. Ele está tirando uma fotografia. De pé, numa pedra. Parece meio perigoso. Ele está parado na beira do precipício de um jeito tal que me dá vontade de sair correndo e dar um empurrão nele lá para baixo. Muitos pássaros. Muitos mesmo, corvos, acho que são. Dá para ver também algumas cabras, Astrid, lá embaixo nas pedras. É como se eu estivesse olhando para um planeta diferente, exceto pelos turistas. É como se fosse a Terra antes de qualquer um morar nela, exceto os turistas. Claro, eu também sou turista. É um pouco desnorteante, para falar a verdade. Um pouco avassalador. Muito lindo. As cores mudam o tempo todo, com a mudança de luz. É tão vasto. Bem, mas o fato é que estou prestes a jogar meu celular lá para baixo. Tenho de jogar alguma coisa lá para baixo, e é melhor que não seja nem eu nem aquele turista japonês perfeitamente razoável. Só queria deixar um recado pra vocês, antes de fazer isso. Eu amo vocês.

    Nem tudo ficou gravado na secretária eletrônica, que emitira aqueles bipes para sinalizar o fim do espaço destinado ao recado mais ou menos quando Eve dizia as palavras *daqui deu para ver*.

Do outro lado do cânion, invisível a olho nu, estava sua mãe morta, numa saliência de rocha, viajando de morfina numa cama de hospital, cantando hinos e músicas, tudo misturado. *E assim entoa minha alma meu Deus salvador a ti.* Uma enfermeira viera fechar a porta. *Ah, ilha de minha infância que anseio tanto ver.* A mãe dela tinha quarenta e quatro anos, só isso. Não conseguia mais sustentar a cabeça; a cabeça caía sobre o peito como se o pescoço tivesse quebrado. O pescoço dela não funcionava mais. Ela pegou na mão de Eve e segurou com tanta força que doeu e, quando soltou, Eve estava com a mão marcada pelos anéis da mãe. Ela falou com Eve, disse coisas que soavam como palavras, mas que não eram palavras. Eve não faz idéia de qual tenha sido a última mensagem da mãe para ela.

Acho que você tinha idade suficiente para agüentar o tranco, Michael havia lhe dito, logo depois de se conhecerem. Você não era mais uma criança. Já tinha passado da fase de que falam os psicólogos, em que as crianças, por terem sofrido uma grande mágoa muito cedo, se sentem magoadas pelo resto da vida.

Não teve o menor sentido o que ela me disse no final, Eve contou a ele.

Não é que não teve sentido, disse ele. Teve sentido porque foi ela quem disse. Mesmo que você não saiba o que ela disse, teve sentido porque foi entre vocês duas, dela para você.

É, disse Eve.

É só que o significado literal, propriamente dito, não ficou inteligível de pronto, disse Michael. O que não quer dizer que não tivesse um significado.

Essa conversa foi um dos motivos que levaram Eve a se casar com Michael. Ele lhe parecera um homem com quem o tipo certo de diálogo seria possível.

Pobre Michael. Uma moça chamada Emma Sackville tinha finalmente sacaneado sua vila. A verdade aguardava a chegada deles na secretária eletrônica. Mas, numa das últimas vezes em que conversara com Michael, as coisas pareciam estar melhores. Uma pequena editora aceitara publicar uma série de poemas dele. O suplemento literário do *Times*, ou alguém, queria publicar duas das poesias. Ele estava com uma voz comicamente satisfeita por causa disso. Astrid, porém, continuava se recusando a falar com ela, e Magnus estava na biblioteca com um amigo, fazendo revisão para os exames.

Eve: Sacerdócio? Que tipo de sacerdócio?

Michael: Pois é. Eu disse a ele que antes seria preciso se converter, que não era possível simplesmente entrar e se tornar padre, assim, sem mais nem menos, e ele me olhou como se eu fosse algum cretino idiota. A bem da verdade, ele sempre me olha como se eu fosse algum cretino idiota. Não, mas ele está ótimo, vai ficar chateado de não ter falado com você, estamos todos bem, sério mesmo.

Eve: E como vai a Astrid?

Michael: Bem, estamos todos bem.

Eve: Ela continua usando vermelho o tempo todo?

Michael: Ah, você sabe. Ela está bem. Não se preocupe. Está perfeitamente a salvo. Fez amigos. Está trabalhando num jornal alternativo na escola, ou algo assim. Está lá no quarto, escrevendo um manifesto para publicar nele. Tal mãe, tal filha.

Eve: Um manifesto? Nada a ver comigo. Eu nunca escrevi um manifesto. Que tipo de manifesto?

Michael: Como é que eu vou saber? Até parece que ela vem me mostrar as coisas que faz. Mas me deixou escolher um bóton. Ela fez bótons para ela e os amigos. E, com muita condescendência, disse que eu podia ficar com um.

Eve: É mesmo? Puxa, você está com sorte. Deve estar fazendo alguma coisa certo.

Michael: Havia duas opções. Um distintivo com a palavra imagine e outro com a palavra medo.
Eve: Imagine ou medo?
Michael: Imagine ou medo.
Eve: Qual você escolheu?
Michael: Ah. Isso seria revelador.
Eve: Muito revelador.
Michael: Rá, rá.
Eve: Diga a Astrid, diga a eles, que eu amo muito os dois. Diga a eles que penso nos dois todas as manhãs, quando acordo, e todas as noites, quando vou deitar. Imagino os dois na minha frente, como se estivessem aqui comigo.
Michael: É, mas não estão. Estão os dois decididamente aqui, comigo.
Eve: Eu sei disso.
Michael: Dá pra saber por causa das contas de supermercado. E em mim também, não é? Você também pensa em mim, não?
Eve: Ah, suponho que sim. Suponho que eu penso em você de vez em quando. Como é que você chamaria isso?
Michael: Chamaria o quê?
Eve: A sua seqüência poética. Como é que chama?
Michael: Ah. Rá, rá. Eu tinha esquecido disso por alguns instantes. Eu devia falar com você mais vezes. Chama-se A dama oculta.
Eve: A dama oculta. Muito bom.
Michael: É, não é?
Eve: E eles estão lhe pagando uma boa grana?
Michael: Rá, rá. Que piada.
Eve: Não, sério, como vocês estão de finanças?
Michael: Bom, nós ainda estamos conseguindo controlar o forte, mas os apaches fizeram o cerco e não sei se uma

seqüência de sonetos vai ser capaz de mantê-los longe por muito mais tempo.
    Eve: E...?
    Michael: E nada, não sei o que vamos fazer. Estou tentando não pensar a respeito.
    Eve: Porque eu também já estou quase sem.
    Michael: Ah. E isso significa que vai voltar pra casa logo?
    Do outro lado do Grand Canyon estava a mãe de Eve. Ela não estava numa cama de hospital coisa nenhuma. Era uma mulher jovem, de atitude serena, parecia estar debruçada na bancada da cozinha, pensando em algo na maior tranqüilidade. Acenou para Eve e Eve viu que a mãe estava encostada numa fina camada de madeira revestida de fórmica apoiada no ar, nada mais que ar, e que, logo abaixo dos pés dela, grasnavam alguns corvos, voando em volta. Do outro lado do Grand Canyon estava o homem que fora seu pai. Parado, teatralmente, em pleno ar, acima de uma cova de quatrocentos quilômetros de comprimento, dezesseis quilômetros de largura e um quilômetro e meio de profundidade. Estava mais velho, maior, mais careca; usava um belo terno; abrira os braços para ela. Ele também acenou. Acenou para a mãe dela. Ela acenou de volta para ele. E então o pai e a mãe de Eve, juntos enfim, sorriram e lhe deram um adeus, como se estivessem de férias em algum lugar bom, como se estivessem se divertindo como nunca na vida, e como se a mensagem televisionada especialmente para ela tivesse chegado ao fim.
    Não. Do outro lado do Grand Canyon ficava a margem norte. Estava fechada por causa do tempo. Ainda não era temporada, embora já fosse começo de maio. Mas dava para ver de helicóptero, se alguém quisesse. Para tanto, bastava comprar uma passagem, santo Deus.
    Depois ela pensou, eu deveria ir para o norte e ver onde ele

morava, pelo menos. Eu deveria ao menos ir ver onde eu poderia ter crescido.

Comprou o mapa das rodovias com dinheiro vivo. O carro, comprara com cartão de crédito, em Las Vegas. Não sei se o cartão vai ser aceito, disse ela ao homem da loja de carros usados. O homem, em manga de camisa, tinha ido com a cara dela. Deu uma piscada e pegou a máquina manual de passar cartões. Não confio na senhora, disse ele. Mas isso não tem importância. Eu tenho seguro.

Agora Eve estava sentada na varanda da casa escura, com o jornal debaixo do braço. O chão da varanda rangeu sob ela. Talvez estivesse podre. Seria essa a casa? Ela não tinha idéia. Importava? Olhou para as montanhas. Lá no alto, nos picos escuros, delineadas pelo luar, estavam todas as Eves que ela poderia ter sido. De braços dados, faziam uma dança escocesa, com muitos pulos e saltos. Uma delas era uma Eve norte-americana. Tinha uma pele ótima e fizera um bom casamento. Morava na casa em cuja varanda Eve estava, com vários filhos, todos eles meninos, e um marido que criava cavalos; eram os donos daqueles belos cavalos, daquelas pastagens perfeitas. A Eve ao lado era uma Eve norte-americana mais tosca, que nunca se casara e sempre cuidara de si; bronzeada, saudável, dourada, trabalhava na sua própria fazenda e possuía seus próprios belos puros-sangues. As mãos eram marcadas e fortes. Ela sabia como criar e domar um cavalo. Ao lado dela estava a Eve de agora, mas a Eve que ela teria sido se a mãe não tivesse morrido. Estava feliz. Irradiava luz. Ao lado, a Eve que ficara com Adam Berenski. Não tinha expressão nenhuma no rosto. Ao lado, a Eve que jamais conhecera Adam Berenski. Era inimaginável. Eve não fazia idéia de como ela era. Ao lado dela havia uma mais fácil, era a aeromoça que Eve queria ser, aos oito anos de idade, quando crescesse. Era encantadora e impecável. Seu casaquinho à la anos 1960 estava abotoado até o pescoço. Ao lado dela havia uma Eve idêntica ao que Eve era, na verdade, mas uma que abotoava até o último botão do casaquinho da filha Astrid antes que a menina saísse no frio e na chuva, e que sentia amor de verdade, amor bom, não aquele tipo de amor que causa pânico, e sim o tipo que deixa a pessoa feliz.

As Eves se estendiam por toda a serra enegrecida. Acenavam para a Eve verdadeira como haviam feito seus pais mortos, e batiam os calcanhares e dançavam como se, a qualquer ponto da vida, você pudesse simplesmente ter mudado de idéia e escolhido um outro eu.

Eve sacudiu a cabeça. Lembrou do homem no saco fúnebre cujo rosto morto, feito de minúsculos pontos impressos, havia sido reproduzido milhões de vezes e enviado para o mundo inteiro e que, bem neste momento, estava dobrado debaixo do braço dela, já desatualizado. Lembrou da militar sorridente. Lembrou dos olhos da moça, do obsceno polegar ereto. Estavam reproduzidos no mesmo tipo de tinta e com o mesmo tipo de pontos minúsculos usados nos olhos do homem morto. Os mortos não eram o problema. Os mortos podiam cuidar de si mesmos. Eve começava a chorar pelos vivos.

Teria algum sentido, isso, sentar na varanda da frente de uma casa vazia, às escuras, com sua bandeira esfarrapada ondulando na porta de entrada? Seria a casa dele, essa? Digamos que fosse; haveria algo ali dentro que ela quisesse de fato, ou de que alguém no mundo real pudesse precisar, se por acaso ela resolvesse arrombá-la? Qualquer coisa além, digamos, de um velho bule de café mal lavado e meio embolorado, de uma velha xícara suja largada sobre a pia e na qual alguém agora já falecido tivesse quem sabe tomado algo?

O que ela esperava que fosse acontecer? Será que imaginou, como numa história inventada para fazer as pessoas se sentirem bem, que, ao se aproximar da casa do pai, ela se acenderia de pronto como uma gigantesca luminária de mesa, que irromperia de repente do escuro e iluminaria toda a região em volta, com sua luz, que sua porta se abriria como se num passe de mágica e que todas as roseiras se curvariam para lhe oferecer suas flores, quando atravessasse o jardim? O que era ser feliz? O que era um final? Ela recusara a felicidade verdadeira durante anos e, durante quase tanto tempo, evitara finais de verdade, até o instante em que abrira a porta da frente de sua própria casa esvaziada, os armários de cozinha sem portas, as paredes sem quadros e os quartos sem nada dentro, nenhum vestígio dela, ali dentro, nada para provar que Eve Smart, fosse quem fosse, tinha algum dia estado ali.

Viu seus filhos com clareza, como se estivesse muito acima deles, como se fosse um daqueles corvos negros do Grand Canyon, voando por cima deles. De onde estava, deu para ver que se achavam cada qual numa estrada diferente, em mapas diferentes, e que os mapas eram meros gráficos, como diagramas do Código de Estradas que explicam como funcionam os entroncamentos rodoviários. Centenas de entroncamentos e todas as possíveis conexões com outros entroncamentos se estendiam à frente deles, como uma rede de sinapses acesas. Mas, à medida que chegavam ao entroncamento seguinte e decidiam qual a próxima direção a tomar, imensas áreas inteiras dos mapas sob seus pés se apagavam e voltavam à escuridão. Pior, os mapas eram feitos de papel, nada mais. Tinham a espessura de uma folha de jornal, dispostos como se fossem armadilhas primitivas por cima de precipícios de mais de um quilômetro e meio de profundidade. A qualquer momento, se algum de seus filhos pisasse com muita força ou pusesse o pé no lugar errado, os mapas poderiam se rasgar ou afundar, ou até mesmo ser levados pelo vento.

Porém bem nesse instante, e bem diante dos olhos de Eve, um enorme gato, um felino qualquer, surgiu na estrada enluarada e foi até a frente da casa vazia. Estava com um coelho morto, ou algum outro bicho pequeno, pendurado na boca. O animal viu Eve na varanda da casa. Parou a alguns centímetros dela e ficou olhando.

Depois virou a cabeça e seguiu caminho, no mesmo ritmo desinteressado, pela relva, em direção aos fundos, e então sumiu entre as árvores.

Puta que o pariu, disse Eve, entre os dentes.

Levantou-se e olhou para ver se era possível enxergar aonde ele fora. Nem sinal do animal. Nem sinal, tampouco, de algo que lhe dissesse que aquilo tinha acontecido de fato, mas tinha, ela sabia, por causa do jeito como o coração esmurrava seu peito. Nunca na vida, a não ser num zoológico, ou em fotos e filmes, tinha visto um felino maior do que um gato doméstico. Devia ser um lince, ou um puma, ou alguma outra coisa cujo nome não conhecia, do tamanho de um cachorro grande, com tufos claramente visíveis de pêlos nas pontas das orelhas. Seu olhar fora calmo e comedido. E havia durado cinco segundos inteiros.

Ela voltou para o carro, pisando na relva. Entrou. Largou o jornal no banco do passageiro e estendeu a mão para dar a partida e voltar para Nova York pela auto-estrada que cheirava a gambá e pneu queimado.

Mas, em vez disso, descansou a cabeça sobre o volante. Lembrou de Astrid, sua filhinha, e de Magnus, seu garoto. Imaginou os dois ali com ela, no carro, Astrid resmungando, irritante, no banco de trás, Magnus mexendo no dial do rádio ou espiando o céu pelo vidro do pára-brisa dianteiro. Imaginou estar dirigindo devagar o bastante, por uma daquelas estradas secundárias, e que, bem na frente deles, atravessando a estrada, com suas patas enormes, estivesse o gato selvagem.

Astrid iria adorar.
Magnus saberia exatamente que tipo de felino era aquele.
Adormeceu no banco do motorista e, quando acordou de novo, já estava claro.

Olá, disse Eve.
A mulher foi fria, mas parecia agitada. Segurava um cachorro velho pela coleira. Era loira, magra, muito bem vestida e tão extraordinariamente hostil que Eve sem querer recuou um passo da porta aberta.
Você está atrasada, disse ela.
Estou?, disse Eve.
Eu esperava você às oito em ponto, disse a mulher. Da próxima vez, use a porta dos fundos. Esta é a porta da frente. Rebecca, gritou ela. Desça até aqui e pegue este cachorro.
Uma menina loira, miúda, de camiseta e jeans, desceu a escada, parou atrás da mulher e passou por ela sem tocá-la.
Olá, disse Eve à garota.
A garota passou por Eve arrastando o velho cachorro e deu a volta pelo lado de fora do casarão. A mulher tinha se virado, atravessado o hall e parado. Soltou um ruído de irritação. Eve entrou atrás dela.
Oficialmente, quero deixar claro que não considero uma hora de atraso um fato aceitável, ia dizendo a mulher, ainda de costas para Eve, enquanto passava diante da escadaria que parecia escadaria de filme. Não sou uma pessoa intolerante, mas tenho certos padrões que gosto de ver cumpridos.
Eve formou diversos começos de frase na cabeça. *Quem exatamente você acha que eu* e *Eu não sou a* de certa forma resumiam o teor de todas elas. Mas do nada, em vez de dizer algo parecido ao que tinha pensado, ela disse:

E se eu lhe dissesse que meu carro quebrou?

O que se passa com o seu carro, disse a mulher, simplesmente não é problema meu.

A cozinha onde elas estavam era imensa. Um conjunto de fogões ocupava toda uma parede. Havia um balcão para o café-da-manhã, com pratos esparramados por toda a extensão, e havia mais pratos na pia. A mulher falava sem olhar diretamente para Eve. Falava para um ponto a cerca de quinze centímetros acima da cabeça de Eve, à direita.

Máquinas de lavar louça. Aqui, disse a mulher. Detergentes. Aqui. Utensílios. Detergentes de chão e para as bancadas. Aqui. O material exigido pela agência está na lavanderia, lá embaixo, e você deve ter trazido tudo o mais que for necessário com você. Também deve ter conversado sobre o itinerário com Bob, da agência. Se quiser me mostrar sua cópia, podemos rever tudo.

Receio que não sei nada desse seu itinerário, disse Eve.

Você não sabe nada a respeito?

A mulher parecia espantada, depois possessa, em seguida tão decepcionada que Eve no fundo sentiu pena dela.

Bem, suspirou ela. Acho que vou precisar ter uma conversinha com Bob, na agência. Seu nome?, disse ela.

Eu sou Eve, disse Eve.

A empregada chegou, uma voz infantil gritou de algum lugar mais para os fundos da casa.

Estou vendo com meus próprios olhos, muito obrigada, Rebecca, gritou a mulher de volta. E você gosta do seu café como, Aíve?

Ah, disse Eve. Quanta gentileza. Ótimo. Preto, por favor, sem açúcar. Obrigada.

A mulher pegou uma jarra e serviu o café numa xícara limpa. Despejou o café dessa xícara numa outra xícara. Largou a xícara esvaziada, ainda fumegante, na frente de Eve e fez um gesto na direção da máquina de lavar louça.

A resposta a essa pergunta é que você não toma café. Não no meu horário de trabalho, disse a mulher.

E saiu da cozinha, levando a segunda xícara de café estendida à frente, como se fosse um troféu cerimonial.

Eve começou a rir. Arrumou os pratos empilhados na pia dentro da primeira lava-louças aberta até a mulher reaparecer na cozinha. O pescoço dela, abaixo do rosto maquiado, estava muito vermelho. Vinha ladeada por uma jovem latino-americana e duas crianças loiras, a mesma garota que pegara o cachorro pela coleira e um menino alguns anos mais novo, que parecia o anão abobalhado da Branca de Neve da Disney.

A mulher se aproximou e pegou as duas mãos de Eve nas dela.

Me desculpe, Aíve, eu sinto muitíssimo, mil desculpas mesmo. Por favor, me perdoe. Estou tremendamente constrangida. Não acredito no que acabei de fazer.

Eu já carreguei uma das máquinas de lavar, disse Eve à moça latino-americana. Espero ter feito do jeito certo, mas elas são mais ou menos a mesma coisa no mundo todo, não são, quer dizer, as máquinas de lavar louça?

A moça latino-americana não abriu a boca. Continuou olhando para o chão, muito neutra. Já estava com problemas de sobra, não precisava de mais um.

Leve a nossa visita para a sala de estar máster, por favor, Rebecca, disse a mulher.

Por que ela se chama Aíve?, perguntou o menino. Por que ela tem esse nome esquisito?

Nathan, meu docinho, disse a mulher. Vá para a saleta ver um pouco de televisão.

Eve seguiu a menina, de volta ao hall de entrada.

Este é o saguão, disse a garota. Esta é a escada. Esta é a sala de estar máster. Nós temos três outras salas de estar, aqui no térreo. Se quiser conhecer, eu lhe mostro.

A sala de estar máster é mais que suficiente, obrigada, disse Eve.

Pode sentar lá, disse a menina, apontando para um sofá grande o bastante para conter cinco ou seis pessoas.

Obrigada, disse Eve. E tirou os sapatos. Me diga uma coisa, Rebecca, disse ela.

A menina a observava de um outro sofá igualzinho àquele em que Eve tinha sentado, do outro lado da sala. Olhou para os sapatos de Eve. Olhou para os pés de Eve. Olhou para Eve como se ela fosse um monstro de circo.

Estive viajando, disse Eve. Vim de muito longe. Me ajude a responder a uma pergunta. Quem é que mora naquela casa menor, uma que parece meio arruinada, mais para baixo, na estrada?

A menina fingiu que não tinha escutado. Abriu um livro e fingiu ler.

Mulherzinhas, disse Eve. E qual delas é você, então? A maternal, a brincalhona, a vaidosa ou a morta?

Uma risada escapou da garota, depois se fez silêncio de novo.

Faz alguma idéia de quem morava naquela casa?, perguntou Eve. Ou de quem mora lá agora?

A menina olhou com frieza para ela. Deu de ombros.

Obrigada, disse Eve. Ajudou muito.

O sofá em que estava sentada ficava diante de uma vidraça que dava para um deque onde havia diversas espreguiçadeiras de muito bom gosto espalhadas na frente de um gramado tão vasto quanto um pequeno parque londrino e, por fim, para além do gramado, via-se um dos prados pontilhados de cavalos impecáveis.

Sua mãe é quem cuida daqueles cavalos?, perguntou Eve.

Nós temos gente para cuidar dos nossos cavalos, disse a menina, sem erguer os olhos do livro. Minha mãe é arquiteta. Ela projetou esta casa.

Sua mãe é um verdadeiro pesadelo saído direto do inferno, disse Eve.

O livro desgrudou do rosto da menina. Ela olhou fixo para Eve, boquiaberta.

Rá, rá, disse Eve. Peguei você. Mas é verdade. Você sabe que sim.

O que é verdade e quem sabe que sim?, disse a mulher.

Ela tinha entrado na sala com uma pequena bandeja cheia de xícaras, pratos com pãezinhos crocantes, biscoitos, queijo, finas fatias de carne. Na outra mão, trazia a mesma jarra de café da cozinha.

Nada, ninguém, disse a menina. Ninguém.

Parecia aterrorizada.

Café?, disse a mulher.

Não sei se tenho permissão para tomar meu café no seu horário de trabalho, disse Eve.

A mulher lançou um sorriso caloroso e cúmplice para Eve.

Mamãe, posso levar o Sonny até a mata?, disse a garota.

Não deixe ele chegar perto dos gansos dos Dunlops, Rebecca. E, quando voltar, vai ter de se pôr apresentável, disse a mulher.

A menina saiu da sala.

Você é como eu, disse a mulher. Preto, sem açúcar.

Você se lembrou, disse Eve.

Jerry só vai chegar bem mais para o final da tarde, infelizmente, disse mulher. Tem de ir buscar o filho mais velho na faculdade. Na verdade, nós comemoramos o aniversário de dezoito anos de Richard aqui mesmo, no outono passado, se bem que eu não me lembro de ter visto você por aqui, naquela ocasião.

Não, disse Eve. Eu provavelmente estava na Europa, na época.

Ela viu, com o canto do olho, a menina olhando para elas pela vidraça, da beirada da parede externa. Quando a menina percebeu que estava sendo vista, recuou e sumiu.

A verdade é que você chegou de fato muito, muito cedo, dizia a mulher. Para ser franca, não estávamos esperando ninguém até o começo da noite, no mínimo, e a maioria vai chegar amanhã, mais à tarde.

Essa é a história da minha vida. Primeiro atrasada, depois adiantada, disse Eve.

O que explica meu *faux pas*, disse a mulher. De novo, espero que você me perdoe.

Não, disse Eve. Foi imperdoável a maneira como você se comportou. E não apenas comigo.

A mulher esperou até que Eve desse risada. Quando viu que Eve continuava impassível, riu sozinha.

Bem, Aíve, disse ela, é muito bom ter você aqui conosco. Eu estou com uma programação ultra-apertada, mas você é bem-vinda para descansar em seu quarto até mais tarde, ou fazer o que preferir, explorar o que você — Ó! Você não disse qualquer coisa a respeito de um problema com o carro?

O carro está aqui perto, na estrada. Deixei na frente da primeira casa, a casa perto do pântano, disse Eve.

Você tem um sotaque tão maravilhoso, disse a mulher.

Obrigada, disse Eve.

É tão clássico, disse a mulher. É como se eu estivesse ouvindo — como se eu estivesse ouvindo — não consigo dizer bem o quê —

A BBC, talvez?, disse Eve.

Isso. A BBC, concordou a mulher.

Quando a mulher saiu da sala, Eve enfiou o quanto deu da comida que havia nos pratos dentro dos bolsos da calça e do casaco, antes que uma latino-americana diferente, mais velha, carregando uma grossa pilha do que pareciam ser toalhas brancas e novas, entrasse para conduzi-la à escadaria principal, ao longo de um corredor modernista, todo envidraçado, e depois por um corredor mais tradicional. Abriu uma porta para Eve. Deixou as toalhas sobre uma cadeira no imaculado banheiro da suíte.

Obrigada, disse Eve.

Não tem de quê, senhora, disse a latino-americana.

Ao sair, a empregada fechou a porta. O barulho que a porta fez, ao ser fechada, foi decente.

Eve parou no meio do quarto e montou um sanduíche com a comida que enfiara nos bolsos. Comeu. Fez outro. Comeu. Dispôs o resto da comida na mesinha-de-cabeceira.

O quarto era despojado e moderno. Tinha um ventilador de teto. As paredes eram forradas de lambris; a casa inteira cheirava àquela mesma madeira adocicada. Duas janelas davam para uma piscina, um conjunto de estábulos e um campo tão verde que era de certa forma chocante. Nas outras paredes, várias fotos de gente com cavalos ou de gente a cavalo. Eve reconheceu a loira em três delas. Estava com um homem, bem bonito, por sinal, sério.

Jerry.

A menina só aparecia em uma das fotos. Era muito mais jovem, nela, e parecia quase irreconhecivelmente alegre.

As outras fotos eram todas daquele garoto pequeno abobalhado, vestido de caubói, com revólveres, colete e gravatinha fina, montado num pônei de crina branca grande demais para ele.

Não havia foto nenhuma de alguém que pudesse ser o Richard (18) que iria ser apanhado na faculdade, mais tarde. Filho de um casamento anterior, pensou Eve.

Fez outro sanduíche com as fatias que havia pegado e comeu. Sentou-se na beira da cama impecável.

Resolveu que dormiria no carro.

Eu nasci. E aquela história toda. Minha mãe e meu pai. E assim por diante.

Esqueça isso. Imagine um lugar muito lindo. O mais lindo palácio do mundo. Agora imagine esse palácio multiplicado. É um palácio feito de palácios. Seus palácios são rendilhados de pedras e luz. Há pátios, arcos, galerias, salas inteiras de constelações, porque centenas de anos atrás os artesãos recortaram estrelas na pedra e o sol continua esparramando estrelas pelo chão e pelas paredes dos palácios. Há uma fonte lindíssima. Leões de pedra carregam-na nas costas. Há um teto que parece um céu, feito de curvas interrompidas de luz. Vistas a distância, as paredes parecem ter sido feitas de rendas intrincadas. De perto, dá para ver que a renda intrincada é feita de pedra. Esculpida nos arcos de uma porta a mão e a chave. Esculpidas nas paredes do palácio as palavras: só Deus conquista.

É real! É na Espanha. Reserve com antecedência, as visitas são programadas. Trezentas e cinqüenta pessoas podem vê-lo a cada sessenta minutos. Trechos dele têm mais de mil anos. O diretor de cinema Ray Harryhausen gravou boa parte da *Sétima viagem de Simbad* nele porque se parece com a velha Bagdá. Foi mourisco. Foi árabe. Foi berbere. Foi muçulmano. Virou ruína. Eles o restauraram. Durante um breve período, foi judeu. Durante um breve período, foi cigano. Os cristãos expulsaram os muçulmanos. Os católicos conservaram o palácio, mas puseram uma igreja em cima da mesquita. Os poetas amavam o palácio. Os escritores amavam o palácio. Os pintores amavam o palácio. Os turistas do século XIX amavam o palácio. Arrancaram pedacinhos das paredes e levaram embora com eles, de lembrança. O escritor John Ruskin disse que era anticristão demais para ser arte. O designer e arquiteto Owen Jones estudou-o, depois construiu o Crystal Palace. O promotor de circo P. T. Barnum construiu para si uma mansão baseada nele. A mansão não durou. Pegou fogo. As pessoas que construíam cinemas de vez em quando os batizavam com o nome dele. Como aquele em que fui concebida. Agora estamos de volta ao começo.

Paraíso na terra. Alhambra.

É um cinco portas top de linha a um preço razoável com capacidade para sete pessoas e motor 2.8 capaz de ir de zero a cem em 9,9 segundos.

É um palácio ao sol.

É um cinema decrépito cheio de filmes inflamáveis. Tem um isqueiro aí? Viu? Cuidado. Eu sou tudo com que você sempre sonhou.

Agradecimentos e créditos

Obrigada a Carla Wakefield pelo acaso original.
Muito obrigada a vocês, Charlie, Bridget, Kate, Woodrow,
Xandra, Becky, Donald, Daphne e Stephen.
Obrigada, Andrew e Michal, e Simon e Juliette.
Obrigada, Kasia.
Obrigada, Sarah.
O trecho do livro *Journey by moonlight*, de Antal Szerb, foi
reproduzido graças à permissão da Pushkin Press.
O trecho de *Cruel Britannia*, de Nick Cohen, foi reproduzido
graças à permissão da Verso, Londres.
"De nós, o que há de sobreviver é o amor", de Philip Larkin, foi
reproduzido graças à permissão da Faber & Faber Ltd.
O trecho de *The shape of a pocket*, de John Berger, foi
reproduzido graças à permissão da Bloomsbury Ltd.

Todos os esforços foram feitos para contatar os detentores
de direitos autorais; caso tenha havido alguma inadvertida
omissão, por gentileza entre em contato com os editores.

ESTA OBRA FOI COMPOSTA EM ELECTRA POR OSMANE GARCIA FILHO E IMPRESSA EM OFSETE PELA GRÁFICA BARTIRA SOBRE PAPEL PÓLEN SOFT DA SUZANO BAHIA SUL PARA A EDITORA SCHWARCZ EM JULHO DE 2006